Fernand Daoust

1. Le jeune militant syndical, nationaliste et socialiste, 1926-1964

collection
MILITANTISMES
ÉDITEUR

Le militantisme, c'est s'engager dans une cause, proposer un idéal, lier la pratique à la théorie et, en même temps, essayer d'obtenir des résultats concrets.

Dans le militantisme, il y a un combat pour ou contre une cause déterminée, par rapport à un groupe social, à des institutions ou à un système. Toute l'action de l'individu et du groupe est orientée vers cette cause alors que s'impose nécessairement une réflexion sur le rapport au pouvoir.

Que ce soit dans les organisations syndicales ou politiques, dans les associations, dans des groupes ponctuels ou permanents, le militantisme est une véritable nécessité. Sans lui, de telles organisations n'existeraient pas. Sans lui, les dominéEs et les exploitéEs n'auraient pas pu améliorer leur sort. Sans lui, les connaissances ainsi que les réflexions théoriques et politiques n'auraient pu connaître des avancées importantes.

Cette collection publie des récits de militantEs ou sur des militantEs qui ont façonné ou qui façonnent en ce moment les mouvements sociaux et politiques émancipateurs et qui ont joué ou qui jouent un rôle déterminant pour changer la société et améliorer le sort de la population.

André Leclerc

Fernand Daoust

1. Le jeune militant syndical, nationaliste et socialiste, 1926-1964

collection
MILITANTISMES
ÉDITEUR

Catalogage avant publication de Bibliothèque et Archives nationales du Québec et Bibliothèque et Archives Canada

Leclerc, André, 1943-

    Fernand Daoust

    (Collection Militantismes)
    L'ouvrage complet comprendra 2 volumes.
    Comprend des références bibliographiques et un index.
    Sommaire : 1. Le jeune militant syndical, nationaliste et socialiste, 1926-1964.

    ISBN 978-2-923986-86-9 (vol. 1)

1. Daoust, Fernand, 1926- . 2. Syndicalisme - Québec (Province) - Histoire - 20e siècle. 3. Fédération des travailleurs et travailleuses du Québec - Histoire. 4. Dirigeants syndicaux - Québec (Province) - Biographies. I. Leclerc, André, 1943- . Jeune militant syndical, nationaliste et socialiste, 1926-1964. II. Titre. III. Titre : Le jeune militant syndical, nationaliste et socialiste, 1926-1964. I. Collection : Collection Militantismes.

HD6525.D36L42 2013   331.88092   C2013-941475-4

M éditeur
1858, chemin Norway
Ville de Mont-Royal (Québec)
Canada H4P 1Y5
Courriel : m.editeur@editionsm.info
www.editionsm.info/

Lecture des épreuves : Marie-Hélène Boulay

M éditeur remercie le Conseil des arts du Canada et la Sodec de l'aide accordée à son programme de publication.

Dépôt légal : troisième trimestre 2013
Bibliothèque et Archives nationales du Québec
Bibliothèque et Archives Canada

Table des matières

Liste des acronymes

ACWA	Amalgamated Clothing Workers of America.
AFL	American Federation of Labor.
AIEST	Alliance internationale des employés de scène et de théâtre (nom français de IATSE).
AIM	Association internationale des machinistes.
ALN	Action libérale nationale.
CCF	Cooperative Commonwealth Federation.
CCMTM	Conseil central des métiers et de travail de Montréal.
CCT	Congrès canadien du travail.
CEQ	Corporation des enseignants du Québec.
CFDT	Confédération française démocratique du travail.
CHSLD	Centre hospitalier des soins de longue durée.
CIC	Corporation générale des instituteurs et institutrices catholiques de la province de Québec.
CIO	Congress of Industrial Organizations.
CISL	Confédération internationale des syndicats libres.
CMTC	Congrès des métiers du travail du Canada.
CMTM	Congrès des métiers du travail de Montréal.
COI	Congrès des organisations industrielles (nom français du CIO).
CPT	Congrès pancanadien du travail.
CRFTQMM	Conseil régional FTQ Montréal métropolitain.
CRO	Commission des relations ouvrières.
CSD	Centrale des syndicats démocratiques.
CSES	Commission sacerdotale d'études sociales.
CSN	Confédération des syndicats nationaux.
CTC	Congrès du travail du Canada.
CTCC	Confédération des travailleurs catholiques du Canada.
CTM	Conseil du travail de Montréal.
DGB	Deutscher Gewerkschaftsbund (Confédération allemande des syndicats).

ESP	École sociale populaire.
FAT	Fédération américaine du travail (nom français de l'AFL).
FCAI	Fédération canadienne des associations indépendantes.
FIOE	Fraternité interprovinciale des ouvriers en électricité.
FLQ	Front de libération du Québec.
FNEUC	Fédération nationale des étudiants des universités canadiennes.
FO	Force ouvrière.
FPTQ	Fédération provinciale des travailleurs du Québec.
FRAP	Front d'action politique.
FSM	Fédération syndicale mondiale.
FTQ	Fédération des travailleurs du Québec (devenue la Fédération des travailleurs et travailleuses du Québec en 1985).
FUCMA	Fraternité unie des charpentiers-menuisiers d'Amérique.
FUIQ	Fédération des unions industrielles du Québec.
IATSE	International Alliance of Theatrical Stage Employees.
JEC	Jeunesse étudiante catholique.
JOC	Jeunesse ouvrière catholique.
LAS	Ligue d'action socialiste.
LOC	Ligue ouvrière catholique.
MFC	Mouvement des femmes chrétiennes.
MLP	Mouvement de libération populaire.
MSA	Mouvement souveraineté-association.
MSI	Mouvement social italien.
MUA	Métallurgistes unis d'Amérique.
NABET	National Association of Broadcast Employees and Technicians.
NPD	Nouveau Parti démocratique.
OBU	One Big Union.
OIT	Organisation internationale du travail.
ONF	Office national du film.
OTAN	Organisation du traité de l'Atlantique nord.
OUE	Ouvriers unis de l'électricité.
OUTA	Ouvriers unis du textile d'Amérique.
PCC	Parti communiste du Canada.
PCQ	Parti conservateur du Québec.
PLQ	Parti libéral du Québec.
PQ	Parti québécois.
PSD	Parti social démocratique.
PSQ	Parti socialiste du Québec.
RIN	Rassemblement pour l'indépendance nationale.
SCEP	Syndicat des communications, de l'énergie et du papier.
SCFP	Syndicat canadien de la fonction publique.
SITBA	Syndicat international des travailleurs du bois d'Amérique.
SITE	Syndicat international des travailleurs de l'électricité.
SITIPCA	Syndicat international des travailleurs des industries pétrolière, chimique et atomique.
SQIC	Syndicat québécois de l'imprimerie et des communications.

SSJB	Société Saint-Jean-Baptiste.
TAVA	Travailleurs amalgamés du vêtement d'Amérique.
TCA	Travailleurs canadiens de l'automobile.
TUA	Travailleurs unis de l'automobile (nom français de UAW).
TUC	Trades Union Congress.
UAW	United Auto Workers.
UE	United Electrical Workers.
UCC	Union catholique des cultivateurs.
UIEB	Union internationale des employés de bureau.
UIOVD	Union internationale des ouvriers du vêtement pour dames.
UIT	Union internationale des typographes.
UNEP	Union nationale des employés publics.
UNESP	Union des employés des services publics.
UOTA	Union des ouvriers unis du textile d'Amérique.
UPA	Union des producteurs agricoles.
URSS	Union des républiques socialistes soviétiques.
USA	United States of America.
USWA	United Steel Workers of America.
UTIC	Union des travailleurs italo-canadiens.
YMCA	Young Men's Christian Association.

Introduction

FERNAND DAOUST s'avance lentement vers le microphone. Comme à son habitude, il semble calme, en contrôle. Toutefois, il est particulièrement concentré. Plusieurs déléguéEs, affairéEs ici et là dans la salle, regagnent leur place. Un silence exceptionnel fait de tension et de malaise s'installe dans l'assemblée. Pour la première fois de la semaine, des centaines de syndicalistes anglophones installent de peine et de misère les écouteurs qui leur permettent de capter la traduction simultanée. Le silence est lourd lorsque le leader québécois prend la parole de sa voix forte et grave.

> Confrère White, vous venez de faire un fantastique discours. Il est magnifique ce projet que vous avez décrit devant nous. [...] Cependant, dans les mois à venir, à titre de président du Congrès du travail du Canada, vous aurez à vous pencher sur les relations entre la FTQ et le CTC. [...] Depuis un quart de siècle, la FTQ avait sa place formellement, officiellement, dans les structures du CTC. C'était un pacte sacré entre nous. Une tradition historique. Elle a été brisée[1].

Nous sommes en juin 1992, à Vancouver. Fernand Daoust, président de la Fédération des travailleurs et travailleuses du Québec (FTQ), s'adresse au nouveau président du Congrès du travail du Canada (CTC), Bob White, au quatrième jour de la dix-neuvième Assemblée statutaire du CTC. Cette « assemblée statutaire », c'est le congrès régulier de la grande centrale syndicale canadienne, qui regroupe plus de deux millions de membres. Quelques minutes plus tôt, les déléguéEs ont défait le secrétaire général du Conseil du travail de Montréal, Guy Cousineau, le candidat de la FTQ au poste de vice-président du CTC, lui préférant Jean-Claude Parrot, le président du Syndicat des postiers du Canada.

---

1. Assemblée statutaire du Congrès du travail du Canada, Vancouver, Colombie-Britannique, *Compte-rendu des délibérations,* juin 1992.

C'est la première fois depuis la fondation de la centrale canadienne, en 1956, que les déléguéEs n'entérinent pas le choix de la FTQ à l'un des postes de dirigeantEs permanentEs de l'organisation. C'est sur un ton digne, quasi solennel, que Fernand Daoust annonce les conséquences probables de cette rupture historique.

> Nous aurons à nous pencher dans les plus brefs délais sur ce message qui nous est fait de façon décisive par une bonne partie des délégués. [...] Nous aurons à décider de notre avenir à l'intérieur du CTC avec courage et une très grande lucidité. Ce message-là, il faudra le décoder. [...] Nous sommes humiliés, Monsieur le Président. Il faut que vous le sachiez. Cette fin de non-recevoir [...] peut-être qu'il y a des solutions [...], on va décider à l'occasion d'assemblées des instances décisionnelles de la FTQ, son Bureau de direction, son Conseil général et nous verrons pour la suite de l'histoire[1].

Après une brève réponse de White, qui s'engage à « entamer le dialogue aussitôt que possible et résoudre ce sérieux différend[2] », toute la délégation du Québec quitte la salle pour ne plus y revenir jusqu'à la fin des assises.

Cette intervention, Fernand Daoust la porte en lui depuis des décennies. Il aimerait qu'elle constitue l'aboutissement de sa carrière syndicale, entamée quarante-deux ans plus tôt. Il espère annoncer ainsi une étape décisive de l'évolution d'un mouvement auquel il a consacré le meilleur de lui-même. Il croit profondément que le mouvement syndical québécois, représenté majoritairement par la FTQ, doit posséder la plus totale autonomie. Pour lui, la subordination de la centrale québécoise à la centrale canadienne, telle qu'elle est décrite dans les statuts de cette dernière, constitue une aberration.

Dans les faits, la centrale québécoise vit déjà une autonomie politique. Elle jouit d'une autorité morale sur ses syndicats affiliés bien supérieure aux pouvoirs que lui confèrent les textes statutaires. Sans commune mesure en tout cas avec l'ascendant qu'ont sur leurs affiliés les autres fédérations provinciales et le CTC lui-même. Pendant des dizaines d'années, patiemment, humblement, Fernand Daoust a contribué à façonner ce pouvoir moral de la FTQ, à donner de la substance à cette entité au départ bien diffuse et symbolique.

Dans cette intervention de Vancouver, on a tout Fernand Daoust. Homme d'espoir, il n'a jamais cessé de croire qu'on peut changer les choses. Homme d'idées, il reste fidèle à celles qui l'ont intimement lié au mouvement syndical. Homme d'action, il a la patiente et constante détermination du coureur de fond.

---

1. *Ibid.*
2. *Ibid.*

Personnage public moins flamboyant qu'un Louis Laberge ou qu'un Michel Chartrand, Fernand Daoust projette une image singulière parmi les syndicalistes québécois. Grand, distingué, d'une élocution nette, d'un vocabulaire châtié, sans juron ni mot vulgaire, son maintien digne lui confère une allure quelque peu aristocratique.

Les gens qui, par intérêt opposé ou par ignorance, ne prisent pas l'action syndicale, les affrontements et les discours agressifs ont l'habitude de faire une exception pour « Monsieur Daoust », qui ne serait pas « comme ça ». Les syndicalistes ainsi que ceux et celles qui gravitent autour du mouvement, qui se reconnaissent dans ses objectifs et dans ses moyens, savent que cet homme raffiné n'en est pas moins un militant profondément engagé, d'une exceptionnelle constance. Un homme qui, malgré sa capacité d'occuper l'avant-scène avec aisance, a le plus souvent travaillé dans l'ombre, sans chercher à accaparer un quelconque crédit personnel pour ses réalisations.

J'ai connu Fernand Daoust en 1968. Il avait quarante-deux ans, j'en avais vingt-cinq. C'était déjà un personnage public qui comptait dans le mouvement syndical québécois. Il y œuvrait depuis dix-huit ans ; il avait pris la direction québécoise du Syndicat canadien de la fonction publique (SCFP) deux mois plus tôt. Ce syndicat dynamique venait de recueillir l'adhésion des travailleurs et des travailleuses d'Hydro-Québec et recrutait partout avec succès dans les municipalités, les commissions scolaires, les institutions de santé, les universités. Très vite, ce syndicat du secteur parapublic allait devenir le plus grand syndicat de la FTQ, dépassant en nombre d'adhérentEs le Syndicat des métallos, le plus grand syndicat industriel.

Il m'a offert un poste temporaire de « pompier » pour éteindre un feu syndical à Terre des Hommes. Le site de l'Expo 67[1], qui avait en effet rouvert ses portes en 1968, avait été transformé en une exposition permanente gérée par la Ville de Montréal. Les guides, les employéEs d'entretien du site et les préposéEs à la restauration s'étaient découvertEs cotisantEs du Syndicat des cols bleus de la Ville de Montréal, la section locale 301 du Syndicat canadien de la fonction publique (SCFP). Leurs conditions de travail précaires et mal respectées avaient tôt fait d'allumer une contestation spectaculaire de ces étudiantEs, inspiréEs et stimuléEs par la déferlante du Mai-68 français.

Dès cette première rencontre, j'ai été impressionné par l'homme. Il reconnaissait que l'entente collective qui couvrait les employéEs de Terre des Hommes était bien faible, sinon injuste. De prime abord, je le sentais animé par une flamme combative évidente. Or, il ne projetait pas à mes yeux l'image que je me faisais des syndicalistes ouvriers. Surtout ceux des

---

1. Exposition universelle de Montréal tenue en 1967 sur l'île Sainte-Hélène.

unions[1] internationales et canadiennes affiliées à la FTQ. Je présumai que c'était un universitaire issu d'une famille bourgeoise. L'un de ces idéalistes venus prêter main-forte à la classe ouvrière. Je l'aurais mieux vu à la CSN. Il est resté un peu plus d'un an à la direction du SCFP. Dès la fin 1969, il quittait ce poste pour devenir secrétaire général de la FTQ. Quant à moi, je suis passé à la centrale en novembre 1970.

Pendant toutes les années qui allaient suivre, j'ai côtoyé cet homme et appris à le connaître. J'ai eu la chance de le voir dans son action publique déterminante aussi bien pour l'évolution du mouvement syndical que pour celle de la société québécoise. Les longues heures passées à l'entendre se remémorer des souvenirs de jeunesse et d'âge mûr ont peu à peu corrigé l'image que je m'étais faite de lui et de ses origines familiales. J'allais découvrir une personnalité évidemment plus complexe et plus riche que celle de l'élégant syndicaliste des scènes publiques et des entrevues dans les médias.

De fait, Fernand Daoust, conteur remarquable, n'avait pas tendance à se livrer personnellement. Curieux, amusé par la diversité des humains, il évoquait avec plaisir des personnages publics ou anonymes, leurs travers, leur audace, leur courage. Marqué par l'évolution profonde et accélérée du Québec, il rappelait les contextes et les événements, décrivait les mentalités et les modes de vie. Il faisait revivre les idées, qui avaient cours à telle ou telle époque, celles qui l'ont mû, celles qu'il a combattues mais, somme toute, au fil des mots, il s'attribuait peu de mérite. Fernand Daoust était et est demeuré le contraire d'un fanfaron.

Pendant plus de vingt ans, le parcours de Fernand Daoust s'est confondu avec celui de Louis Laberge et de la FTQ. Les deux hommes en sont les principaux bâtisseurs. Fernand a toujours été convaincu du fait que la centrale, c'est avant tout ses syndicats, et donc ses militantEs, ses membres. Or, le tour de force du tandem Daoust-Laberge a été de rassembler ces syndicats et de faire d'une fédération provinciale plutôt symbolique la centrale syndicale la plus représentative et la plus influente du Québec. C'est aussi sous leur direction que la FTQ a accouché de cet instrument d'intervention économique qu'est le Fonds de solidarité FTQ.

Si tout cela est une œuvre collective, on peut cependant attribuer à Fernand Daoust des réalisations spécifiques, qui ont marqué durablement le mouvement syndical, sinon la société québécoise tout entière. Il est de ceux à qui l'on doit l'enracinement en terre québécoise d'organisations syndicales

---

1. Cet anglicisme était couramment utilisé au Québec pour désigner les syndicats, surtout lorsqu'il s'agissait d'organisations nord-américaines (les unions internationales, parfois nommées unions américaines) ou pancanadiennes (les unions canadiennes). Ce n'est qu'au cours des années 1970 que l'utilisation du terme syndicat s'est généralisée.

nord-américaines et canadiennes auparavant peu soucieuses de la singularité culturelle et sociologique du Québec. Il a aussi été l'inspirateur et le principal promoteur du statut particulier de la FTQ au sein du Congrès du travail du Canada. En effet, à la suite de ce congrès du CTC que nous avons évoqué plus haut, il a mené des négociations qui ont eu pour conséquence d'amender de façon décisive les statuts de la centrale canadienne. Depuis, la FTQ jouit d'une autonomie politique qualifiée de souveraineté-association par le mouvement syndical canadien.

Son combat, Fernand Daoust l'a aussi mené sur le plan politique. Militant du Nouveau Parti démocratique (NPD), il a été de ceux qui ont tenté de faire prendre en compte par ce parti les aspirations profondes des QuébécoisES. Il a brièvement été le président du Parti socialiste du Québec (PSQ). Nationaliste de la première heure, il a milité dès l'adolescence dans les Jeunesses laurentiennes et participé à la lutte contre la conscription. Il a mené un combat indéfectible dans la FTQ pour faire de la question nationale l'une de ses préoccupations majeures.

Dès le début de sa carrière syndicale, il était l'un des plus ardents défenseurs du français comme langue de travail. Son action sur ce plan n'est pas étrangère à l'insertion de cette dimension dans la Charte de la langue française. Dans sa centrale, il a veillé à l'organisation de comités de francisation dans les milieux de travail et, à l'Office de la langue française, il a rappelé sans relâche l'importance primordiale de promouvoir le statut du français au travail. Les femmes syndicalistes de la FTQ ont trouvé en lui un solide allié, aussi bien pour leurs luttes dans le milieu de travail que leur combat pour occuper la place qui leur revient dans les instances du mouvement syndical.

L'une des caractéristiques du parcours de Fernand Daoust est la constance de son orientation idéologique et de ses engagements. Nationaliste de la première heure, il a vite épousé l'idéal socialiste, qui inspirait et motivait les meilleurs courants du syndicalisme québécois. Mais son socialisme se devait d'être incarné sur un territoire et dans une culture spécifique, celle du Québec. Il ne pouvait pas être d'accord avec une majorité de syndicalistes de gauche de l'époque, qui qualifiaient d'illégitimes et de rétrogrades les aspirations nationales. Au contact des idées socialistes, le nationalisme de droite, dans lequel il avait baigné à l'adolescence et auquel il n'avait jamais totalement adhéré, a fait place à un nationalisme progressiste, précurseur de celui qu'allait épouser une proportion grandissante de QuébécoisES dans les années 1960 et 1970.

Sa grande motivation, aussi bien dans son action syndicale quotidienne que dans ses combats pour la langue ou pour la souveraineté, a été l'accession des travailleurs et des travailleuses à la dignité et à la fierté. Toute sa vie, il a été viscéralement révolté par l'état d'humiliation, d'assujettissement économique et culturel dans lequel a longtemps été maintenue la classe ouvrière québécoise. Il est resté fidèle à ses idées dans ses luttes au sein du mouvement syndical, où il a été l'un des principaux artisans de l'enracinement des syndicats dans la réalité québécoise. En même temps, il a contribué à faire de ce mouvement un acteur majeur de notre société. Grâce à lui et grâce aux militantEs qui partageaient ses idées, le Québec d'aujourd'hui est une société plus démocratique, plus égalitaire, dotée d'une identité culturelle et sociale plus forte.

Malgré le plaisir évident que prend Fernand Daoust à évoquer le passé, il livrait peu de sa vie intime. Dans la préparation de ce livre, au gré de longues et de nombreuses entrevues, il m'a peu à peu révélé son histoire familiale. Moi qui avais été si souvent l'auditeur amusé et intéressé de ses longs récits, je croyais tout savoir de lui. Or, au fil de nos conversations, je découvrais que je ne savais pratiquement rien de son enfance, très peu de son adolescence et que ma connaissance de son engagement syndical et politique était bien sommaire.

Je me suis donc fixé un objectif ambitieux : retracer le destin personnel de cet homme, tout en évoquant l'évolution de la société québécoise et du mouvement syndical. N'a-t-il pas été tantôt acteur déterminant, tantôt témoin privilégié de l'une et de l'autre? Je n'ai pas la prétention de jeter un éclairage nouveau sur l'histoire du mouvement ouvrier québécois. Tout au long de la rédaction, j'ai tenté de dégager l'influence déterminante qu'a eue le mouvement syndical dans la construction du Québec moderne. Et à l'inverse, j'ai tenté de montrer comment le Québec des derniers cinquante ans, dans sa spécificité distincte et singulière, a marqué de façon originale l'évolution du mouvement syndical chez nous, plus particulièrement celle de la FTQ.

Dès le départ, j'ai été frappé par un paradoxe. L'image que projette l'homme public Fernand Daoust ne révèle en rien ses origines. Son style très personnel, il se l'est littéralement construit sans s'appuyer, semble-t-il, sur aucun modèle de son entourage. En tout cas, certainement pas celui de l'environnement dans lequel jeune garçon il évoluait. Issu d'une famille monoparentale, il a été élevé pendant la Grande Crise des années 1930 près du Faubourg à m'lasse et sur le Plateau Mont-Royal à Montréal dans des conditions très précaires. Voilà un premier mystère que j'ai voulu percer. Comment devient-on Fernand Daoust à partir d'une famille ouvrière pauvre – on quittait alors l'école le plus souvent avant la neuvième année?

Autre grand sujet d'interrogation : adolescent, il est très vite devenu nationaliste et le restera toute sa vie. Il sera aussi vite gagné par les idées progressistes et voudra travailler dans le mouvement syndical. Or, le nationalisme québécois d'avant et pendant la Deuxième Guerre mondiale était plutôt conservateur. Comment le jeune Daoust réconciliait-il ces valeurs apparemment opposées au moment d'entreprendre sa carrière syndicale?

Répondre à ces questions, n'est-ce pas un peu contribuer à expliquer l'évolution idéologique du peuple québécois? Le récit de l'histoire personnelle de Fernand Daoust nous servira de guide dans cette réflexion, projetant un éclairage particulier sur les transformations de la société dans laquelle nous vivons aujourd'hui.

Chapitre 1

Les années dures (1926-1936)

AU MILIEU de souvenirs flous et furtifs de l'enfance, certains plus précis refont surface. Pour Fernand Daoust, certaines images fortes s'imposent. Comme celles de cette journée de juin 1936, longtemps couvées sourdement dans sa mémoire.

La famille loge depuis peu sur la rue Émery, une petite rue du Quartier Latin, qui joint la rue Saint-Denis à la rue Sanguinet et borde du côté nord le théâtre Saint-Denis. Sa mère, Éva, sur le pas de la porte, lui dit :

— Voyons, Fernand, tu vas pas aller là avec ta p'tite voiture.
— Ben oui, maman, ça va aller plus vite…

Elle sourit et le regarde partir dans son petit costume bien propre, les cheveux bien coiffés, vêtu de son « linge du dimanche » en pleine semaine. Le petit homme de dix ans conduit fièrement son bolide, un genou dedans, le guidon bien en main, l'autre jambe en engin de locomotion. Il quitte la rue Émery et monte la rue Saint-Denis.

Il a le cœur tout drôle. Il s'en est passé des choses depuis deux jours. Des choses pas faciles à comprendre. C'est madame Zlata, la *chambreuse*[1], qui a tout organisé. Depuis quelques jours, elle discutait à voix basse avec sa mère. Bizarre, parce que d'habitude Alice Zlata a la voix forte. C'est une étrangère qui parle à la française avec de grands gestes théâtraux. Là, elle entraînait sa mère dans sa chambre et les deux femmes chuchotaient pendant de longues minutes qui lui paraissaient des heures. Pourquoi se cacher ainsi ? Il n'était pourtant pas si curieux, Fernand. Pas « blette pour cinq cennes », affirmait sa mère avec une certaine fierté.

---

1. À l'époque, on appelle « *chambreur* » et « *chambreuse* », « *chambreux* » au pluriel, les personnes qui louent une chambre dans une maison privée.

Le secret de famille

En fait, l'enfant est curieux de tout mais, réservé et timide, il est généralement discret. Ce jour-là, il entend pourtant des bribes :

– C'est mieux pour le petit, madame Daoust, il faut qu'il le voit de ses propres yeux, qu'il lui parle. Cet homme-là réalisera bien que la situation ne
   peut pas durer comme ça. Laissez-moi tout expliquer à Fernand, il est
   assez grand pour comprendre.

Comprendre. C'est difficile lorsqu'on a dix ans, qu'on ne t'a jamais parlé
comme ça, qu'on t'a toujours fait croire… sans trop donner de précisions.
Les idées et les images se bousculent dans sa tête, alors qu'il attend pour
traverser à l'intersection des rues Saint-Denis et Sherbrooke, le guidon de
sa voiturette bien serré dans sa petite main. Il la tire derrière lui depuis le
début de la partie escarpée de la rue Saint-Denis avant Sherbrooke. C'est
trop épuisant à conduire « la patte en dedans » dans la pente. Il ne sait pas
trop pourquoi il est nerveux, content et craintif à la fois. Il traverse la rue et
fait le dernier bout de trajet au volant de sa voiturette. Ça le calme un peu.
Lorsqu'il arrive au Carré Saint-Louis, il laisse son véhicule derrière lui et
marche vers madame Zlata. Elle l'attend du côté sud du parc, debout près
d'un banc où est assis un monsieur, qui garde la tête basse sous son chapeau à large bord. La figure resplendissante, d'une voix émue, mais forte,
madame Zlata s'exclame : « C'est votre petit garçon ! »
Fernand reste figé. Il ne croyait pas que ça se passerait comme ça. Le
monsieur au chapeau lève lentement la tête, jette un regard sombre au petit
garçon et marmonne d'une voix bourrue en se levant : « J'le connais pas,
moé, c'est pas mon p'tit gars, j'm'en vas d'icitte… »
Il s'éloigne dans le parc tandis que le jeune, qui n'a pas eu le temps
d'ouvrir la bouche, sent des larmes couler sur ses joues. Madame Zlata essaie
de retenir le père, qui s'en va, essaie d'expliquer au fils, qui s'en retourne
aussi en traînant sa voiturette.
Est-ce un drame ? Pas tout à fait. Un espoir subit, trop vite déçu. Un
mauvais rêve qu'il n'oubliera pas tout à fait, mais dont la réalité demeurera douteuse. Avec le temps, ces images s'effaceront au profit de la version
officielle, beaucoup plus réelle, plus cohérente : ton père, René Daoust,
facteur, est mort peu après ta naissance. C'est pour ça que ta mère travaille dans des ateliers de couture, que ton frère Paul-Émile, le plus vieux,
a quitté l'école encore jeune, que votre famille héberge des « chambreux »
et des « chambreuses », que vous n'avez pas beaucoup de vêtements neufs,
ni de jouets neufs et que vous n'allez jamais en vacances aux « États[1] »…

---

1. En québécois, façon populaire de nommer les États-Unis d'Amérique.

Il continuera donc à se dire orphelin d'un père mystérieux qu'il n'a jamais connu.

En réalité, ce père, qui était probablement un « coureur de jupons », a quitté femme et enfants en 1927, sans jamais souhaiter revoir ses fils. La mère n'a pratiquement jamais reçu de soutien financier de son mari, malgré des recours en justice. À part les premiers mois après sa naissance, dont il n'a évidemment pas souvenir, la rencontre furtive du Carré Saint-Louis est, pour ainsi dire, le seul souvenir de son père. Pendant des années, Fernand l'enfouit dans sa mémoire, tentant de le conserver intact.

Il croira l'apercevoir sept ou huit ans plus tard dans un tramway. Il le dit à son copain Jacques Thibaudeau, qui l'accompagne :

— Regarde l'homme là-bas, c'est mon père.

À son ami qui lui demande pourquoi il ne va pas lui parler, il répond laconiquement :

— On ne se connaît pas…

Enfin, au début des années 1950, alors qu'il est jeune syndicaliste, il l'entrevoit à l'hôtel Mont-Royal. René Daoust semble y exercer le métier de portier ou de bagagiste. Cet homme est une ombre dans sa vie. Il ne va pas vers lui, s'en tient loin. Fernand ne connaît même pas la date de sa mort. Dans la famille, on en parle rarement, toujours en secret. Ce père, c'est « le secret de famille ».

Mère courage

À dix ans, Fernand est un grand garçon, un peu maigre, mais solide. Bon élève, pas turbulent, il aime jouer avec ses copains, mais se retire souvent pour lire, pour rêver. À l'école, il est studieux, il accumule les bonnes notes et on lui remet fréquemment des médailles de mérite, comme c'est l'usage à l'époque. Néanmoins, ses amis ne le considèrent pas comme un chouchou des Frères des écoles chrétiennes, leurs maîtres à l'école Saint-Jacques.

La vie est dure ; sans gâterie, mais digne. Les vêtements sont propres, la maison est bien tenue, avec toujours le nécessaire sur la table. « Le principal, c'est qu'on manque de rien », dit souvent sa mère. Une petite femme discrète, mais courageuse et fière, qui n'accepte pas que l'on considère ses fils comme des pauvres. Les repas sont frugaux, mais les enfants ne partent pas à l'école le ventre vide. Le plus souvent, le matin, ils se contentent de gruau sec avec du lait ou de beurrées à la mélasse. La mère, trop occupée, ne fricote pas des ragoûts ou des mets compliqués. Mais ils ont toujours à manger. Un jour, le voyant arriver de l'école avec une paire de bottines de caoutchouc toutes neuves, elle s'exclame :

– Qu'est-ce que c'est que ces chaussures-là, Fernand?

– C'est les frères qui me les ont données. Ils trouvaient les autres trop vieilles…

– C'étaient des bonnes chaussures. André[1] les avait presque pas portées. Au moins, c'étaient pas des chaussures de pauvres.

Consciemment ou pas, les enseignants – les Frères des écoles chrétiennes – stigmatisent les élèves pauvres par leur charité. Les bottines, qu'ils donnent aux élèves de familles démunies, sont toutes identiques, comme si elles étaient étiquetées « pauvres ». Un jour, le directeur lui donne 25 cents pour qu'il aille se faire couper les cheveux, qu'il juge trop longs. « Une manière de dire que je suis pas capable de m'occuper de mes enfants », soupire sa mère.

Contrairement à la maman canadienne-française typique, Éva Daoust n'est pas particulièrement pieuse. Elle est sûrement croyante, mais pas dévote. Est-ce cette présence envahissante de l'Église, son intervention sociale paternaliste, souvent moralisatrice et humiliante pour les démuniEs, qu'elle ne supporte pas? En tout cas, elle n'est pas Dame de Sainte-Anne[2], ne fréquente pas les sacristies et n'encourage pas ses fils à devenir prêtres ou religieux. Les fils Daoust sont élevés chrétiennement, mais pas dans la culpabilité du péché, ni dans la crainte de l'enfer. Pourtant, les frères de l'école en font une description terrifiante, qui donne la chair de poule : « Pensez-y bien, les damnés brûleront toute l'éternité. Ça, ça veut dire plus longtemps qu'il ne faudrait à un oiseau pour couper en deux une boule d'acier grosse comme l'école, en la frottant de son aile une fois par année![3] »

Les enfants frémissent, bien sûr, mais pas plus que lorsqu'ils entendent des histoires de sorcières et de Bonhomme Sept Heures[4], ou qu'ils voient leurs premiers films d'horreur en noir et blanc au parc La Fontaine.

---

1. Frère de Fernand, de deux ans son aîné.
2. Créée en 1850, à Montréal, l'organisation des Dames de Sainte-Anne a bientôt des sections dans la plupart des paroisses québécoises; elle regroupait les femmes adultes pour entretenir et développer leur piété, tout comme les Enfants de Marie rassemblaient les jeunes filles, les Ligues du Sacré-Cœur embrigadaient les hommes adultes et les cercles de Lacordaire réunissaient les personnes aux prises avec l'alcoolisme. Sur demande des évêques, l'organisation des Dames de Sainte-Anne est devenue, en 1962, le Mouvement des femmes chrétiennes (MFC).
3. Tirade reconstituée à partir des souvenirs de Fernand (et un peu des miens).
4. Le « Bonhomme Sept Heures » était un personnage mythique dont l'évocation servait à calmer les enfants turbulents. Il s'agit, paraît-il, d'une déformation du nom anglais des spécialistes en replacement des os déboîtés : les *bone setters*, aussi appelés en québécois ramancheux ou rebouteux. Ces personnages, qui parcouraient les campagnes, semblaient pourvus de pouvoirs magiques sinon maléfiques, propres à terrifier les enfants.

C'est le moment où les disparités socio-économiques et certaines pratiques discriminatoires commencent à frapper, voire à choquer le jeune Fernand Daoust. Ainsi, à ses yeux, les mouvements de jeunesse comme les scouts sont associés aux classes plus aisées. Sa famille est incapable de payer les costumes et les frais exigés pour les camps. Il entend souvent sa mère critiquer la façon arbitraire dont la charité chrétienne est prodiguée par le clergé et les « grenouilles de bénitier[1] » qui tournent autour.

Né dans l'indigence

Jusque-là, Fernand n'a pratiquement rien connu d'autre que des années d'indigence. Il est né, dix ans plus tôt, le 26 octobre 1926. Il est le cadet des trois garçons. L'aîné, Paul-Émile, a huit ans de plus que lui, son frère André le précède de deux ans. La rue Émery, où il habite maintenant depuis peu, c'est le Quartier Latin, un environnement nouveau, animé et fascinant, bien différent des lieux qu'il a connus jusque-là. En effet, les premières images de son enfance ont toutes pour cadre le Montréal des années dures, sis au nord du Faubourg à m'lasse[2], à l'est du Plateau Mont-Royal. Des rues qui fourmillent d'enfants, avec des écoles tous les deux ou trois coins de rue. Les premiers souvenirs remontent à l'avenue Des Érables, angle Gauthier. Là est située la maison des grands-parents maternels où la famille s'établit pendant trois ans (de 1928 à 1931). Éva Daoust, née Gobeil, a trente-cinq ans lorsqu'elle s'y installe peu après le départ de son mari.

Sa vie conjugale a été de courte durée. À l'âge de vingt-trois ans, elle s'est mariée à René Daoust pendant la Première Guerre mondiale, le 7 août 1917, à l'église Sainte-Élizabeth du Portugal, dans le quartier Saint-Henri. En 1918, alors qu'elle est enceinte de son premier fils, son mari est conscrit et part pour l'Angleterre.

Les lettres qu'ils échangent témoignent de la passion qui les lie au début de leur vie commune. René Daoust exprime son amour dans des mots affectueux, qui prennent parfois la forme de poèmes dédiés à celle qui est à tour de rôle « ce beau lys d'innocence [...], la plus belle, la plus pure des roses, aux pétales d'une extrême candeur, fraîches écloses[3] ». Lui, qui n'a pas encore vu son premier fils, né après son départ, en parle avec affection et

---

1. Dévotes fréquentant assidument églises et sacristies.
2. Le Faubourg Québec était familièrement nommé « Faubourg à m'lasse ». Bordé au nord par la rue Ontario, il prenait naissance dans le port de Montréal (entre Amherst et De Lorimier), où l'entreposage de mélasse dans des citernes géantes infligeait sa forte odeur, ce qui a donné le nom au quartier. La famille Daoust a surtout habité en périphérie du Faubourg, ne s'y établissant que pendant une courte période, sur la rue Logan, vraisemblablement en 1931. Le quartier sera en grande partie détruit lors de la construction de la Maison de Radio-Canada dans les années 1970.
3. Extrait de la correspondance des deux époux conservée par André Daoust.

dit prier pour que son « Tit-tit » soit épargné de « cette maladie », la grippe espagnole, qui emporte alors des dizaines de milliers d'enfants.

Éva elle-même en est atteinte et est obligée de s'astreindre à une longue convalescence à la maison paternelle. Lorsqu'elle en sort pour la première fois, elle se rend au « Fonds patriotique[1] » pour toucher le soutien financier auquel ont droit les femmes des soldats. Elle décrit sa condition à son mari :

> Ils m'ont donné 10 $ de cadeau parce que j'ai passé ma maladie chez nous. Ça coûte bien plus cher à la maison qu'à l'hôpital. [...] Ils vont me donner 16 $ par mois avec l'enfant. Aussi, ils m'ont dit que le gouvernement était pour augmenter à 20,00 $ par mois. [...] Ça va faire 20 $ de toi, 25 $ du gouvernement, 16 $ du fonds. [...] S'ils augmentent de 20 $ par mois, c'est parce que la vie est chère[2].

René, qui sera démobilisé et rapatrié d'Angleterre un an après la fin du conflit, s'ennuie, écrit beaucoup et s'inquiète de ne pas recevoir de réponses à toutes ses lettres. Commentant l'allure qu'il a sur une photo de groupe, il se plaint d'être « mal posé[3] » et « d'avoir l'air d'un *bloke*[4] ».

> Tous ceux qui sont pris avec moi ce sont tous des Anglais de l'Ontario, moins deux qui sont de l'Ouest. Je t'assure qu'ils les aiment pas les Canadiens du Québec. J'en ai bouché quelques-uns l'autre soir. Je t'assure que j'endure rien d'eux autres. Je les ai toujours mis à leur place et ils sont plus amis que quand j'ai rentré. Ils ne parlent pas autant contre les gens du Québec depuis une semaine[5].

Fernand et son frère André savent très peu de choses sur la vie de leur famille entre le retour de la guerre de leur père et sa disparition de leur vie. Ils avaient respectivement un an et trois ans lorsqu'il a quitté le foyer familial. Tout l'entourage, y compris l'aîné des garçons, Paul-Émile, semble avoir gommé cette période, comme pour mieux oublier ce père indigne. Les enfants ne gardent de cette époque que le souvenir d'une mère attentive et courageuse.

Du courage, il lui en faudra d'ailleurs tout au long de sa vie. C'est une petite femme peu expansive, mais dynamique, et, la plupart du temps, d'assez bonne humeur. Entre la naissance de Paul-Émile et celle d'André, elle

---

1. Fonds de soutien à l'effort de guerre constitué à partir de dons recueillis auprès de la population.
2. Lettre d'Éva à René datée du 1er décembre 1918.
3. « Posé » signifiait photographié. On disait par exemple, « j'ai fait poser mon portrait ».
4. *Bloke*, désigne un type ou un gars en anglais. Ce mot dérivé de la langue irlandaise Shelta n'a originellement rien de péjoratif. Mais, dans la bouche des Canadiens français, il est devenu un terme inamical sinon méprisant pour désigner les Canadiens anglais et les Britanniques. Prononcer blôque.
5. Lettre de René à Éva datée du 5 mars 1919.

a mis au monde deux autres garçons, Jean-Charles, mort en 1921, et Jean-Jacques, mort en 1927. Le premier a probablement été emporté par l'une de ces maladies infantiles qui décimaient les familles démunies à l'époque. Le second est mort d'un empoisonnement alimentaire au cours d'une noce, se souvient André, marqué par la présence du petit cercueil dans le salon de l'appartement familial[1].

La Grande Dépression

EN 1936, au moment du rendez-vous raté avec son père, Fernand a une conscience vive de la misère qui l'entoure. Toute son enfance en est fortement teintée. À Montréal, malgré une faible reprise, c'est toujours la crise, la Grande Dépression. Déclenchée par le krach boursier aux États-Unis en 1929, elle dure toute la décennie. Le Canada est le pays occidental le plus durement touché avec les États-Unis. Le Québec est l'une des provinces les plus brutalement frappées. C'est dans les villes, particulièrement à Montréal, la plus populeuse, que les gens souffrent le plus. Dans les campagnes, la misère gagne aussi du terrain, mais elle y est souvent moins cruelle parce que, généralement, on y a un toit et de la nourriture.

Vers 1933, au plus fort de la crise, les chômeurs, les chômeuses et les mendiantEs sont partout dans la ville. Leur nombre atteint 60 000. Le taux de chômage est de 30 %, dépassant les 40 % dans certains quartiers. De longues files d'indigentEs s'allongent devant les soupes populaires, les refuges pour sans-abris. Ceux et celles qui ont du travail doivent souvent accepter des réductions de salaire de 40 %. Le coût de la vie baisse, mais dans une proportion moindre que les salaires[2].

Depuis le début de cette période de déprime économique, l'administration municipale de Montréal est débordée par tous ces chômeurs et chômeuses, toute cette misère. Elle est en première ligne. C'est à elle qu'on réclame logement, chauffage, nourriture et vêtements. Les gouvernements de Québec et d'Ottawa la soutiennent mal. Les locataires sont incapables de payer leur loyer, un nombre grandissant de propriétaires refusent d'acquitter leurs taxes. Pas étonnant que, pendant ces dix ans de crise, on change trois fois de maire.

Le tonitruant Camillien

Fernand se souvient surtout de Camillien Houde, un personnage tonitruant et coloré. Pour les Montréalais, le vrai maire, c'est lui, même quand il

---

1. Entrevue avec André Daoust, septembre 2008. Jusqu'au milieu des années 1940, les familles à revenu modeste avaient l'habitude d'exposer la dépouille des siens à la maison, plutôt que dans les salons funéraires.
2. Paul-André Linteau, René Durocher, Jean-Claude Robert et François Ricard, *Histoire du Québec contemporain. Le Québec depuis 1930*, Montréal, Boréal Express, 1986, p. 63-73.

est battu. Petit, ventripotent, il arbore sans complexe un énorme nez rouge. Fort en gueule, drôle, c'est un populiste éloquent, qui se dit l'ami des travailleurs, des travailleuses et des pauvres. Fernand le voit encore marcher dans la rue en saluant la foule au milieu de la parade de la Saint-Jean-Baptiste.

Cet homme public a particulièrement marqué l'enfance de Fernand. À lui seul, il résume, en le caricaturant, le Québécois du temps, le Canadien français comme on le nomme alors. Camillien est un nationaliste de droite, qui voue une grande admiration aux régimes fascistes d'Europe. Flattant le sentiment national des Canadiens français ou le combattant, dénonçant les *trusts* financiers et les banques tout en mangeant dans la main du patron du quotidien *Montreal Star*, Lord Hugh Graham Altholstan, Camillien sème souvent la confusion[1].

Malgré sa grande popularité, il entre et sort de l'hôtel de ville (1930-1932, 1934-1936, 1938-1940), tirant tantôt des ficelles bleues, tantôt des rouges[2]. Camillien a d'abord été un bleu, élu député de la circonscription de Sainte-Marie sous la bannière conservatrice. Il est même devenu chef du Parti conservateur du Québec (PCQ). Son rival au sein de la formation politique, Maurice Duplessis, fait tout pour l'écarter et le remplacer, avec succès. Exclu de la scène provinciale, Camillien tente en 1938 de se faire élire député indépendant au fédéral avec l'appui dissimulé des conservateurs. Ces derniers le lâchent à cause de ses déclarations antimilitaristes, et il est battu.

En 1939, il conclut une entente avec les libéraux d'Ottawa, qui soutiennent Adélard Godbout au Québec. Il est candidat à la députation québécoise sans toutefois adhérer au Parti libéral. Il est élu député indépendant. Au Parlement, il appuie les libéraux, espérant en tirer un soutien financier et des faveurs pour Montréal en difficulté. Empêtré dans les ficelles qu'il tire, il est tantôt maître du jeu, tantôt marionnette. N'ayant pas les moyens de ses promesses, les espoirs qu'il attise chez le petit peuple sont toujours déçus. La ville, couverte de dettes, s'enfonce dans le déficit. Même si Houde a pactisé avec les libéraux pour chasser Duplessis du pouvoir, Montréal est mise sous tutelle en mai 1940. On verra plus loin comment cet homme vaincu saura récupérer son auréole.

Évidemment le jeune Fernand n'est pas conscient de tous ces jeux politiques. Il est surtout impressionné par la prestance de Camillien Houde, particulièrement par ses dons d'orateur. Ses prises de position contre les *trusts* et en faveur des démuniEs le rejoignent, lui qui voit sa mère se débattre quotidiennement pour assurer leur survie.

---

1. Sur Camillien Houde, voir Robert Lévesque et Robert Migner, *Camillien et les années vingt, suivi de Camillien au Goulag*, Montréal, Éditions des Brûlés, 1978.
2. Le Parti conservateur est désigné par le bleu, le Parti libéral, par le rouge ; leurs partisans sont donc respectivement des bleus et des rouges.

Les riches ailleurs...

D'autres images fortes colorent les souvenirs d'enfance de Fernand. Plusieurs se situent sur l'avenue Des Érables, à l'est de De Lorimier, aux abords de la maison du grand-père Gobeil[1]. On décrit souvent l'est de Montréal comme un territoire francophone peuplé de QuébécoisES pure laine. Pourtant, dans son environnement immédiat, Fernand est tout de même en contact avec des étrangers. Un Autrichien vient s'établir juste en face de la maison de son grand-père. C'est un homme austère qui communique peu avec ses voisins. À l'angle des rues Gauthier et Parthenais, il y a une petite église polonaise et, au croisement des rues Logan et Papineau, deux cimetières protestants, l'un militaire, l'autre civil[2]. Des buandiers chinois sillonnent les rues avec des poches de linge à laver et à repasser. Ce n'est pas la bigarrure cosmopolite du boulevard Saint-Laurent, mais ce n'est tout de même pas l'homogénéité ethnique de Saint-Hyacinthe, de Saint-Jérôme ou de Chicoutimi.

De la maison du grand-père, on aperçoit la structure gigantesque du pont « croche », le pont Jacques-Cartier. Entreprise en 1926, la construction du pont est achevée en 1930. Le grand-père raconte qu'on a dû tracer cette courbe inusitée, à la descente sur Montréal, à cause de l'opposition de la compagnie *Familex*, qui refusait l'expropriation de son immeuble de l'avenue De Lorimier. Cette anecdote fournit à Fernand une première notion du pouvoir de l'argent.

L'entourage immédiat ne comporte pas de taudis. Mais on y vit à l'étroit, souvent à plus d'une famille par logement. Ces derniers, surpeuplés, débordent sur les galeries. Dans les quartiers modestes, ces rallonges de la maison sont vitales : on y trouve la glacière, où sont rangés les aliments, et la corde à linge. C'est aussi un lieu de communication et d'échanges de ragots entre voisines. Éva Daoust, qui est discrète et n'aime pas qu'on se mêle de ses affaires, déteste les commérages. Elle ne participe jamais à ces conférences de balcons.

Dès la petite enfance, Fernand a donc une notion de l'indigence dont le contraire est la richesse. Très vite, lui et ses frères acquièrent la conviction que cette richesse réside ailleurs. Les riches, les garçons savent qu'ils n'habitent pas dans leur coin. Ils les imaginent tous regroupés plus loin, dans les maisons cossues de la rue Sherbrooke, du boulevard Saint-Joseph et dans les

---

1. En fait, il s'agit de deux maisons adjacentes, l'une de six logements, l'autre de cinq, sur l'avenue Des Érables, aux 4005 et 4007. Les maisons existent toujours aujourd'hui. Fernand et son frère André ont hérité chacun d'une maison à la mort de leur mère, dans les années 1960.
2. Le *Military Cemetery* et le *St. Mary's Burial Ground*, respectivement inaugurés en 1814 et 1815 sur deux lots mitoyens du chemin Victoria, l'actuelle avenue Papineau. Acquis par la Ville de Montréal en 1944, les lieux furent transformés en une place publique, le parc des Vétérans.

lointaines villes anglaises de *Westmount, Town of Mount-Royal* et de *Ennedé-dji* [1]. Les riches, ça parle anglais, ils sont bien habillés, bien nourris et généralement plus grands. C'est ainsi en tout cas que sa mère, qui est petite, semble les voir : tous plus grands et en meilleure santé.

Les grands-parents Gobeil

Le grand-père, Albert Gobeil, tout comme sa femme, Adeline Larose, est né à Saint-Pie-de-Bagot. Ils s'y sont mariés et y ont mis au monde leurs deux premiers enfants, Georges et la mère de Fernand, Éva, née en 1893. À Saint-Pie, Albert Gobeil exerce le métier de tailleur. À cette époque, l'exode rural vide la campagne de ses habitantEs, à la faveur de l'urbanisation accélérée de Montréal. La pratique du tailleur de village disparaît peu à peu et, au début du siècle, la famille emménage à Saint-Henri, où Albert devient commis dans un magasin à rayon.

Dans ces années prospères de l'après-guerre de 1914-1918, le grand-père réussit à acheter une première maison sur la rue Dorion, puis, la revendant, il peut acquérir celles de l'avenue Des Érables, deux grandes maisons abritant onze logements. Il en habite un avec sa femme et ses deux fils vieux garçons, Aimé et Ernest. Les deux autres filles, Alice et Yvonne, sont déjà mariées. Quand sa fille Éva vient s'y installer avec ses trois fils, en 1928, Albert la prévient que c'est temporaire. L'appartement est trop petit et il n'est pas question de les installer dans l'un de ses logements, dont les revenus lui sont essentiels. Éva et ses fils y demeureront tout de même trois ans.

À la fin des années 1920, lorsqu'il loge sa fille Éva et ses trois fils chez lui, il est retraité. Il vit de ses loyers, des pensions que lui versent ses fils et de travaux occasionnels de rénovation qu'il effectue avec son fils Aimé, un peintre décorateur de métier. Ernest travaille rarement. Il est probablement atteint de dépression profonde, mais, à l'époque, on ne connaît pas cette maladie. La crise venue, Albert Gobeil est angoissé à l'idée de perdre sa maison. Dans cette période, en effet, les maisons de nombreux petits propriétaires montréalais sont saisies, pendant que des milliers de locataires sont expulséEs de leurs logements. Chez son grand-père, le jeune Fernand ne se mêle pas aux conversations des grands, mais il entend fréquemment des mots étranges, dont il ne connaît pas la signification. Son grand-père parle de l'hypothèque qu'il a du mal à payer. Il dit que seul un moratoire pourrait sauver sa maison. De fait, devant l'hécatombe de faillites, en 1933, le gouvernement du Québec adopte une loi qui empêche les institutions financières de saisir trop vite les biens des propriétaires en difficulté[2].

---

1. Les initiales de Notre-Dame-de-Grâce (NDG) prononcées à l'anglaise.
2. *Statuts du Québec*, 23 Geo. V, ch. 99, 13 avril 1933, p. 367-370. Pour plus d'informations sur les lois des années ultérieures, voir Suzanne Clavette, *Des bons aux*

Fernand retient l'image d'un grand-père sévère, préoccupé, peu enclin aux manifestations d'affection. La grand-mère, au contraire, est chaleureuse, enjouée et aime raconter des histoires à ses petits-fils. C'est une femme instruite, qui a été brièvement maîtresse d'école à la campagne avant de se marier. Fernand et André gardent le souvenir affectueux de cette grande femme mince toujours vêtue d'une longue robe recouverte d'un tablier blanc.

Pour ces garçons privés de père, les oncles maternels jouent davantage le rôle de substitut que le grand-père. Surtout l'oncle Aimé, un excellent conteur, qui parle beaucoup avec ses neveux et les fait rêver. Parti travailler aux États-Unis, il est revenu avec l'aura d'un aventurier. Il semble tout connaître. Il leur fait miroiter le projet d'une vie à la campagne : « On va avoir des poules, des vaches, des chevaux. Tu vas avoir un chien à toi, Fernand… »

La campagne, c'est pour eux un lieu abstrait. Ce qu'ils en connaissent, ce sont les champs de Rivière-des-Prairies et de l'île Jésus[1] qu'ils traversent en se rendant à la Plage Idéale près de Bois-des-Filions, dans l'auto de l'oncle Émile Bourassa, un petit entrepreneur électricien marié à la sœur de sa mère, tante Alice. La campagne, c'est aussi un lieu mythique. Fernand sait vaguement que, comme son grand-père, pratiquement tous les Canadiens français viennent de là. Pensez que soixante-quinze ans avant sa naissance, au milieu du XIXe siècle, 85 % de la population y vit! L'industrialisation qui naît et s'accélère après 1850 va gonfler la population des villes. Si bien, qu'en 1920, plus de la moitié de la population du Québec est déjà urbaine[2].

Les premiers habitants à quitter les campagnes émigrent massivement aux États-Unis, particulièrement en Nouvelle-Angleterre, où les premières grandes filatures requièrent une main-d'œuvre abondante. Les États-Unis continueront longtemps à évoquer une terre promise pour les travailleurs et travailleuses québécoisES lors de périodes difficiles. L'Église voit là un phénomène dangereux, menaçant aussi bien la religion que la famille et la langue. « Pensez donc, aller se perdre dans un pays protestant! »

Au XIXe siècle, le clergé tente donc d'endiguer le mouvement en faisant la promotion de la colonisation des terres québécoises et ontariennes non défrichées. Au début des années 1930, on remet ça. Avec le gouvernement, l'Église incite les membres des familles pauvres des villes à devenir colons[3].

---

chèques : aide aux chômeurs et crise des années 1930 à Verdun, mémoire de maîtrise en histoire, Université du Québec à Montréal, 1986, note 75, p. 94.

1. L'île de Montréal, comme l'île Jésus (aujourd'hui Laval), n'a alors qu'un peuplement discontinu, la majorité du territoire étant encore couvert de champs. Cela perdure jusqu'à la Deuxième Guerre mondiale.
2. Pour plus de détails sur l'évolution de l'urbanisation, voir Paul-André Linteau, René Durocher et Jean-Claude Robert, *Histoire du Québec contemporain*, tome 1, *De la Confédération à la Crise*, Montréal, Boréal Express, 1979, p. 409-427.
3. *Ibid.*

Un ami de sa mère (Fernand croit aujourd'hui que c'était un prétendant) essaie de la convaincre de partir avec ses fils en Abitibi. « Un petit paradis plein de richesses où on peut faire fortune », à l'entendre. La mère, peu
impressionnée par ces promesses idylliques, préfère élever ses fils en ville. Elle
a raison, parce que l'Eldorado des colons se transforme le plus souvent en un
lieu de travail de forçat sur des terres de roches. Un personnage marquant du
syndicalisme québécois, Émile Boudreau, du Syndicat des métallos, en fait
l'expérience avec toute sa famille en Abitibi[1]. La vague de colonisation des
années 1930 se révèle finalement inefficace à endiguer la misère[2].

Les déménagements

La famille de Fernand quitte l'appartement du grand-père au début de
la crise. C'est probablement à cette époque que sa mère place ses deux plus
jeunes garçons, Fernand et André, dans un orphelinat dirigé par des religieuses, à Marieville. Le régime y est sévère. Les deux enfants sont tristes et
s'ennuient à mourir. Éva constate avec indignation que les gâteaux, le sucre
à la crème et autre gâterie qu'elle leur envoie ne leur parviennent jamais. Au
bout de quelques mois, elle les ramène à la maison.

Pendant ces premières années de crise, la famille en arrache. Le travail dans
les ateliers de couture est par nature saisonnier. En ces temps difficiles, il est
de plus en plus irrégulier. Éva a du mal à conserver ses logis. Elle ne déménage
pas moins de six fois pendant cette période. Avant la rue Émery, elle habite
les rues Rachel, Messier, Logan, Iberville, Champlain et, à nouveau, Rachel.

Aidé par des amiEs et des voisinEs, on emballe tout, on démonte les
tuyaux de poêles encrassés de suie, on les secoue sur des vieux journaux, on
embarque meubles, vêtements, objets divers dans une charrette tirée par des
chevaux et on part quelques rues plus loin, jusqu'à la prochaine expulsion.
Pendant la crise, les déménagements fréquents sont une caractéristique des
quartiers ouvriers de Montréal. Incapables de payer leurs loyers, les locataires sont expulséEs ou quittent leur logement. Parfois, trop endettéEs auprès
de leur propriétaire, les locataires fuient même en pleine nuit. À cette époque, on déménage le 1er mai[3]. Ce jour-là, les rues sont encombrées de véhi-
cules de déménagement, la plupart à traction animale.

Ce phénomène perdure pendant la guerre. Même si la crise est terminée, toutes les ressources sont affectées à la production militaire et à l'effort

---

1. Voir Émile Boudreau, *Un enfant de la grande dépression*, Montréal, Lanctôt Éditeur,
   1998.
2. Linteau, Durocher, Robert et Ricard, *Histoire du Québec contemporain, op. cit.*,
   p. 37-39.
3. Les baux couvraient généralement la période du 1er mai au 30 avril. Cette coutume
   s'est perpétuée jusque dans les années 1970 au Québec.

de guerre, non à la construction de logements. Malgré le manque criant de logements, on déménage encore. Dans *Bonheur d'occasion*, Gabrielle Roy décrit poétiquement la multiplication des affiches « à louer » placardées sur des centaines de logements dans le quartier Saint-Henri. L'un de ses personnages, Rose-Anna Lacasse, y voit un désir populaire de bouger, de voyager[1].

Ces grands chambardements surviennent à un bien mauvais moment, quelques semaines avant la fin des classes. Il n'est pas rare que le tiers des élèves se retrouve dans un autre quartier. Ils sont remplacés par autant de nouveaux arrivants. Tout cela à quelques jours des examens de fin d'année. La grande densité des enfants dans les quartiers entraîne la multiplication des écoles. Et les déménagements, même à quelques rues du précédent lieu d'habitation, entraînent un changement d'école. Fernand fréquente ainsi successivement les écoles Saint-François-Xavier, Saint-Louis-de-Gonzague et Souart, avant de terminer ses études primaires à l'école Saint-Jacques, lorsque sa famille déménage dans le Quartier Latin.

Chaque fois, un nouveau quartier, une nouvelle maîtresse d'école, de nouveaux règlements, de nouveaux compagnons à apprivoiser. Une rupture et une adaptation souvent pénibles. Le jeune Fernand fait l'expérience de cette intégration difficile dans de nouvelles classes quelques semaines avant les vacances. Il se souvient particulièrement de son arrivée à l'école Souart, sur la rue Logan, près du Pont Jacques-Cartier. Dans la cour de récréation, les nouveaux sont laissés de côté : des étrangers sûrement niaiseux, juste bons à affaiblir les équipes de balle et de drapeau... Il éprouve un sentiment de rejet qui s'ajoute au traumatisme de l'inconnu où il est plongé brutalement.

---

1. Gabrielle Roy, *Bonheur d'occasion*, Montréal, Boréal, 1993, p. 98.

Chapitre 2

Les travaillants

LES PREMIÈRES IMAGES de l'enfance restent souvent profondément gravées. Elles marquent de façon singulière l'idée qu'on se fait du monde et de ce qu'on y fera. Le quartier, où est située la maison du grand-père maternel, aux abords duquel la famille déménage successivement, est peuplé d'ouvriers et d'ouvrières, de *travaillants*, comme on dit souvent à l'époque. Devant la porte, Fernand voit passer les travailleurs des *Shops Angus*[1] et les employés de la glacière, un entrepôt sur la rue Parthenais où l'on empile les blocs de glace taillés sur le fleuve pendant l'hiver. La buanderie *Jolicoeur* est tout près, à l'angle de la rue Parthenais et de l'avenue Des Érables. Pour le jeune Fernand, les travailleurs, c'est une foule qui marche. Des centaines d'hommes passent chaque jour en salopettes, des boîtes à *lunch* identiques au bout du bras.

« Maman aussi est une travailleuse, qui coud des vrais habits d'homme dans des manufactures. » Elle travaille dans une *shop* avec beaucoup d'autres femmes, couturières comme elle.

Les travailleurs, ce sont aussi ses oncles maternels ; il y a d'abord Aimé, un peintre décorateur professionnel, le préféré des garçons, ami des animaux, de la nature et grand aventurier, dont les récits fascinent ses neveux ; il y a aussi Georges, un débrouillard hors pair, malgré son infirmité à la main, qui travaille à la filature *Dominion Textile*. Lui, on le voit moins souvent parce qu'il est en brouille avec son père. Fernand ne sait pas très bien pourquoi. Est-ce parce qu'il est *accoté*[2] ? En plus de l'oncle Émile Bourassa, le maître-

---

1. Les ateliers Angus, situés au nord du quartier, occupaient un vaste territoire aujourd'hui devenu en grande partie une zone résidentielle. Propriété du Canadien Pacifique, on y effectuait des réparations de matériel ferroviaire. Pendant la guerre, on y a construit des chars d'assaut.

2. On qualifiait ainsi les personnes qui vivaient en concubinage. Dans le Québec très catholique, ces *pécheurs* et *pécheresses* étaient souvent banniEs de leur famille.

électricien marié à tante Alice, Fernand a un autre oncle par alliance, Jovite Clément, le mari d'une autre sœur de sa mère, tante Yvonne. Fernand sait que son nom est Jovite, mais il préfère se faire appeler Henri. C'est un homme à la stature imposante qui est policier à Montréal. Quelle sensation lorsqu'il leur rend visite sur la petite rue Émery à bord de son impressionnante auto-patrouille !

Les travailleurs, ce sont aussi ces personnages impressionnants, qui défilent sur la rue Sherbrooke le premier lundi de septembre, lors du congé de la fête du Travail. Ils ont tous leur costume de travail respectif et rivalisent d'originalité pour attirer l'attention sur leur métier. Les chauffeurs d'autobus tirent leur énorme véhicule avec des câbles, les débardeurs déambulent avec un crochet menaçant à la main, des chefs syndicaux arborent fièrement des médailles, la poitrine traversée en diagonale par des rubans écarlates. Avec la parade de la Saint-Jean-Baptiste et la procession de la Fête-Dieu, c'est l'événement le plus spectaculaire de l'année.

L'anglais partout

Très tôt, pour l'enfant, le contraire des travailleurs et des travailleuses, ce sont les *boss*. Ceux des compagnies, grosses et petites, où peinent sa mère et tous les autres. Et les « boss », habituellement, ça parle anglais, même quand ils sont juifs, polonais ou italiens. Si le quartier où il vit est presque totalement francophone, le visage de Montréal, lui, est anglais. La très grande majorité des commerces et des services s'annoncent dans cette langue, même lorsqu'ils sont la propriété de francophones. Les rues commerçantes sont placardées d'affiches de *grocery store,* de *dry cleaning,* de *light lunch,* de *plumbers,* de *bakery.* On est éclairé par la *Montreal Light, Heat and Power,* on se déplace à bord des *p'tits chars*[1] de la *Montreal Tramways Company.*

Fernand fait tôt l'expérience personnelle de la réalité linguistique de Montréal. Fasciné par les images de calendriers, il en fait la collection. Un oncle lui conseille d'aller en chercher aux sièges sociaux des compagnies, sur la rue Saint-Jacques. À huit ans, il prend seul le tramway sur Rachel jusqu'à Saint-Laurent et descend jusqu'à la gare Craig[2]. À cet endroit, le tramway entre dans l'immeuble où est installé le siège social de la *Montreal Light, Heat and Power.* Il y cueille son premier *calendar,* un mot qu'il prononce en se tordant la bouche. Fier de son succès, il passe à la *Sun Life Insurance Company*

1. Les MontréalaisES, qui nommaient les trains « gros chars », appelaient conséquemment les tramways « p'tits chars ». La *Montreal Tramways Company,* une société privée à capital-actions a exercé un monopole sur le transport urbain à Montréal jusqu'en 1950, jusqu'à la création de la Commission de transport de Montréal.
2. La rue Craig a été rebaptisée Saint-Antoine le 1er septembre 1976. Le terminus des tramways Craig était situé à l'angle de Saint-Urbain, où se trouve maintenant le Palais des congrès.

et il fait la tournée des immeubles de bureaux de la rue Saint-Jacques. Partout, il découvre d'impressionnants halls couverts de marbre, des plafonds hauts comme ceux d'une cathédrale, des lustres éblouissants. Il est accueilli par des employéEs guindéEs et sévères, qui ne parlent qu'anglais. Un monde froid, étrange, hermétique et sûrement inaccessible.

Puis, il y a les paroles de sa mère. Éva n'est pas une théoricienne de la lutte des classes. Toutefois, les scènes qu'elle décrit sont frappantes et marquent la mémoire de ses fils. Devant ses enfants, elle exprime parfois sa révolte à l'égard d'injustices criantes. Elle trace le portrait avec aigreur de ces « grosses madames » qui montent dans le tramway les bras chargés d'emplettes et délogent de leur siège les ouvriers et ouvrières qui rentrent du travail, les traits usés par la fatigue et la misère.

Les « unions »

Dans l'industrie du vêtement où elle travaille, Éva Daoust est membre d'une union internationale, les Travailleurs amalgamés du vêtement d'Amérique[1], un syndicat nord-américain qui regroupe les travailleurs et travailleuses du vêtement pour hommes. Elle part tôt le matin travailler dans des ateliers situés sur le boulevard Saint-Laurent, entre les rues Sherbrooke et Dorchester[2]. Les enfants se débrouillent seuls. Paul-Émile, le plus vieux, garde ses deux petits frères. Le salaire d'une couturière varie entre 10 et 12 dollars, pour une semaine de cinquante heures. Il est inférieur dans les ateliers non syndiqués.

Les syndicats internationaux ont gagné beaucoup de terrain dans les grandes villes pendant l'industrialisation accélérée des années 1920. Mais, depuis le début de la crise, ils sont frappés de plein fouet. Ils perdent près du tiers de leurs membres au Québec pendant les trois premières années de la décennie. Leurs luttes, plus rares et difficiles, sont d'autant plus admirables.

La mère n'est pas une militante très active, mais elle s'estime chanceuse d'être syndiquée. Fernand l'entend souvent parler de l'union. En 1933, au plus fort de la crise, son syndicat déclenche une grève de dix jours à laquelle participent 4 000 travailleurs et travailleuses de la région de Montréal. À l'issue de cette action particulièrement courageuse en cette période d'insécurité et de chômage, ses compagnons de travail, les tailleurs, gagnent la semaine de quarante-quatre heures et les ouvriers et ouvrières non

---

1. *Amalgamated Clothing Workers of America* (ACWA), fondée à Chicago en 1914. Au Québec, on avait l'habitude de la nommer familièrement l'*Amalgamated* ou « l'union du vêtement pour homme », sans doute par opposition à l'Union internationale du vêtement pour dames (UIOVD).
2. Aujourd'hui, le boulevard René-Lévesque.

qualifiéEs touchent une augmentation salariale de 20 %. Une autre grève de douze jours, l'année suivante, permet d'arracher une autre augmentation 10 %. La même année, les ouvriers de la fourrure et les chapeliers font aussi la grève et obtiennent des gains importants. Fernand est alors bien loin de se douter que c'est ce syndicat des chapeliers, section de la sacoche, qui lui donnera, seize ans plus tard, ses premières fonctions syndicales.

En 1937, une autre grève célèbre est menée par près de 5 000 membres de l'Union internationale des ouvriers du vêtement pour dames (UIOVD)[1]. L'industrie où évolue ce syndicat est alors le lieu d'une exploitation éhontée. On y pratique le travail à la pièce, l'atmosphère des ateliers est suffocante, les heures sont interminables et beaucoup de travailleuses, majoritairement canadiennes-françaises, doivent apporter du travail à domicile pour récolter un salaire de 7 à 12 dollars par semaine. Le syndicat s'est préparé pour tenir le coup : il verse aux grévistes des aides financières presque égales à leur salaire moyen. Après vingt-cinq jours de grève, les gains sont considérables : le syndicat est reconnu, le salaire passe à 16 dollars pour une semaine de quarante-quatre heures, les heures supplémentaires sont désormais payées à un taux et demi et les taux du salaire à la pièce fixés avec l'accord du syndicat[2].

La « loi du cadenas »

Il n'y a pas que la crise qui fait la vie dure aux syndicats. Dans la famille, on parle de la mystérieuse et étrange « Loi du cadenas » édictée par le gouvernement du Québec. Un an après son arrivée au pouvoir, en 1937, le premier ministre Maurice Duplessis fait adopter cette loi répressive. La loi est ainsi nommée parce qu'elle permet à la police de cadenasser tout local qu'elle soupçonne d'abriter des réunions communistes ou d'entreposer des documents subversifs. Comme la loi ne définit pas le terme communisme, on ratisse large en assimilant toute contestation de l'ordre établi. En vertu de cette loi, on menace d'arrêter les dirigeantEs de la grève des midinettes[3], Rose Pesotta, Bernard Shane et celui qui deviendra plus tard le premier président du Congrès du travail du Canada, Claude Jodoin[4]. Un mandat

1. Jacques Rouillard, *Histoire du syndicalisme québécois,* Montréal, Boréal, 1989, p. 193.
2. Voir Évelyn Dumas, *Dans le sommeil de nos os,* Montréal, Leméac, 1971, p 25-42.
3 Terme utilisé au XIXe siècle en France pour désigner les ouvrières de l'industrie du vêtement qui, le midi, se contentaient d'une dinette, c'est-à-dire d'un repas sommaire. L'expression devient ensuite péjorative, pour qualifier de naïves ou de superficielles des jeunes filles. Au Québec, dans les années 1930, on nommait ainsi les ouvrières du vêtement, comme au siècle précédent en France, sans connotation négative.
4 Claude Jodoin, président des Jeunesses libérales, a été embauché par l'UIOVD comme organisateur en mars 1937. Dumas, *op. cit.*, p. 61.

d'arrestation est même émis contre le président du Conseil des métiers et du travail de Montréal, Raoul Trépanier, mais ne sera pas exécuté[1]. Plus tard, quand Fernand, devenu syndicaliste, connaîtra les Shane et Jodoin, il constatera qu'ils sont tout sauf subversifs.

En pleine campagne électorale, en 1939, Duplessis se prévaut de la même loi pour faire saisir 1 500 exemplaires du *Monde ouvrier* à Trois-Rivières[2]. Pourtant, ce journal syndical est dirigé par Gustave Francq[3], un anticommuniste notoire, qui n'a fait que critiquer les lois anti-ouvrières de Duplessis. Dès la fondation du journal en 1916, Francq se prononce pour un socialisme démocratique. En 1919, deux ans après la révolution russe, il publie une brochure intitulée *Bolchévisme ou syndicalisme, lequel?*[4] Dans ce pamphlet virulent, il affirme sa foi dans les institutions parlementaires, s'oppose à la révolution armée et à la dictature du prolétariat[5].

Le communisme, Fernand en entend parler à l'école et à l'église. Pourtant, il ne représente pas une force menaçante au Québec. À sa fondation en 1921, la section québécoise du Parti communiste du Canada (PCC) ne compte que 120 membres en règle et très peu de francophones. En 1936, ses effectifs ne dépassent pas les 150 membres avec à peine le tiers d'adhérents francophones[6]. Le parti ne réussit pas à élargir ses rangs de façon significative avant la Deuxième Guerre mondiale. On sait cependant que ce sont des syndicats communistes de la Ligue d'unité ouvrière qui déclenchent les

---

1. *Ibid.*, p. 69-72.
2. Fondé par Gustave Francq en 1916, *Le Monde ouvrier* a eu deux précurseurs, *Vox Populi* (1905) et *L'Ouvrier* (1908). Francq cède la propriété du *Monde ouvrier* à la Fédération provinciale du travail du Québec (FPTQ) en 1941. Le journal devient l'organe officiel de la Fédération des travailleurs du Québec (FTQ) à sa fondation en 1958. Voir Éric Leroux, *Gustave Francq, figure marquante du syndicalisme et précurseur de la FTQ*, Montréal, VLB Éditeur, 2001, p. 104-107, 142-150 et 260.
3 Gustave Francq (1871-1952) est une figure marquante du mouvement syndical québécois. Immigrant belge, arrivé au Québec en 1886, il devient apprenti typographe, adhère à l'Union internationale des typographes (UIT) et participe à la grève de 1888 à Québec. Il occupe de nombreux postes de direction à l'Union typographique Jacques Cartier (section locale 145 de l'UIT), au Conseil des métiers et du travail de Montréal (CMTM), au Congrès des métiers et du travail du Canada (CMTC) et à la Fédération provinciale du travail du Québec (FPTQ). Il a aussi été l'un des principaux leaders du Parti ouvrier du Québec, de 1906 à 1915. Tout au long de sa carrière, il a été l'un des artisans de l'enracinement des syndicats internationaux au Québec. L'un des fondateurs de la Fédération provinciale des travailleurs du Québec (1937), il en sera le secrétaire-trésorier de 1937 à 1939 et de 1944 à 1947.
4. Gustave Francq, *Bolchévisme ou syndicalisme, lequel?*, Montréal, Le Monde ouvrier, 1919.
5. Leroux, *op. cit.* p. 180-182.
6. Lévesque et Migner, *Camillien et les années vingt, op. cit.*, p. 69.

premières luttes syndicales radicales après le début de la crise, en 1934, lors de la grève des *Fros*[1], les travailleurs immigrants des mines de cuivre de la Noranda en Abitibi ; c'est aussi un syndicat de la Ligue qui a organisé et soutenu la lutte des travailleuses de l'industrie du vêtement à Montréal, alors membre de son Syndicat industriel de l'aiguille[2]. La Ligue d'unité ouvrière 's'est sabordée en 1935 et a intégré les syndicats internationaux, comme l'UIOVD et les *Mine Mill*[3].

Du coup, pour Duplessis, tous les syndicats internationaux sont présumés être contrôlés par les communistes. D'ailleurs, il ratisse large puisque même la *Cooperative Commonwealth Federation* (CCF)[4], un parti social-démocrate opposé au communisme, est mise dans le même bateau. De fait, l'influence de militantEs communistes est significative dans l'organisation de syndicats combatifs, leur mobilisation et le soutien à leurs luttes. Ce sont d'excellents organisateurs syndicaux, disciplinés, dévoués, qui profitent de la machine bien huilée du Parti. Mais sur le plan de la diffusion de l'idéologie marxiste et dans le recrutement des membres, le moins qu'on puisse dire, c'est qu'ils ne font pas de ravage dans le Québec catholique d'avant-guerre.

Les syndicats catholiques

De leur côté, les syndicats catholiques, réunis dans la Confédération des travailleurs catholiques du Canada (CTCC)[5] et étroitement encadrés par le clergé, approuvent la Loi du cadenas et invitent les midinettes en grève à rentrer au travail. L'Église catholique, qui combat la vision matérialiste du socialisme, reconnaît tout de même que le capitalisme engendre des injustices. Depuis la fin du XIXe siècle, elle élabore dans des encycliques[6] une doc-

---

1. Une contraction du mot anglais *foreigners* (étrangers). Voir Dumas, *op. cit.*, p. 25-42.

2. Rouillard, *op. cit.,* p. 189.

3. Contraction la plus utilisée pour désigner l'International Union of Mine, Mill and Smelter Workers – Union internationale des travailleurs des mines, bocards (broyeurs) et fonderies.

4. La CCF est fondée en 1932 à Calgary par des socialistes, des syndicalistes, des coopératives et des regroupements d'agriculteurs. Même si elle reprend dans son programme des revendications du Congrès des métiers et du travail du Canada (CMTC), elle ne recueille pas son appui officiel. Le Congrès canadien du travail (CCT) l'appuie officiellement dans les années 1940.

5. Fondée en 1921, elle abandonne son caractère confessionnel en 1960 et prend le nom de Confédération des syndicats nationaux (CSN).

6. La doctrine sociale de l'Église est d'abord élaborée par Léon XIII dans son encyclique *Rerum novarum* en 1891 et mise à jour en 1931 par le Pape Pie XI dans son encyclique *Quadragesimo Anno*. Présentée comme une réponse à la Grande Dépression, cette dernière préconise l'établissement d'un ordre social plus juste, tout en condamnant le communisme et le socialisme. Ces idées seront développées au Québec par l'École sociale populaire (ESP).

trine sociale qui prône un modèle corporatiste[1] et appelle patrons et ouvriers à travailler dans l'harmonie à la construction de la Cité de Dieu sur terre. À leur origine, les syndicats catholiques ont pour mission principale de mettre en pratique cette doctrine sociale de l'Église.

On verra plus tard que la fidélité absolue à cette idéologie utopiste du corporatisme constitue un pari intenable. Les syndicats catholiques doivent d'ailleurs leur survie et leur développement davantage à leur transformation en organisations combatives qu'à leur complaisance à l'égard du patronat. Déjà, à la fin des années 1930, le discours officiel de bonne entente est contredit par la réalité des affrontements dans les milieux de travail. On peut présumer que les 21 grèves que les syndicats catholiques mènent entre 1931 et 1940[2], en particulier celles aux chantiers maritimes de Sorel et contre la *Dominion Textile* à Montréal et à Valleyfield, ont une influence déterminante sur leur évolution idéologique.

Leur implantation dans les régions négligées par les unions internationales explique sans doute leur rapide progression en cette période de crise. Ils sont aussi favorisés par la Loi des décrets que boudent les unions internationales dans les premières années de son application. Alors que les unions internationales concentrées dans les grandes villes régressent, les effectifs de la CTCC triplent et leur représentativité passe du cinquième au tiers des syndiquéES québécoisES[3]. Par ailleurs, la construction des églises, des hôpitaux, des hospices, des écoles, des couvents et des collèges contrôlés par le clergé et les communautés religieuses était réservée aux travailleurs des syndicats catholiques.

Des changements profonds

Pour comprendre l'époque, il faut rappeler que la crise économique des années 1930 a pris tout le monde par surprise. N'avait-on pas connu un progrès économique spectaculaire jusqu'en 1929? Le Québec s'urbanise à un rythme accéléré. Montréal, qui est toujours un grand centre industriel et financier, bien qu'en voie d'être supplantée par Toronto, se développe rapidement. Les usines poussent comme des champignons et tournent à

---

1. S'inspirant d'une société médiévale idéalisée, le corporatisme est une doctrine sociale promue au XIXᵉ siècle par des courants de chrétiens sociaux. Ces derniers ambitionnaient de substituer au capitalisme sauvage et au socialisme, la concertation des groupes sociaux organisés en corporation. Ces idées ont inspiré la doctrine sociale de l'Église. C'est aussi ce modèle qu'ont prétendu mettre en œuvre entre les deux guerres mondiales les régimes fascistes de Mussolini en Italie, Franco en Espagne et Salazar au Portugal tout comme le régime nazi d'Hitler en Allemagne. C'est aussi de ce modèle que s'inspirait le maréchal Pétain après la conquête allemande de la France, pour la mise en place du régime de Vichy.
2. Rouillard, *op. cit.*, p. 190.
3. *Ibid.*, p 167-169.

plein régime. On vogue sur une prospérité qui paraît sans limites. Les choses ne peuvent qu'aller de mieux en mieux, pense-t-on. D'ailleurs, tous les gouvernements au pouvoir, libéraux comme conservateurs à Ottawa ou à Québec, affichent une foi aveugle dans les vertus du capitalisme. La politique du laisser-faire est érigée en système.

Les pouvoirs publics ne sont pas préparés à la catastrophe économique et sociale de la grande crise. Il n'existe alors ni assurance-chômage, ni pension de vieillesse, ni aide sociale et encore moins un système de santé publique. L'éducation, contrôlée par le clergé, n'est pas obligatoire ; elle n'est gratuite qu'au niveau primaire. À cette époque, les pauvres ne sont pas l'affaire des gouvernements. Il y a toujours eu des gens mal pris, mais l'Église, ses institutions, les œuvres de charité de toutes confessions religieuses s'en occupent.

Comme l'a souvent dénoncé Éva Daoust devant ses enfants, toutes les bonnes âmes ne ratent jamais l'occasion d'ajouter à leurs dons une bonne dose de morale, sinon de remontrances sur la conduite des gens dans le besoin. Il semble bien que les pauvres pieux aient plus de chance que retombent sur eux les fruits de la charité. Heureusement, moins moralisatrices, l'entraide au sein des familles et la solidarité communautaire, héritées des traditions de la vie rurale, s'expriment aussi spontanément. Or, devant l'ampleur du marasme qui frappe tout le monde de plein fouet, la charité et la solidarité populaire ne suffisent plus.

La crise est l'occasion de changements profonds dans plusieurs sociétés industrialisées. On constate la cruauté d'un système capitaliste aveugle, qui plonge de vastes pans de la population dans la misère. Partout, on cherche des modèles à lui substituer. Le Canada et le Québec n'y échappent pas. Pas étonnant que, pendant cette période, des idéologies et des mouvements politiques parfois contradictoires foisonnent. On voit ainsi la création dans l'Ouest canadien de la *Cooperative Commonwealth Federation* (CCF) et du Crédit social[1], une formation populiste de droite ; au Québec apparaissent l'Action libérale nationale (ALN), corporatiste et réformiste et, bientôt, l'Union nationale qui, malgré son alliance avec l'ALN, est nettement conservatrice et réactionnaire.

Menée par Paul Gouin[2], d'abord au sein du Parti libéral du Québec, l'ALN s'inspire du *Programme de restauration sociale*, élaboré par l'École sociale populaire[3], qui s'était donnée pour mission de promouvoir l'appli-

---

1. Fondé en 1935 dans l'Ouest canadien.
2. Paul Gouin (1898-1976), fils de Lomer Gouin, premier ministre du Québec, de 1905 à 1920, et de Éliza Mercier, la fille d'Honoré Mercier, premier ministre québécois, de 1887 à 1891.
3. L'École sociale populaire avait été créée en 1911 par le jésuite conservateur Joseph-Papin Archambault qui, au printemps 1938, a fondé la Ligue d'action corporative.

cation de la doctrine sociale de l'Église au Québec. L'ALN est donc corporatiste et défend les valeurs traditionnelles, mais ses penseurs, notamment le Dr Philippe Hamel, enrichissent son programme de revendications pour la protection sociale et prônent des nationalisations, dont celle de l'électricité. En 1935, l'ALN rompt avec les libéraux de Louis-Alexandre Taschereau et se transforme en un parti politique. Trop faible pour affronter seul la machine libérale, le nouveau parti noue une alliance avec le Parti conservateur québécois, alors dirigé par Maurice Duplessis.

La coalition ainsi formée perd l'élection de justesse contre les libéraux. L'ALN réussit tout de même à faire élire plus de députés que les conservateurs (26 contre 16). Au lendemain de cette défaite, Duplessis entraîne l'ALN dans la fondation d'un nouveau parti dont il sera le chef, l'Union nationale. Lorsque les libéraux doivent démissionner du gouvernement en 1937, c'est sous cette étiquette qu'il prend le pouvoir pour la première fois. Même si l'Union nationale fait officiellement sien le programme de l'ALN, une fois premier ministre, Duplessis en renie tous les aspects les plus novateurs[1]. Il s'engage plutôt dans la répression des syndicats. L'ALN ne se relève pas de ce mariage contre nature, qui équivaut pour elle au baiser de la mort.

Cette effervescence politique et sociale, le jeune Fernand Daoust n'en est évidemment pas conscient. Après tout, en 1936, il n'a que dix ans. Tout ce dont il se souvient, c'est de la virulence des assemblées contradictoires, dans des salles enfumées, où son grand-père Gobeil l'amène. Il ne se rappelle pas si les orateurs sont de l'Action libérale nationale, de l'Union nationale ou du Parti libéral. Ce qui le captive alors, c'est la prestance des orateurs et leur maîtrise de l'art oratoire.

Le *New Deal* aux États-Unis

Ce sont nos voisins du sud qui, avant le Canada et le Québec, entreprennent résolument de réformer leur système. Les États-Unis, qui viennent de supplanter l'Angleterre comme première puissance économique mondiale, ne vont évidemment pas remettre en question le régime capitaliste. Pour faire face à la crise, il n'est pas question de suivre les Russes dans leur révolution prolétarienne ou les régimes fascistes d'Europe. Ce sont plutôt des idées de l'économiste John Maynard Keynes[2], apparentées à l'idéal social-démocrate, qui inspirent Roosevelt et son *New Deal*[3].

Voir Jean Hamelin et Nicole Gagnon, *Histoire du catholicisme québécois. Le XXᵉ siècle, tome 1, 1898-1940*, Montréal, Boréal Express, 1984, p. 441-442.

1. Linteau, Durocher, Robert, Ricard, *op. cit.*, p. 120-125.
2. John Maynard Keynes (1883-1946), économiste anglais auteur de *Théorie générale de l'emploi, de l'intérêt et de la monnaie,* publié en 1936.
3. Le *New Deal* est un ensemble d'interventions de l'État visant à encadrer le capitalisme sauvage : réglementation du secteur financier, soutien à l'agriculture, instauration

Le gouvernement conservateur canadien tente d'imiter ce modèle, mais en est empêché pour des raisons constitutionnelles, la plupart des interventions sociales relevant des provinces. Il faut dire qu'au Québec, le sens même de ces réformes répugne à l'Église et à l'élite canadienne-française. Mais, même si on n'adopte pas une politique aussi globale que le *New Deal*, pour la première fois, les gouvernements se reconnaissaient une responsabilité envers les plus démuniEs. Bien sûr, les libéraux de Louis-Alexandre Taschereau avaient créé l'assistance publique au début des années 1920, mais il s'agissait de mesures d'exception, s'adressant aux cas les plus graves. Dès le début de la crise, les gouvernements de Québec et d'Ottawa mettent en place des mesures d'urgence. Ainsi, en 1930, ils subventionnent · les travaux publics des municipalités pour donner des emplois aux chômeurs. Puis, en 1932, ils instaurent la première mesure d'assistance sociale publique, « le secours direct », financé par le gouvernement fédéral, les provinces et les municipalités[1]. En 1933, quelque 250 000 personnes (soit 30 % de la population) reçoivent l'aide de la Ville de Montréal[2].

Le secours direct n'est pas encore un régime universel de bien-être social. Il est assujetti à toutes sortes de conditions et de restrictions. Les Daoust y ont droit, mais le plus vieux des fils doit participer à des travaux publics pour que la famille y accède. Fernand se souvient que, tout jeune encore, son frère Paul-Émile part « ramasser de la neige » à la pelle dans les rues de la ville. Les gouvernements répugnent alors à nourrir quelqu'un qui ne travaille pas. Au début, les bénéficiaires doivent même arriver à pied aux lieux de versement de ces allocations. Sinon, on leur dit avec un certain mépris : « Si tu peux payer le tramway, achète-toi de quoi manger ! »

On veut aussi s'assurer que les ressources rendues disponibles sont affectées à la satisfaction de besoins essentiels. Pour ce faire, on donne des « bons » de nourriture échangeables chez certains commerçants. En conséquence, on est clairement identifié comme des « secours directs » lorsqu'on présente ces bons d'achat et, à l'école, les élèves ainsi qualifiés sont humiliés. Fernand et ses frères vivent dans la crainte qu'on découvre cette tare.

À la même époque on crée des camps de travail encadrés par l'armée où les jeunes gens sont vêtus de vareuses militaires. Mal nourris, mal logés et pratiquement pas payés, ces jeunes subissent une condition semblable à celle des prisonniers de guerre. S'évader de ces camps devient un sport populaire. C'est aussi l'époque où l'Église et l'État encouragent la colonisation de régions éloignées. En 1930, quand la crise frappe et que la misère

---

d'une protection sociale publique et encadrement des relations de travail (*Wagner Act*), assurant un rapport de force plus équitable entre syndicat et patronat.
1. Linteau, Durocher, Robert et Ricard, *op. cit.,* p. 80.
2. *Ibid.*, p. 76.

se répand comme une épidémie en ville, on encourage les chômeurs à se faire colons[1]. Dans toutes les paroisses s'organisent des sociétés de colonisation. On espère réduire le chômage urbain en envoyant des familles entières défricher les terres en Abitibi, au Lac-Saint-Jean et à l'intérieur des terres de la Gaspésie.

Les syndicats précurseurs

Même si les grands partis traditionnels semblent pris au dépourvu par la crise, les idées de réforme du système capitaliste ne sont pourtant pas neuves. Depuis plus de trente ans, au Canada comme au Québec, les syndicalistes des unions internationales réclament que l'État joue un rôle central pour civiliser la jungle économique. À Montréal, une première plate-forme de revendications politiques est élaborée par une section des Chevaliers du travail[2] en 1885. Elle est pour l'essentiel reprise à son compte par le Conseil central des métiers et du travail de Montréal[3] lors de sa création l'année suivante. On y trouve déjà les revendications majeures sur l'éducation, la démocratisation, la réduction du temps de travail et la nationalisation des services publics.

En 1898, le Congrès des métiers et du travail du Canada (CMTC) s'en inspire, réclamant dans sa plate-forme politique la nationalisation de l'eau, de l'électricité, des transports en commun et du télégraphe, l'instruction obligatoire et gratuite, la journée de travail de huit heures, le salaire minimum ainsi que des réformes fiscales[4]. Le Parti ouvrier, créé en 1899 au Québec par des militants syndicaux du Conseil des métiers et du travail de Montréal (CMTM)[5], met à son programme de 1904 les mêmes réformes auxquelles il ajoute la nationalisation des banques et « l'assurance d'État contre la maladie et la vieillesse[6] ». À partir de 1921, le CMTC réclame une assurance-chômage. Ces réformes fortement inspirées des politiques travaillistes britanniques constitueront plus tard l'ossature de l'État-providence d'inspiration sociale-démocrate. Dans le *Monde ouvrier,* Gustave Francq défend constamment ces idées.

Cet apport du mouvement syndical au progrès social est généralement méconnu. Pourtant, au Québec, ces revendications allaient influencer l'ébauche d'une première Révolution tranquille, bien avant celle des années 1960. Attaqués par les lois antisyndicales de Duplessis pendant son premier mandat, de 1936 à 1939, les syndicats internationaux se regroupent

---

1. *Ibid.*, p. 37-39.
2. Rouillard, *op. cit.,* p. 44-45.
3. L'un des ancêtres du Conseil régional FTQ Montréal métropolitain (CRFTQMM).
4. Rouillard, *op. cit.,* p. 135-136.
5. Lui aussi un des ancêtres du CRFTQMM.
6. Rouillard, *op. cit.*, p. 104-105.

en 1938 dans la Fédération provinciale du travail du Québec (FPTQ). Ils entendent ainsi se donner les moyens de lutter contre l'influence grandissante des idées fascistes qu'ils décèlent dans le régime de l'Union nationale. Même s'ils s'interdisent dans leurs statuts de faire de la politique partisane, ce sont des syndicalistes de la FPTQ, dont le président Raoul Trépanier, qui créent l'Action démocratique, dont le programme reprend les principales revendications des syndicats. Ils font alliance avec le Parti libéral d'Adélard Godbout qui intègre dans son programme politique celui de l'Action démocratique[1].

Lorsque Godbout chasse Duplessis du pouvoir en 1939, il entreprend des réformes sociales majeures qui seront complétées, vingt ans plus tard, par celles de la Révolution tranquille[2]. Répondant aux vœux des syndicats de la FPTQ, Godbout laisse la voie libre à l'assurance-chômage fédérale. Il fait fi des oppositions séculaires de la hiérarchie catholique en accordant le droit de vote aux femmes et en instituant l'instruction obligatoire. Il entreprend un début d'étatisation de l'électricité en créant Hydro-Québec. Il amorce la réforme de la fonction publique, premier geste courageux à l'encontre de ce traditionnel nid de patronage. Il crée même un Conseil d'orientation économique et une Commission d'étude sur l'assurance-santé. À la fin de son mandat, il adopte le premier *Code du travail* du Québec.

Malheureusement, la position de Godbout en faveur de la conscription fait oublier le rôle crucial qu'il a joué dans la construction du Québec moderne. Il est chassé du pouvoir par Duplessis en 1944.

---

1. Jacques Rouillard, *L'expérience syndicale au Québec. Ses rapports à l'État, à la nation et à l'opinion publique,* Montréal, VLB Éditeur, 2008, p. 104.
2. En général, la Révolution tranquille réfère à la période de modernisation de l'État québécois entreprise à partir de 1960, lorsque le Parti libéral du Québec a pris le pouvoir. La rénovation mise en œuvre s'inspire du concept d'État-providence que rejetait Duplessis. Les principales réformes des libéraux sont celles de la valorisation de la fonction publique, de la démocratisation de l'éducation, de la mise en place de mesures de sécurité sociale, l'assurance hospitalisation et la nationalisation du secteur hospitalier, de la création de la Régie des rentes et de la Caisse de dépôt et placement ainsi que de la nationalisation de l'électricité. On a souvent dit que cette période constituait une rupture avec la période de la « grande noirceur » du duplessisme. Les historiens reconnaissent cependant aujourd'hui que cette « révolution » était en gestation bien avant. L'industrialisation et l'urbanisation du Québec à partir du début du XXᵉ siècle, les luttes syndicales et les revendications politiques du mouvement ouvrier, le bouillonnement idéologique provoqué par la grande crise économique des années 1930 et par les deux guerres mondiales, les premières réformes du gouvernement Godbout, l'émancipation progressive des femmes, sont autant de facteurs qui ont favorisé son éclosion. C'est, paraît-il un journaliste du *Globe and Mail* de Toronto qui aurait inventé l'expression en qualifiant l'élection des libéraux de Jean Lesage en 1960 de *Quiet Revolution*.

Chapitre 3

Le bonheur malgré tout (1936-1942)

Pendant la crise, la solidarité populaire compense parfois l'humiliation de la pauvreté. Pour le petit peuple, les gens démunis de longue date ou nouvellement pauvres, la débrouillardise est un mode de survie. Elle s'exprime parfois à la limite de la légalité. Les propriétaires qui expulsent des locataires insolvables s'exposent à la vindicte des gens du quartier. Ils ont parfois même la surprise de voir leurs anciens locataires récupérer les meubles qu'ils avaient saisis. Le truc est simple : des voisins solidaires *paqu'tent* [1] les ventes à l'encan et s'assurent que les mises sont insignifiantes. Les meubles ainsi récupérés pour une bouchée de pain sont ensuite remis à leurs anciens propriétaires. Les coupures de gaz et d'électricité en plein hiver ne constituent pas un drame non plus, puisque de nombreux bons samaritains rétablissent ces services en trafiquant les compteurs. Aux yeux des jeunes Daoust, l'oncle Georges, le plus vieux des oncles maternels, est un mélange de héros et de magicien : il *jompe* [2] le gaz et l'électricité, comme s'il installait une corde à linge.

Fernand et ses frères ne vivent pas ces revers et difficultés de la vie comme des drames ou des tragédies. Ils s'amusent avec des riens. Fernand n'a jamais eu de patin à glace, mais ses amis et lui jouent au hockey dans la rue, se bardant les jambes de catalogues Eaton [3] ou d'annuaires téléphoniques en guise de jambières protectrices. En bande, l'été, ils vont rôder dans la rue Fullum derrière le stade de base-ball De Lorimier, attendant patiemment que leurs

---

1. En québécois, « paqueter » signifie entre autres noyauter, prendre le contrôle d'une réunion, d'une assemblée.
2. Dérivé de l'anglais *jump*, on employait *jomper* pour nommer les différentes techniques de contournement ou de neutralisation des compteurs de gaz ou d'électricité.
3. La chaîne de magasins à rayon Eaton a ouvert ses portes sur la rue Sainte-Catherine en 1925 ; elle a mis fin à ses activités en 1999.

vedettes des Royaux de Montréal y frappent des coups de circuit pour se dis-
puter la possession de la balle.

Ses tantes, Alice Bourassa et Yvonne Clément ont des enfants avec qui Fernand joue souvent, surtout avant que sa famille ne déménage sur la rue Émery.
Ses tantes se plaisent à le mettre dans l'embarras en lui demandant laquelle de
ses cousines il trouve la plus jolie. Pour lui, Marie-Claire et Réjeanne Clément
ainsi qu'Aline Bourassa sont toutes trois de belles filles. Toutefois, il a un faible pour Aline, dont tout le monde dit qu'elle ressemble à Shirley Temple[1].

Sur le toit de la maison de son oncle Émile Bourassa, au 4445 de la rue
Chapleau, le jeune Fernand, ses cousins et quelques amis assistent gratuite-
ment à des soirées de lutte tenues en plein air au Stade Exchange, à l'angle
des rues Mont-Royal et Iberville. La joie de vivre ne coûte pas cher. Il reste
que toutes ces images de vie modeste, voire de privation, s'emmagasinent et
façonnent l'homme qu'il deviendra.

D'autres plaisirs éclairent la grisaille des jours. Leur appartement de la rue
Rachel est situé au-dessus d'un restaurant équipé d'un appareil de radio. Fernand se voit encore coller l'oreille sur le plancher. Le plaisir qu'il avait lorsqu'il
arrivait à capter la description radiophonique des matchs du club de hockey
des Canadiens de Montréal! La famille n'aura en effet la radio que six ans
plus tard. C'est généralement chez le grand-père maternel qu'on a la chance
de l'entendre parfois. Dans le salon, on s'agglutine autour d'un gros meu-
ble en bois sombre et mystérieux. On retient son souffle, écoutant tout ce
qui en sort : information, musique et mêmes émissions incompréhensibles en
anglais. Tôt ou tard, malheureusement, le grand-père *casseux de veillée*[2] met
fin brutalement à cette fête, chaque fois, par la même phrase sèche : « C'est
assez pour aujourd'hui, les p'tits gars… Il faut ménager les lampes[3]. »

Nouveaux personnages, nouveaux rêves

Le passage de la famille Daoust du nord du Faubourg à m'lasse à la rue
Émery, dans le Quartier Latin, est un événement majeur dans la vie du
jeune Fernand. L'un des principaux changements est qu'ils logent dans une
maison plus grande qui a deux étages. Pour la première fois, des étrangers
vivent avec eux, les chambreux. Il y a là une galerie de personnages, une
mine de curiosités, des fenêtres qui s'ouvrent sur des mondes nouveaux, jusque-là inconnus. Pour les jeunes garçons, ces personnages qui défilent char-
rient tous des réalités étonnantes.

---

1. Première enfant-star du cinéma pendant les années 1930.
2. Une veillée était une soirée festive et le rabat joie qui y mettait fin était ainsi nommé.
3. Les appareils de son étaient munis de tubes électroniques, communément appelés lampes et généralement utilisés comme amplificateur de signal. Les lampes sont
   remplacées aujourd'hui par différents semi-conducteurs, dont les transistors.

L'un des chambreux, un certain Côté, est un joueur de « musique à bouche » qui enseigne ses trucs à Fernand, déjà adepte de ce qu'il nomme drôlement « ruine-babine », c'est-à-dire harmonica. Un autre, plus discret, suscite beaucoup d'interrogations. C'est, paraît-il, un ancien jésuite. Dans son dos, les gens disent que c'est un « défroqué », un mot terrible qui signifie qu'il a dû faire des choses très graves. Éva Daoust coupe court aux commérages des voisines : « On n'a pas d'affaire à le juger. On connaît pas son histoire. C'est pas de nos affaires. »

Alice Zlata est sûrement la plus extravagante des chambreuses qui entrent dans la vie de la petite famille. On ne sait pas trop d'où elle vient. Elle prétend avoir des droits sur les célèbres bandes dessinées françaises relatant les aventures de Bécassine. Elle dit aussi avoir des meubles de grande valeur entreposés chez *Baillargeon*, la grande entreprise de déménagement, installée au coin des rues Berri et Ontario. Elle gagne sa vie en vendant des produits de beauté. Elle les présente dans des petits pots qui s'annoncent provenir du Caire ou de Paris. En fait, c'est elle qui les remplit avec une chaudière de *cold-cream* bon marché. Un soupçon de parfum ajouté à cette camelote et le tour est joué. Elle associe même les enfants à cette fabrication peu sophistiquée.

Encore aujourd'hui, les raisons de sa venue dans la famille Daoust ne sont pas claires. Il semble qu'elle connaissait déjà le père des jeunes garçons. Est-elle venue résider chez eux avec des intentions précises ? En tout cas, avant la rencontre ratée avec le père au Carré Saint-Louis, elle parlait d'un fabuleux héritage des ancêtres paternels, qui devait revenir aux enfants Daoust : un million de dollars ! Une somme astronomique en ces années de crise qui dormait quelque part et ne demandait qu'à être cueillie. Elle allait tout arranger, mais d'abord ramener le père auprès de sa famille… D'où le rendez-vous au parc avec le plus jeune des fils. Une richesse inespérée allait tomber sur la tête de ces enfants, qu'elle amènerait étudier dans des lycées en France, où ils seraient conduits par un chauffeur dans une rutilante « Packard ». Puis, un jour, cette machine à paroles de rêve s'évanouit dans la nature. Alice disparait aussi mystérieusement qu'elle était venue, probablement retournée au pays des merveilles…

L' ancêtre mercenaire

Cette histoire d'héritage ne serait pas sans fondement, paraît-il. La grand-mère Daoust, la mère de René, était née Schiller. Son ancêtre, d'origine allemande, était venu au Canada comme médecin mercenaire de l'armée britannique lors de la Conquête. La famille aurait accumulé une fortune qui, pour des raisons inconnues, était gardée en fiducie et ne pouvait être touchée que par les générations futures. Du côté paternel, la famille Daoust descendait d'un seigneur de l'Île Perreault. Malheureusement, cette richesse et cette noblesse n'ont jamais gagné les petits-enfants. Pas plus que leur père, puisque René Daoust aurait vivoté toute sa vie et serait mort dans l'indigence. Quant à la grand-mère Daoust, si elle n'était pas riche, elle semblait suffisamment à l'aise[1] pour finir ses jours à l'hôpital Notre-Dame de la Merci[2], sur le boulevard Gouin. André, le frère de Fernand, se souvient de lui avoir rendu visite avec sa mère, qui réclamait un peu d'aide, pendant la crise. Elle était repartie les mains vides, l'aïeule considérant sans doute que son fils n'avait pas quitté sa femme et ses enfants sans une bonne raison.

L'histoire floue et quasi fabuleuse de ses ancêtres paternels intriguera Fernand toute sa vie. Plus tard, ses recherches généalogiques confirmeront un peu la tradition orale qui avait cours dans la famille. Elles ne dissiperont jamais tout à fait le voile de mystère qui recouvre cette histoire. Ainsi, il apprendra que le trésor existe vraiment et dort dans une fiducie, mais qu'il reste aussi inaccessible que s'il était enterré sur une île inconnue! Pour le jeune garçon rêveur, en tout cas, ce passé mythique alimente l'imagination tout autant que les histoires que raconte leur grand-mère Gobeil.

Un quartier fascinant

Le Quartier Latin est un environnement radicalement différent de celui connu jusqu'ici de la famille. Plus urbain, plus affairé et très diversifié. D'abord, il y a les étudiants qu'on appelle les carabins[3], bruyants, espiègles, fanfarons et omniprésents. En effet, l'Université de Montréal[4], alors en construction sur le Mont-Royal, loge toujours dans ses vieux locaux, à deux pas, sur le site actuel de l'Université du Québec à Montréal. La rue Émery, où habite Fernand, borde le Théâtre Saint-Denis[5] au nord. En face de la maison qu'occupent les Daoust, il y a une loterie clandestine tenue par un Chinois et une fabrique de cigares. Toujours dans ce petit bout de rue habitent le jeune annonceur de radio, Jean-Maurice Bailly, et un comique, Swifty, qui se produit dans les cinémas avant la projection des films.

1. L'hospitalisation était coûteuse à l'époque, le régime d'assurance hospitalisation n'est entré en vigueur qu'en 1961 au Québec.
2. Construite en 1932 par l'Ordre des hospitaliers de Saint-Jean-de-Dieu, c'est aujourd'hui un Centre hospitalier de soins de longue durée (CHSLD).
3. En France, cette expression désignait les étudiants en médecine, mais au Québec, elle englobait tous les universitaires, quelle que soit leur discipline. Ceci explique qu'on ait baptisé de ce nom les diverses équipes sportives de l'Université de Montréal.
4. Il s'agit là de la première université francophone de la métropole. Ouverte en 1878, elle est d'abord une succursale de l'Université Laval de Québec. Elle acquiert son autonomie en 1919. La construction de ses nouveaux bâtiments sur la montagne, entreprise en 1928, puis ralentie et quasi abandonnée pendant la crise, est complétée pendant la guerre. L'inauguration officielle a lieu en 1943.
5. Construit en 1900.

Un immense terrain de jeu, le champ Berri, couvre tout le territoire compris entre les rues Ontario et Sainte-Catherine et entre les rues Saint-Hubert et Berri. À deux pas, sur la rue Saint-Denis, on trouve la bibliothèque Saint-Sulpice[1], des librairies et différents petits commerces. Dans les rues avoisinantes se cachent des lieux de jeux clandestins, étrangement nommés *barbottes*[2] et des maisons de débauche, dont une célèbre, au 312, rue Ontario Est. Au sud, sur la rue Sainte-Catherine, il y a le journal *La Patrie*. Tel un serpent, cette longue rue file à l'ouest chez les Anglais, avec son enfilade de magasins, de boîtes de nuit et de cinémas, pendant que sa queue se perd dans les champs de l'est de l'île. Tout cela forme un amalgame de découvertes, un monde excitant, qui fait rêver.

Tout jeune, si l'on veut un peu d'argent de poche pour se payer des friandises, on doit travailler. Fernand fait de la livraison de *liqueurs*[3] et de *hot-dogs* pour deux petits restaurants, l'un situé sur Émery, l'autre sur Saint-Denis. Habitué de ces endroits, il y fait parfois ses devoirs, admirant en secret une serveuse à la beauté troublante. Un jour, arrivé subrepticement dans le restaurant vide, il la voit surgir de l'arrière-boutique, sa grande tignasse rousse décoiffée, le teint aussi rouge que ses cheveux ; elle est suivie d'un client gêné. C'est sa première image confuse de la sexualité.

Il découvre très vite que sur ce plan le quartier déploie une activité intense. Le *Red Light*[4] étend en effet ses ramifications dans les petites rues autour de Saint-Laurent et de Sainte-Catherine, à cinq minutes de chez lui. Avec ses maisons de jeu clandestines, ses cabarets et sa prostitution, Montréal a une réputation de ville chaude, y compris au-delà de ses frontières. Les États-Uniens de la Côte Est, qui ont vécu jusqu'à récemment encore sous le régime de la prohibition[5], ont pris l'habitude de venir s'y abreuver de plaisirs défendus.

---

1. Construite en 1917.
2. Les « barbottes » étaient des maisons de jeu de dés, où des gens, souvent peu fortunés, pariaient leur paye. Ces lieux abritaient également des débits de boisson clandestins. Le mot s'est québécisé au terme d'un long voyage. Selon *Le dictionnaire du français québécois* (Québec, Presses de l'Université Laval, 1998, p. 118), ce jeu tirait son nom du mot turc « *barbut* », ce qui signifie kraps, et aurait « été introduit par des immigrants grecs ou juifs » vers 1930, dans le royaume du jeu et de la prostitution qu'était Montréal. C'est en s'inspirant de ce québécisme que les États-Uniens auraient forgé le terme « *barbooth* ».
3. Sodas.
4. Ainsi nommé à cause des ampoules rouges, qui identifiaient les bordels dans ce secteur s'étendant aux abords de Saint-Laurent, entre Ontario et Vitré, aujourd'hui Viger. On trouvait ces maisons sur des rues comme De Bullion, Saint-Dominique, Hôtel de Ville et Berger.
5. Décrétée en 1919, la prohibition interdisait la production, la vente et la consommation d'alcool sur tout le territoire des États-Unis. Abondamment violée, cette loi a engendré une contrebande massive, dont ont profité des producteurs canadiens

Contrairement à beaucoup de jeunes Québécois, plus aliénés par l'influence envahissante de l'Église, Fernand n'a pas été marqué par les descriptions du sexe comme péché mortel, qui précipite à coup sûr les âmes dans les flammes de l'enfer. Il en garde plutôt l'image d'un acte dangereux. Le vice rime alors avec syphilis.

Lectures, chant, cinéma

C'est l'époque des premières lectures. Pour ce garçon qui adore lire, tout est à portée de main. Le journal *La Patrie* est imprimé au sous-sol de l'immeuble qui porte toujours son nom sur la rue Sainte-Catherine, à l'angle d'Hôtel de Ville. Du trottoir, on voit rouler les rotatives. Avec la complicité de pressiers, Fernand va chiper les *comics*[1] fraîchement sortis des presses, deux jours avant leur distribution, au grand émerveillement de ses copains. Dans un demi-sous-sol de la rue Saint-Denis, tout près d'Émery, le libraire Bergeron loue pour cinq ou dix cents des livres de toutes sortes. Fernand ira y chercher pêle-mêle l'*Almanach du peuple*, des tomes de l'*Encyclopédie du siècle* avec ses fascinantes planches illustrées, des romans comme *Le Bossu* de Paul Féval et *Les Misérables* de Victor Hugo. À l'école, le vendredi après-midi, quand les élèves ont été sages, on les récompense en faisant la lecture d'histoires pieuses ou d'épopées comme *Une de perdue, deux de retrouvées*[2].

Il est l'un des plus jeunes garçons à fréquenter la Bibliothèque municipale, sur la rue Sherbrooke en face du parc La Fontaine et la Bibliothèque Saint-Sulpice, tout près de chez lui, sur la rue Saint-Denis. La Première Guerre mondiale, celle de 1914-1918, l'intrigue, l'obsède presque ; au grand étonnement de la bibliothécaire, il passe des heures à dévorer les journaux, qui en relatent les grandes étapes. Il y a aussi une section fascinante où sont entreposés des volumes qui rappellent la vie et l'histoire des Amérindiens. Il y passe des heures à voyager dans le temps.

À la même époque, Fernand développe la passion du chant. À l'école primaire Saint-Jacques, il joint les rangs de la chorale. Trois fois par semaine, Camille Duquette, le maître de chapelle de l'église Saint-Jacques, se pointe. Ce musicien, qui est aussi directeur des ventes chez *Archambault*, vient enseigner les rudiments du solfège. Fernand ne sera pas enfant de chœur

---

et plusieurs grandes familles aujourd'hui respectables (les Bronfman, les Kennedy), qui ont construit des fortunes colossales sur ce commerce illicite. C'est Franklin D. Roosevelt qui a mis fin à la prohibition en 1933.

1. Terme états-unien désignant les bandes dessinées.
2. Roman de Georges Boucher de Boucherville (1814-1894) publié d'abord en feuilleton dans des journaux, puis en volume en 1874. Boucher, qui avait participé à l'insurrection des Patriotes en 1837-1838, avait dû s'exiler en Louisiane. À son retour, il écrivit ce roman qui relate ses déboires.

et préférera s'investir dans le chœur de chant. Dans le jubé, on est loin de l'autel et de ses rites sacrés. Les conversations et les blagues des petits gars sont plutôt profanes. Pour les grandes occasions, à Pâques ou à Noël, la chorale des élèves de l'école Saint-Jacques est jumelée à celle de l'Église Saint-Jacques, composée d'hommes seulement. À l'époque, l'Église juge déplacée la présence de femmes dans les chorales d'église. L'ajout des voix soprano et alto des jeunes garçons permet des interprétations de pièces à voix mixtes. On triche un peu, puisque le maître de chapelle cache quelques femmes derrière eux pour donner du tonus à leur voix. À Noël, les garçons sont affublés d'une aube blanche et vont communier ensemble en rigolant. On les fait passer à la fin et il y en a toujours un pour lancer un impertinent : « C'est notre tour, les putains sont passées ! »

On est tout proche du *Red Light* et les dames, qu'on appelle joliment *filles de vie* ou *filles de joie*, sont donc plus ou moins des paroissiennes d'adoption.

Comme tous les jeunes de son âge, le cinéma fascine Fernand. Les premières images animées, qu'il voit sur grand écran en noir et blanc et muet, sont montrées par des missionnaires, qui font le tour des écoles à la recherche de vocations. Puis, il se passionne pour le cow-boy Tom Mix et le tordant Charlie Chaplin, dont les aventures sont projetées en plein air au parc La Fontaine. Sur le grand écran, entre les films, apparaissent d'immenses lettres que les jeunes spectateurs épellent l'une après l'autre en criant : M-O-L-S-O-N. L'ancêtre de la publicité télévisuelle n'en est qu'à ses balbutiements.

Une réalité inquiétante

Avec les années, la crise s'estompe peu à peu. Toutefois, une autre réalité inquiétante se fait de plus en plus présente, avec son fracas lointain, ses incertitudes. Elle plonge la population dans l'inconnu, provoque des interrogations nouvelles, des débats, des déchirements. Cette ombre menaçante qui se profile, c'est la Deuxième Guerre mondiale. On en parle depuis quelque temps déjà. Elle semble inévitable.

D'ailleurs, le gouvernement consacre une part considérable de son budget à l'armement. Fernand entend commenter avec amusement la déclaration de Camillien Houde, candidat indépendant dans Saint-Henri à l'élection fédérale de 1938 : « Les armements, ce n'est pas fait pour décorer les arbres de Noël. Il n'y aura pas une force humaine qui, l'heure venue, pourra empêcher le Canada d'entrer dans la fournaise. » Prophète, il ajoute : « Les armements actuels sont en prévision d'une guerre qui pourrait éclater en 1940[1]. »

---

1. *Le Devoir*, 13 janvier 1938.

La réalité précédera cette prédiction d'à peine quatre mois… Le 1er septembre 1939, Hitler envahit la Pologne, le 3, la France et l'Angleterre lui déclarent la guerre ; le 10, le Canada s'engage aussi. Des événements difficiles à suivre et à comprendre pour le peuple d'ici, fermé sur lui-même, occupé à survivre économiquement et culturellement. Pour un garçon de treize ans, c'est inquiétant et troublant. Fernand a encore en mémoire les récits et les terribles images de la Première Guerre mondiale.

En 1936 – et cela jusqu'en 1939 –, le clergé québécois et plusieurs politiciens manifestent ouvertement leur sympathie pour les nouveaux régimes fascistes d'Europe. Pendant la guerre d'Espagne, ils soutiennent sans ambiguïté Franco, qui chasse du pouvoir les républicains, qu'ils jugent avec mépris. À l'école Saint-Jacques, les Frères condamnent sans nuance : « Les républicains sont des athées acoquinés aux communistes et aux anarchistes anticléricaux ! Ce sont des êtres sanguinaires qui brûlent les églises et assassinent les prêtres ![1] »

Selon eux, c'est au nom des valeurs chrétiennes que les fascistes rétablissent l'ordre, contre les grands *trusts* financiers et, surtout, contre les communistes. Des personnages comme Mussolini, Franco, Salazar (Portugal), et parfois même Hitler sont d'abord décrits comme des sauveurs en cette période de crise, qui paraît interminable. Ils sont du côté des bons.

Camillien Houde soutient même, devant les convives abasourdiɛs du souper annuel du très anglophone YMCA[2], que les Canadiens français, s'ils ont à choisir, seront plus enclins à se ranger du côté de Mussolini que des Anglais. Comme il l'a fait souvent cependant, il se rétracte moins d'une semaine plus tard pour apaiser la colère des anglophones[3]. Le maire de Montréal se contredit avec autant d'aisance qu'il pond ses blagues et lance ses formules-chocs dénigrant ses adversaires.

Camillien le brave

Après le déclenchement de la guerre, un climat d'intrigue s'installe. Dans la famille Daoust arrive un nouveau chambreur. C'est un personnage bizarre, encore plus intrigant qu'Alice Zlata. C'est l'espion impérialiste[4],

1. Propos reconstitués à partir des souvenirs de Fernand.
2. *Young Men's Christian Association.*
3. Lévesque et Migner, *op. cit.,* p. 159.
4. On qualifiait « d'impérialistes » les partisans du maintien de l'assujettissement du Canada à l'Angleterre. Les nationalistes canadiens-français réclamaient d'abord et avant tout la souveraineté du Canada. Très peu militaient ouvertement pour la séparation du Québec. Certains, comme le chanoine Lionel Groulx, maintenaient sur cette question une habile et confondante ambiguïté. Ne parlait-il pas de la Laurentie comme du véritable pays de la nation ? Voir Gérard Bouchard, *Les deux chanoines. Contradiction et ambivalence dans la pensée de Lionel Groulx,* Montréal,

Arthur Gravel, un vétéran de la Première Guerre mondiale. Il est l'un des gardiens armés affectés à la défense du pont « croche », le pont Jacques-Cartier. Pendant des heures, il tape sur sa machine à écrire des rapports secrets, qu'il dit destinés à la Police montée[1]. Le mystère qui entoure le personnage est sûrement épaissi par l'intéressé lui-même. Il se donne ainsi de l'importance aux yeux des enfants. Par le fait même, consciemment ou non, il participe à une opération qui consiste à alimenter une psychose collective, voulue et entretenue par les autorités.

Tous les ponts et édifices publics sont ainsi surveillés par des gardes armés. On provoque périodiquement des black-out. TouTEs les citoyenNEs sont alors sommÉEs d'éteindre lampes, bougies et cigarettes. Des miliciens volontaires apparaissent dans les rues pour régler la circulation et contrôler les mouvements de foule. La radio diffuse des messages de propagande militaire. Fernand se souvient encore du ton solennel de ces messages lus par Louis Francœur ou Albert Duquesne sur les ondes de Radio-Canada. Témoins de cet état d'esprit, deux tableaux naïfs du peintre Jean-Paul Lemieux nous font assister au parachutage de nazis sur la Vieille Capitale[2] et sur la campagne québécoise[3].

En août 1940, le maire Camillien Houde, témoignant d'un courage inattendu, dénonce la Loi sur la mobilisation des ressources décrétée par le gouvernement canadien. Cette loi oblige tous les citoyens mâles de plus de vingt ans à s'inscrire dans un registre national. Camillien affirme que cet enregistrement, qui conduit au service militaire obligatoire au Canada, n'est qu'une étape vers la conscription pour le service outre-mer. Camillien croit que le gouvernement libéral de Mackenzie King reniera sa promesse de ne jamais envoyer des soldats à l'étranger contre leur gré. Frondeur, il annonce qu'il ne s'inscrira pas au registre et conseille à tous ses concitoyens de faire de même. Malgré la censure de guerre en vigueur, le journal The Gazette publie ce sacrilège en première page. Le 5 août, le maire de la métropole est arrêté en sortant de l'Hôtel de Ville. Il est jeté en prison en vertu de la Loi sur les mesures de guerre.

Est-ce que cette bravade est liée aux difficultés financières insurmontables de l'administration municipale? La Ville vient en effet d'être mise sous tutelle par le gouvernement du Québec. Camillien Houde, pourtant élu député indépendant avec le soutien des libéraux au pouvoir, n'a rien pu y faire. Le petit peuple, qui a du mal à suivre les frasques et les contradictions

---

Boréal, 2003.
1. Appellation courante de la Gendarmerie royale du Canada (GRC).
2. La Ville de Québec.
3. Les tableaux de Jean-Paul Lemieux, produits en 1941, sont respectivement intitulés *Notre-Dame protégeant Québec* et *Lazare*.

de son maire, ne descend pas dans la rue. S'il espérait une révolte populaire, Camillien Houde a dû être amèrement déçu. Il sera réconforté, quatre ans plus tard, à sa libération. À la gare Windsor, où il arrive de la prison militaire de Petawawa, une foule bruyante vient l'accueillir. Fernand s'en souvient. Ce jour-là, il est dans la foule euphorique qui acclame Camillien Houde comme un héros.

L'éducation contrôlée par l'Église

Malgré les privations, la rudesse de la vie occasionnée par la crise, son statut d'orphelin un peu spécial et la guerre qui gronde au loin, l'enfance et l'adolescence de Fernand sont plutôt joyeuses et parsemées de découvertes. Sa curiosité et son goût d'apprendre l'incitent à poursuivre ses études. L'école publique des Frères se termine en 9e année. Pour la plupart des jeunes des quartiers populaires, qui n'ont pas déjà quitté l'école, c'est le terminus. Ils partent travailler.

Paul-Émile et André, les frères aînés de Fernand, ont quitté l'école après avoir complété leur 9e année. Lui aimerait bien continuer à étudier. Or, le cours classique, qui lui permettrait d'accéder ensuite à des études universitaires, lui est inaccessible. Les collèges, qui offrent ce cours, sont la propriété privée de communautés religieuses ou de diocèses. Tout le système scolaire, même public, est sous la tutelle de l'Église. Les enseignantEs à l'emploi des commissions scolaires catholiques sont en grande partie des frères et des sœurs, membres de communautés religieuses.

À cette époque, au Québec, l'instruction n'est toujours pas obligatoire au-delà du primaire. En effet, ce n'est qu'en 1943 que le gouvernement libéral d'Adélard Godbout réussit à promulguer une loi sur la fréquentation scolaire obligatoire des enfants jusqu'à l'âge de quatorze ans. Depuis la fin du XIXe siècle, l'épiscopat s'était opposé à une telle mesure, au nom du droit des parents. Pas étonnant donc qu'au sortir de la Seconde Guerre mondiale, 83 % des élèves catholiques du Québec n'atteignaient pas la 9e et 98 %, la 12e[1].

Pour Fernand et sa famille, le cours classique est hors de prix. Seuls ceux qui se destinent à la prêtrise sont systématiquement soutenus financièrement par le clergé. Et Éva Daoust n'est pas du genre à aller chercher l'aide des curés en leur faisant accroire que son fils a la vocation. Il s'informe, il cherche. Il apprend qu'il existe quelques écoles supérieures publiques, qui permettent de poursuivre les études au-delà de la 9e année. On y offre les cours commercial et scientifique de trois ans, soit de la 10e à la 12e année inclusivement. L'une d'elles, l'école du Plateau, est toute proche. Elle est située au

---

1. Linteau, Durocher, Robert et Ricard, *op. cit.*, p. 94-95.

parc La Fontaine, sur la rue Calixa-Lavallée, à deux pas de la Bibliothèque municipale, où Fernand passe tellement d'heures agréables. Encouragé par sa mère, il fait donc des démarches pour s'inscrire à cette école. Grâce à ses bons résultats scolaires et à sa motivation évidente pour la poursuite de ses études, il est immédiatement accepté. Il commence le cours scientifique en septembre 1942[1].

---

1. Au sujet de l'éducation, deux visions existaient au sein du clergé. Les frères enseignants étaient généralement favorables à une formation secondaire qui aurait donné accès aux études universitaires. À l'opposé, les évêques, qui contrôlaient l'éducation grâce à leur présence au comité catholique du département de l'Instruction publique, préféraient le long façonnement des collèges classiques. La durée de l'enseignement public demeura le même, soit jusqu'à la 8e année. Au cours de la décennie 1920, à l'instar des clercs de Saint-Viateur, des congrégations de la région montréalaise créent des programmes « supérieurs », l'équivalent du *high school* anglais (12e année). C'est seulement en 1939 que s'offre le choix entre la voie commerciale et la voie scientifique. L'opposition de la hiérarchie catholique à l'instruction obligatoire est devenue moins farouche à partir de 1931, lorsque le pape lui-même a imposé l'instruction obligatoire dans les écoles de la Cité du Vatican. Sur cette question, voir Jean-Pierre Charland, *Histoire de l'éducation au Québec. De l'ombre du clocher à l'économie*, Saint-Laurent, ERPI, 2005, p. 90-91 et 78-79. Note rédigée par Suzanne Clavette.

Chapitre 4

La Montée du Zouave (1942)

L'ANNÉE 1942 consitue un moment charnière dans la vie de Fernand Daoust, qui a maintenant quinze ans. Cette année-là, la famille monte un peu plus haut sur la rue Saint-Denis, pour s'établir au 347 de la rue Terrasse Saint-Denis, mieux connue sous le nom de Montée du Zouave[1], juste au sud de la rue Sherbrooke. Ce déménagement vers le nord, plus près des maisons bourgeoises qui bordent la grande artère, n'est pas une ascension sociale. Le logement, même s'il est un peu plus grand, est tout aussi modeste et le revenu familial demeure précaire. La famille héberge toujours des chambreux pour arrondir les fins de mois. Le nouvel appartement permet même d'en accueillir davantage. La maison est désormais constamment achalandée par le va-et-vient. On s'organise pour faire de la place lorsqu'ils sont trop nombreux. Fernand doit même par moment aménager un coin chambre sous un escalier.

Cette année est aussi celle de son entrée à l'École supérieure du Plateau, où il commence le cours scientifique. C'est aussi le temps de ses premiers engagements politiques nationalistes et de la découverte de nouveaux amis

---

1. Nommée rue Terrasse Saint-Denis le 26 avril 1938, la Montée du Zouave avait été baptisée ainsi parce qu'au XIXe siècle, elle permettait d'accéder à la villa de Testard de Montigny, premier zouave canadien à s'enrôler pour les États pontificaux. La *Laiterie du Zouave* d'Ernest Cousin (1909-1929) s'y installe et distribue, jusqu'en 1929, lait, beurre, babeurre, œufs, fromage, crème glacée. La transformation de la montée se fait vers 1900 avec la construction de maisons en rangée et, en 1918, par l'établissement d'un garage de six étages relié à une salle d'exposition ouverte sur la rue Sherbrooke, le Motordrome. Cette première œuvre de l'architecte Ernest Cormier se caractérise par un style rationaliste qui tranche avec le style victorien ambiant. Plus tard, le Centre international d'art contemporain de Montréal, une agence de création et une entreprise de fabrication de mannequins occupent les lieux, jusqu'à ce qu'un hôtel de prestige donne une nouvelle vie à l'ancien garage. (D'après la capsule historique réalisée par Bernard Vallée.)

d'origine sociale différente. Il est toujours un lecteur qui dévore tout ce qui lui tombe sous la main. Pour cet affamé d'informations, de découvertes et de compréhension du monde, il s'agit d'une période très stimulante.

La déchirure

En marge de ces changements exaltants pour l'adolescent, 1942 est l'année d'une déchirure terrible. Bien sûr, il y a la guerre, ce drame mystérieux et lointain. Mais c'est une tragédie plus proche, plus intime, qui frappe brutalement les membres de la famille Daoust et qui les meurtrit.

Un après-midi de septembre, sous le pont Jacques-Cartier, rue Sainte-Catherine, un camion arrive en trombe, double un tramway par la droite en rasant le trottoir devant la boutique de l'entrepreneur électricien Bell. Sur le trottoir, un jeune employé balaye devant la porte. C'est Paul-Émile, le plus vieux des trois fils Daoust. Il est violemment heurté par la boîte du camion et tué sur le coup. Pendant quelques instants, les passantEs croiront qu'il s'agit d'un désespéré qui s'est suicidé en sautant du pont.

C'est un policier qui annonce la nouvelle à Éva Daoust. La famille est plongée dans le désarroi. Déjà privés de père, pour Fernand et André, la disparition du grand frère crée un vide cruel. Ils sont envahis d'une immense tristesse. Paul-Émile, c'est leur protecteur, leur guide. Soucieux de leur éducation et de leur bonne conduite, il se montre parfois sévère. Entre eux, les garçons le qualifient parfois de « préfet de discipline » ou de « conduiseux ». Le plus souvent, ils acceptent de bonne grâce ses punitions qu'ils savent justifiées. D'autant plus qu'il ne s'agit jamais de sévices corporels. Fernand se souvient que l'une des peines fréquentes auxquelles il était condamné était de copier des pages de dictionnaire. Une condamnation aux effets positifs, qui n'est pas étrangère à son amour des mots.

La mère ne se console pas devant le cercueil de son fils, installé dans le salon de l'appartement. Cet épisode imprévisible et brutal métamorphose soudain l'appartement, habituellement animé et convivial, en un lieu sombre et silencieux. Les amiEs de Paul-Émile, les connaissances de la famille, des voisinEs viennent à tour de rôle présenter leurs condoléances à la famille. Fernand est figé près du cercueil et cherche ses mots quand on lui transmet les sympathies d'usage. On met plusieurs semaines avant de reprendre le cours normal des activités.

Outre la tragédie atroce que représente la mort d'un jeune homme de vingt-quatre ans, le drame est accentué par le fait que Paul-Émile rapporte à la maison une part importante du revenu familial. André vient de commencer à travailler à la Commission des liqueurs[1] et est très mal payé. Il faut faire davantage de miracles pour joindre les deux bouts. Éva Daoust, accaparée

---

1. Nom que portait à l'époque la Société des alcools du Québec.

par la tenue de sa maison de chambres, avait pratiquement cessé de travailler en atelier. Elle doit s'y remettre. S'il veut continuer ses études, Fernand doit travailler davantage pendant l'année scolaire.

Le décès de Paul-Émile, c'est aussi la découverte brutale de l'humiliation. La mort accidentelle de ce soutien de famille devait donner droit à une compensation. On doit alors choisir une très maigre indemnité de la Commission des accidents du travail ou recourir aux tribunaux pour obtenir davantage. Des amiEs conseillent la famille : il faut poursuivre ce chauffard. Un avocat est embauché. De longues procédures sont entreprises. Finalement, le jour du jugement, Éva Daoust se présente devant le juge avec ses fils endimanchés. Elle présente les factures reliées aux funérailles, dont des vêtements pour les garçons. Le juge condamne le chauffard à payer à la famille de la victime la somme de 2507 dollars. L'avocat, Mᵉ Roland Lafontaine, empoche près de la moitié de cette somme. Une fois payés les dépenses des funérailles et les autres frais reliés au décès, il reste moins de 600 dollars à la famille.

Or, ce n'est pas la plus grande déception de la mère éplorée. En rendant son jugement, le juge sermonne vertement madame Daoust pour avoir engagé des dépenses « grossièrement exagérées » en habillant et en cravatant ses fils pour les funérailles. Le mot « grossièrement » la blesse particulièrement. Elle se le rappellera longtemps. Pendant des années, Fernand entend sa mère répéter avec amertume : « Il nous a traités de grossiers, ma famille et moi. »

Pour la première fois, à seize ans, Fernand est conscient de l'humiliation de sa mère, de la honte qu'elle éprouve à élever sa famille dans des conditions proches de la misère. Pour lui, cet événement est déterminant, comme le sera plus tard la découverte de l'humiliation des travailleurs et des travailleuses dominéEs et mépriséEs par des patrons unilingues anglophones.

L'éveil

À cette époque, les activités de Fernand changent rapidement. À bien des niveaux, c'est un temps d'éveil. Il est déjà bien intégré au quartier. Tous les étés, il est moniteur au Camp Berri, où il développe un talent naturel d'organisateur et d'animateur auprès des jeunes. Déjà, ses amis lui reconnaissent des qualités de rassembleur, liées en grande partie à sa bonne humeur constante et à sa gentillesse naturelle. On lui fait facilement confiance, on a envie de le suivre. Trop parfois. Un jour, il invite les jeunes dont il s'occupe à rassembler quelques matériaux de construction qui traînent aux abords du terrain de jeu pour en faire un feu. Les jeunes répondent avec un tel enthousiasme qu'en moins d'une heure ils ont constitué un bûcher gigantesque! Il faudra l'intervention des pompiers pour éteindre le feu de joie. Il en tirera probablement une leçon pour sa vie syndicale future : ne pas allumer de feu qu'on ne peut pas éteindre...

Il a des emplois réguliers les fins de semaine. Des livraisons pour une épicerie et une pharmacie de la rue Saint-Denis. Une occasion de plus d'être confronté aux disparités sociales. Entrer dans des foyers somptueux, bien éclairés, bien chauffés, où des domestiques vous reçoivent, c'est un choc. Surtout lorsque l'appartement où l'on retourne après le travail est sombre, froid, meublé de vieux et rarement envahi d'arômes de mets fins.

Dans les cinémas, les actualités *Pathé* projetées avant les films montrent des scènes de guerre. Ces images sont fortes, impressionnantes pour les jeunes. À une époque sans télévision, où les journaux sont illustrés de photos de piètre qualité, le cinéma a un impact considérable sur l'imaginaire des adolescentEs. La guerre occupe toutes les conversations. Tout le monde en parle sans l'avoir vécue. C'est un drame fantasmé.

Même si Fernand est troublé par la guerre, elle n'en demeure pas moins lointaine et abstraite. Plus près de lui, la guerre a l'image de soldats chahuteurs, qui campent dans un ancien garage, le *Motordrome*, au fond de la Terrasse Saint-Denis. Il les aperçoit la nuit : suspendus à des draps noués en train de fuir le baraquement improvisé. Vont-ils seulement faire la fête dans le *Red Light* ou désertent-ils l'armée pour de bon ? Tellement de gens s'opposent à la participation du Canada à cette guerre… Tout le monde a une opinion, choisit son camp, discute ou milite.

Fernand a d'abord été spectateur. De plus en plus, il a des fourmis dans les jambes. Il voudrait être quelqu'un, faire quelque chose, exprimer des opinions. Lui qui a été tellement fasciné par l'autre guerre, la Première, sent que celle-ci fait partie de sa vie. C'est un temps d'interrogation intense.

Dans son entourage, il y a peu d'*impérialistes* comme le chambreur Arthur Gravel. La plupart des adultes qu'il entend croient que le Canada s'est laissé entraîner à nouveau dans la guerre par l'Angleterre. Plusieurs vétérans rappellent les horreurs de la « Grande Guerre[1] ». Les conservateurs, au pouvoir à Ottawa en 1914, avaient engagé le pays dans la guerre sans tenir compte de l'opposition des Canadiens français à l'enrôlement obligatoire. Quelque 15 000 d'entre eux y avaient été tués, des milliers en étaient revenus mutilés. Le grand-père Gobeil, grand admirateur d'Henri Bourassa, aime à rappeler les dénonciations antimilitaristes du fondateur et directeur du *Devoir*.

Les Jeunes Laurentiens

C'est Bernard Saint-Aubin[2], une connaissance du quartier, qui entraîne Fernand aux Jeunes Laurentiens[3]. C'est à la fin de 1941, dans la salle Sainte

---

1. C'est ainsi qu'on nommait la Première Guerre mondiale qui a donné lieu à un carnage jusque-là inégalé.
2. Bernard Saint-Aubin allait devenir, en 1945, journaliste au quotidien *Montréal-Matin*, le journal de l'Union nationale.
3. Les Jeunes Laurentiens sont une association de jeunes nationalistes fondée en 1936,

Marguerite-Marie[1], dans le soubassement de l'église Notre-Dame de la Guadeloupe, sise sur la rue Ontario, près de l'avenue De Lorimier, que Fernand assiste à sa première réunion du groupe nationaliste. Il a quinze ans lorsqu'il en devient membre et il a le sentiment d'avoir des opinions bien à lui, un engagement personnel. Fernand est stimulé par la devise de l'association : « Osons ! » Son caractère de groupe d'action quasi secret n'est pas pour diminuer l'attrait qu'elle a pour lui.

Comme tous les groupes nationalistes de l'époque, l'association est bien encadrée par le clergé. Dans son manifeste, le groupe proclame que « les Jeunes Laurentiens adhèrent à la doctrine et à la mystique nationales définies par M. l'abbé Lionel Groulx. Ils croient à la mission française de notre peuple et s'engagent à lui fournir les moyens d'accomplir sa haute destinée[2]. » Les Jeunes Laurentiens gratifient d'ailleurs Lionel Groulx du titre d'aumônier général. Comme lui, l'association prône les valeurs traditionnelles, notamment celles de « la famille du milieu rural, famille qui constitue le plus fécond et le plus sain réservoir de la race ». On y condamne le travail des femmes en usine, le travail le dimanche et l'on met les compatriotes en garde contre l'attrait de l'exil aux États-Unis, « cet attrape-nigaud ». On se dit investi d'une « mission divine » et on se donne comme objectif de former une élite devant mener le peuple à son épanouissement.

Ce même discours est tenu par les enseignants, les curés, les dirigeants de la Société Saint-Jean-Baptiste (SSJB) et les politiciens nationalistes. À cette époque, en plus des institutions d'enseignement, par l'intermédiaire de ses communautés religieuses, l'Église contrôle les hôpitaux et la charité publique. Dans l'organe officiel[3] des Jeunes Laurentiennes, la branche féminine de l'organisation, une dirigeante affirme que « les qualités de cœur chez la femme s'allient aux qualités de l'esprit chez l'homme. À lui talent, génie, vaillance ; à elle, les dons plus humbles, douceur, bonté, don de soi ».

---

qui obtint un statut juridique en 1940. En 1944, une section féminine de Jeunes Laurentiennes est formée. C'est probablement pour prendre en compte cette nouvelle réalité que le mouvement adopte alors le nom de Jeunesse laurentienne. C'est un mouvement national, divisé en sections locales et régionales. Ses présidents généraux ont été Marcel Caron, Paul-Émile Robert et Rosaire Morin.

1. Il s'agit du lieu régulier de réunion des Jeunes Laurentiens.
2. Paul-Émile Robert, *Manifeste des Jeunes Laurentiens,* Montréal, 1942. J'ai consulté ce manifeste au centre de documentation de la fondation Lionel-Groulx. Ce fonds d'archives se trouve maintenant à la Bibliothèque et Archives nationales du Québec. Des extraits de ce manifeste sont reproduits dans Daniel Latouche et Diane Poliquin-Bourassa, *Manuel de la parole. Manifestes québécois, Tome 2, 1900 à 1959*, Montréal, Boréal Express, 1978.
3. *Les Glaneuses*, décembre 1944, fonds d'archives de la Fondation Lionel-Groulx, Bibliothèque et archives nationales du Québec.

Or, ce n'est pas ce discours passéiste qui retient Fernand et ses camarades. Ils l'entendent partout et y sont somme toute indifférents. Lui qui a été élevé dans une famille monoparentale, à l'abri des bondieuseries, est un authentique urbain. Les appels au retour à la terre et à la revanche des berceaux n'évoquent rien pour lui. C'est l'engagement à l'action qui est particulièrement stimulant. Aux Jeunes Laurentiens, on fait revivre l'histoire du Canada que lui avaient enseignée les Frères des écoles chrétiennes, mais dans une perspective différente. Fini les longues, édifiantes et tragiques épopées des Saints-Martyrs-Canadiens. On insiste maintenant davantage sur la Conquête anglaise et ses conséquences injustes et néfastes pour la nation canadienne-française.

Maîtres chez nous!

Le *Manifeste laurentien* se situe dans la même lignée que les autres mouvements de jeunes nationalistes qui ont vu le jour durant la crise, notamment *Jeune Canada* et *Jeunes Patriotes*. Fernand est particulièrement touché lorsqu'on lui explique comment l'assujettissement à l'Angleterre constitue un empêchement à l'épanouissement du peuple. On ne peut plus se contenter de préserver sa langue et sa religion en vase clos. À l'instar de *Jeune-Canada* qui terminait son manifeste par « maîtres chez nous[1] », les Jeunes Laurentiens reprennent cette idée. Ils déclarent :

> Le Jeune Laurentien estime qu'un peuple ne peut rester asservi dans sa vie économique sans graves dangers pour sa culture et pour sa vie sociale et politique. C'est le rôle naturel et c'est un droit pour un peuple d'être maître chez soi.

Il faut s'émanciper, se libérer du joug colonial. On demeure ambigu sur la question nationale. Quel est le pays? Le Québec ou le Canada? On ne répond pas encore à cette question. Le *Manifeste* se termine par un appel à « l'avènement d'un Québec libre dans un Canada libre! » Les orateurs tiennent à peu près tous le même discours :

> Le Canada doit se gouverner lui-même, décider de son sort. Et surtout, nous n'avons pas à participer à cette guerre impérialiste qui ne nous concerne pas. Ceux qui veulent partir doivent le faire volontairement. Il n'est pas question qu'on nous impose la conscription[2].

D'ailleurs, Mackenzie King et ses leaders québécois, Ernest Lapointe et Pierre-Joseph Cardin, se sont engagés à ne jamais forcer les Canadiens

---

1. Ce serait la première fois que cette expression était utilisée au Québec. La phrase complète est : « Souvenons-nous que nous ne serons maîtres chez nous que si nous devenons dignes de l'être. » *Manifeste laurentien* (1942), dans Latouche et Poliquin-Bourassa, *op. cit.,* p. 207-208.
2. Propos reconstitués à partir des souvenirs de Fernand Daoust.

à aller se battre outre-mer. C'est avec cette promesse solennelle qui, pour les QuébécoisES, prend l'allure d'un pacte, que les libéraux se sont fait réélire. Les nationalistes se méfient. Ils rappellent que King et les siens avaient aussi promis que le Canada ne participerait pas à un conflit armé hors de son territoire. Peut-on leur faire confiance aujourd'hui ? Ne sont-ils pas entrés en guerre en septembre 1939, seulement quelques jours après l'Angleterre ?

Depuis, ils ont adopté la Loi des mesures de guerre, canalisé une grande partie des activités industrielles vers la production d'armes, de munitions et de denrées destinées à l'Angleterre ; en 1940, la Loi de mobilisation des ressources nationales a forcé l'enregistrement de touTES les citoyenNEs de plus de dix-huit ans ; puis, le service militaire obligatoire (au Canada seulement) a été imposé à partir de 1941. Les jeunes gens ainsi réquisitionnés sont cantonnés dans des camps d'entraînement, où ils subissent un lavage de cerveau intense en faveur d'un engagement total à aller là où ça se passe, c'est-à-dire en Europe. Les partisans de l'engagement armé du Canada aux côtés de la mère patrie anglaise les traitent avec mépris. Pour eux, ces soldats qui ne se battent pas sont des zombies. Devant le battage de cette propagande, les nationalistes prédisent que la prochaine étape sera la conscription et l'envoi forcé de nos soldats sur les champs de bataille.

L'action directe

Un soir, l'invité surprise des Jeunes Laurentiens provoque tout un émoi chez les militants. C'est un militaire en uniforme. D'une voix grave, il dénonce la soumission du Canada à l'Angleterre et révèle un scandale odieux :

> À quelques coins de rues d'ici, dans la gare Viger[1], sont cachés des dizaines de jeunes Britanniques. Ces fils à papa ont été envoyés ici pour échapper au service militaire chez eux. C'est pour se faire tuer à leur place que les jeunes Canadiens français seront bientôt enrôlés de force![2]

Paule-Émile Robert, en rajoute en ironisant : « Des bébés blonds de six pieds et deux pouces qui se prélassent à l'aise quand les nôtres vont se battre[3]. »

Du coup, la salle s'enflamme. Il faut déloger ces affreux fuyards, dénoncer cette ignominie, la révéler au grand public. À l'arrière de la salle, un commando s'improvise. Fernand est l'un des plus jeunes à s'y joindre. La

---

1. Sur la rue Craig.
2. Intervention reconstituée à partir du souvenir de Fernand Daoust.
3. Cité par André Laurendeau, *La crise de la conscription*, Montréal, Les Éditions du jour, 1962, p. 102.

troupe se dirige d'un pas décidé vers la tanière de ces lâches déserteurs. Arrivés à la gare, les jeunes militants aperçoivent des fenêtres éclairées au deuxième étage. Ce sont sûrement les chambres douillettes où sont logés ces jeunes privilégiés. Les meneurs lancent les premières pierres. En quelques secondes toutes les vitres volent en éclat.

Fiers du travail accompli, les militants se dispersent, impatients de lire le rapport sur leur coup d'éclat dans les journaux du lendemain. Malheureusement, probablement à cause de la censure de guerre, l'expédition punitive est passée sous silence. Heureusement d'ailleurs, parce que la présence de ces mystérieux jeunes Anglais était une fabulation. Des familles canadiennes ont hébergé de jeunes Anglais pour les soustraire aux bombardements de leur pays, mais il s'agissait d'enfants qui n'étaient pas en âge de combattre. Quant aux quelques jeunes hommes logés à la gare Viger, il s'agit en fait de soldats rescapés à la suite d'un naufrage, en attente d'une nouvelle mission[1].

Pendant ce temps, le processus d'engagement canadien dans le conflit s'intensifie. Le gouvernement fédéral, qui avait promis de ne pas rendre obligatoire le service outre-mer, veut maintenant se faire libérer de ses promesses. Il annonce qu'il tiendra un plébiscite sur la conscription. Pour les nationalistes canadiens-français, c'est une trahison. Pour eux, la réélection du gouvernement libéral de Mackenzie King en 1940 constituait un pacte entre les deux nations. De leur côté, les Canadiens français acceptaient la participation du Canada à la guerre ; en retour, les Anglo-canadiens consentaient à ne pas recourir à la conscription. Le député libéral de Beauharnois, Maxime Raymond, le rappelle dramatiquement à son parti à la Chambre des Communes[2]. Rien n'y fait. La décision de tenir un plébiscite est votée ; il sera tenu partout au Canada le 27 avril 1942.

Au Québec, les nationalistes mettent sur pied la Ligue pour la défense du Canada, qui fera campagne pour le NON à la conscription. Comme tous les Jeunes Laurentiens, Fernand s'engage dans la bataille. Il assiste à de nombreuses assemblées houleuses et stimulantes. Au marché Saint-Jacques, sur la rue Ontario, à l'angle de la rue Amherst, on tient de grands rassemblements populaires. Le soir du 11 février, une foule de 10 000 personnes déborde dans la rue[3]. Fernand, qui a réussi à trouver place dans la salle, entend des orateurs prestigieux comme Henri Bourassa, une légende nationale, idole de son grand-père Gobeil. Il connaît un peu son parcours. Il sait qu'avant de fonder le quotidien *Le Devoir*, en 1916, Bourassa avait été député libéral du gouvernement Laurier à Ottawa. Il en démissionne en 1899 pour marquer son désaccord avec la participation du Canada à la guerre des Boers, aux

---

1. *Ibid.*, p. 103.
2. *Ibid.*, p. 72.
3. *Ibid.*, p. 87-88.

côtés de l'Angleterre. Pour lui, le Canada devait se conduire en pays souverain et n'avait pas à participer à des guerres impérialistes. Cette position, il allait la défendre à nouveau pendant le premier conflit mondial en 1914-1918 et dans le conflit de 1939-1945.

Ce soir-là, les orateurs se suivent, tous plus convaincants les uns que les autres. Fernand boit leurs paroles. Tous ces appels au pacifisme et à l'indépendance nationale du Canada le font vibrer. Il entend le leader de la Ligue pour la défense du Canada, Maxime Raymond, le courageux député libéral de Beauharnois, qui s'oppose ouvertement aux politiques de son chef Mackenzie King. Il voit aussi défiler à la tribune Gérard Filion[1], le secrétaire de l'Union catholique des cultivateurs, et Philippe Girard, le président du Conseil central de Montréal de la CTCC[2]. D'autres, plus jeunes et moins connus, font preuve d'une fougue remarquable : ils ont pour nom Jean Drapeau, présenté comme un représentant de la jeunesse et Michel Chartrand[3], un jeune typographe au discours particulièrement coloré.

Signe des temps, on y chante avec ferveur le « Ô Canada » et « On est Canadiens ou ben on l'est pas ! » Pour tous ces patriotes, il faut libérer le Canada de l'impérialisme britannique. Plus ironique, un manifestant entonne sur l'air de *God Save the King*, un « À bas la conscription… », qui devient la chanson-thème de la campagne des *oppositionnistes*[4].

Au sortir de l'une de ces assemblées, des meneurs entraînent spontanément la foule vers le siège du quotidien *The Gazette*, qu'on qualifie de voix des impérialistes. Les chants patriotiques sont remplacés par des parodies de chansons : « Quand ça fait boum, les criss de *Blokes*, sautent en calvaire ! » La manifestation enfle à mesure qu'elle progresse vers l'ouest. Au passage, quelques vitrines de commerces tenus par des Juifs volent en éclats. Le sentiment nationaliste anti-anglais se reporte en effet souvent spontanément et injustement sur ces commerçants anglicisés, plus vulnérables que les magnats britanniques de la haute finance, juchés sur la montagne dans des châteaux protégés. On profite aussi souvent de ces débordements de rues pour vandaliser des bordels, ces plaies indignes du beau pays catholique.

---

1. Gérard Filion (1909-2005) a été successivement journaliste et secrétaire général de l'Union catholique des cultivateurs de 1935 à 1947, directeur du quotidien *Le Devoir* de 1947 à 1963, directeur général de la Société générale de financement de 1963 à 1966 et président-directeur général de Marine Industrie de Sorel, de 1966 à 1974.
2. Cet engagement de Girard était personnel puisque la CTCC, tout comme le CMTC, la FPTQ et le CTC appuie l'effort de guerre réclamé par le gouvernement fédéral et ne se prononce pas lors du plébiscite sur la conscription obligatoire en 1942. Voir à ce sujet Rouillard, *op. cit.,* p. 207-208.
3. Michel Chartrand (1916-2010) n'est pas encore syndicaliste. Militant catholique social, il a surtout eu un engagement politique jusque-là.
4. On nommait ainsi ceux qui s'opposaient à la conscription.

À un moment du parcours de la manifestation, une confusion semble s'installer à l'avant du groupe. Fernand, qui n'est pas loin, découvre avec stupéfaction que les leaders improvisés demandent à des badauds : « C'est où, la *Gazette*? »

Une fois le chemin trouvé, on s'y dirige au pas de course. Sur place, on lance autant de pierres que de slogans. Cette première grande manifestation publique contre la conscription est bien sûr dénoncée par la presse anglophone du pays, mais saluée par *Le Devoir*.

Non à la conscription

Le combat contre la conscription gagne en popularité au sein de la population francophone. Les assemblées publiques attirent davantage les foules, soulèvent de plus en plus les passions. Si bien que le 27 avril 1942, le jour du scrutin, l'opposition du Québec est éclatante : 71,2 % des votants s'y opposent.

Dans le reste du Canada, c'est l'inverse : le OUI y récolte globalement 63,7 %. Cette proportion atteint 83,9 % en Ontario et 81,4 % en Colombie-Britannique. Les provinces anglophones les moins chaudes partisanes du OUI le votent tout de même à plus de 70 %[1].

Comment expliquer un tel clivage? Le Québec est-il peuplé de trouillards antimilitaristes? En fait, on s'est prononcé contre la conscription obligatoire, mais pas nécessairement contre la participation du Canada à la guerre. Il y eut des dizaines de milliers d'engagés volontaires québécois pendant la guerre. Le Régiment de Maisonneuve, composé exclusivement de francophones, a d'ailleurs été l'un des premiers au Canada à faire le plein d'effectifs. Le Régiment de la Chaudière, tout comme le 22e Régiment, n'ont pas non plus de problème de recrutement. Le major-général L. R. Laflèche, ministre adjoint de la Défense nationale, affirmait que 50 000 Canadiens français s'étaient enrôlés dès le 1er janvier 1941. Quelque 30 % de la marine royale était composée de francophones. Dès juin 1942, une escadrille de combat canadienne-française de l'Aviation royale canadienne, les *Alouettes* est créée[2]. C'est le caractère obligatoire de l'enrôlement que les Québécoises rejettent. La signification du NON québécois, c'est le rejet de l'assujettissement servile du Canada à l'Angleterre.

Pour les Québécoises, l'armée n'est pas considérée comme le mal absolu. Même si, en période de paix, il n'existe pas de service militaire obligatoire au Canada, les jeunes Québécois portent régulièrement l'uniforme dans les collèges et les écoles supérieures. Cet uniforme constitue un attrait, même pour

---

1. Laurendeau, *op. cit.*, p. 119.
2. Voir Mason Wade, *Les Canadiens français de 1760 à nos jours. Tome 2 (1911-1963)*, Ottawa, Cercle du livre de France, 1963, p. 362.

les plus nationalistes d'entre eux. À l'école du Plateau, les élèves font partie d'un corps de cadets de l'armée et doivent faire de la *drill*[1] régulièrement. Fernand n'y échappe pas. Le corps de cadets de l'école est rattaché au Régiment de Maisonneuve, dont le manège militaire est situé sur la rue Craig. Le directeur de l'école du Plateau commande lui-même la troupe étudiante. Il se fait d'ailleurs appeler par son grade militaire, major Duguay. Lorsqu'ils marchent au pas, les cadets hurlent à pleins poumons le cri de ralliement de leur Régiment : « Bon bras, bon cœur ! »

Fernand, tout nationaliste qu'il est, s'adonne à l'entraînement avec une certaine ardeur. Il aime porter cet uniforme, même lorsque ce n'est pas nécessaire. À ses amis qui s'en étonnent, il donne cette excuse peu convaincante : « C'est pour ménager mon linge… »

À seize ans, il fait tout de même des démarches pour participer au camp d'entraînement tenu à Farnham chaque été par le *Canadian Officers Training Corps*. Il subit une cuisante humiliation lorsqu'il est refusé à cause de son poids. Il est très grand – il atteint déjà six pieds –, mais ne pèse que 124 livres. Un peu plus, on le traiterait de « feluette[2] » !

En septembre de la même année, les députés libéraux fédéraux dissidents, dont Maxime Raymond, s'allient aux militants de la Ligue d'action pour le Canada et forment le Bloc populaire. Le jeune parti décide de ne pas présenter officiellement de candidats aux élections partielles décrétées le mois suivant dans deux comtés fédéraux, Charlevoix et Outremont. Néanmoins, la jeune organisation sera tout de même mise à contribution dans la campagne que mène Jean Drapeau dans Outremont. Il fait face à un militaire nouvellement nommé ministre des Services armés, le major-général Laflèche. Fernand entend encore l'organisateur de la campagne, Michel Chartrand, railler le candidat libéral en l'interpellant plusieurs fois dans son discours avec un accent anglais caricatural : « *The Major Laflèche, from Ottawa, Ontario.* »

Même s'il n'a pas l'âge de voter, Fernand s'engage dans cette campagne électorale. Il y fait la connaissance du jeune musicien prodige André Mathieu, qui distribue avec lui de la propagande électorale dans Outremont. Mathieu est un peu plus jeune que lui, mais il paraît plus vieux. Il fume et parle de femmes. Il fréquenterait même les prostituées. Il a déjà vécu en France et aux États-Unis où il a étudié avec de grands maîtres. Les deux jeunes hommes discutent fébrilement en accomplissant leurs tâches militantes. Ils distribuent le plus souvent des tracts et des convocations lors d'assemblées publiques. Un jour c'est *Le Devoir* qu'ils livrent aux portes. Le

---

1. Exercice militaire qui consistait surtout à marcher au pas dans la cour d'école et exceptionnellement dans des parades comme celles de la Saint-Jean-Baptiste, de la fête du Travail, de la Saint-Patrick.
2. Fluet ou efféminé.

journal, pour qui c'est un enjeu majeur, consacre en effet une partie importante de ses pages à combattre la conscription.

Fernand verra occasionnellement Mathieu au cours des années suivantes.
Le plus souvent dans des tavernes, où le musicien paie parfois ses consom-
mations avec des partitions de sa composition. L'homme poursuit une carrière plus ou moins chaotique à cause de sa dépendance à l'alcool; à la
taverne, il demeure un nationaliste passionné, qui ponctue parfois son discours de coups de poing.

Chapitre 5

L'adhésion à la bande (1943-1946)

I L N'Y A PAS que la politique, il faut étudier aussi. Lorsqu'il se rend à l'école du Plateau, Fernand franchit à grandes enjambées sur la rue Sherbrooke la courte distance qui sépare l'appartement familial du parc La Fontaine. Tous les jours, il remarque qu'un camarade de classe plutôt timide sort d'une maison située entre les rues Saint-Denis et Berri pour se rendre comme lui à l'école. Un matin, il lui propose de faire route ensemble. Jean-Guy Benoît est vite conquis par l'affabilité de celui que l'on appelle déjà « le grand Daoust ». Ils deviennent copains et Benoit insiste pour l'introduire auprès d'amis du coin avec qui il forme une petite bande.

Cette bande est composée des deux frères Taschereau, Antoine et Louis-Philippe, ainsi que des frères André et Jacques Thibaudeau, qui sont tous des voisins de la rue Sherbrooke. En font partie également André Fortier et, amené plus tard par Fernand qui le connaît déjà, Gilbert Picard. L'adhésion à cette bande est un choc social et culturel pour Fernand. Les Thibaudeau sont les fils d'un dentiste de renom, professeur d'université et nationaliste engagé, ami du Dr Hamel, lui aussi dentiste, qui avait été l'un des fondateurs de l'Action libérale nationale. Jacques se rappelle de réunions tenues chez eux par leur père et auxquelles le docteur Hamel arrivait accompagné de Maurice Duplessis[1].

Les Taschereau sont parents par leur père, de l'ex-premier ministre libéral du Québec, Louis-Alexandre Taschereau. Leur grand-mère maternelle, qui vit avec eux, est la comtesse de Boishébert-Gasté de Tilly. Même si le

---

1. Vers 1937, pendant la courte alliance entre l'ALN et l'Union nationale. Voir, le chapitre 2, en particulier la partie intitulée « Des changements profonds ». Les faits et gestes, les idées de cette bande d'amis tels que décrits dans les pages qui suivent s'inspirent largement des souvenirs de Fernand Daoust et d'une entrevue réalisée avec Jacques Thibaudeau, en septembre 2004.

comte français, qui lui a transmis sa noblesse par le mariage, semble avoir disparu du décor, elle tient jalousement à son titre. Elle règne quelque peu sur le ménage des Taschereau et n'est pas étrangère aux traces de snobisme qui suintent de ses petits-fils. Il n'est pas étonnant que ces derniers expriment aux Thibaudeau leurs réserves quant à l'inclusion de Fernand dans le groupe. Selon eux, il ne serait pas de leur milieu. Ils n'insistent pas trop cependant, car André Thibaudeau leur rappelle que leur père, bien que parent d'un ancien premier ministre et mari d'une fille de comtesse, n'en exerce pas moins le métier de facteur, le même que le père de Fernand (qui est prétendument décédé).

La guerre « européenne »

Leurs réticences sont facilement vaincues par un Fernand charmeur qui, très vite, impose son ascendant sur la petite bande. Cette dernière se réunit à tout moment, surtout chez les Thibaudeau, dans la « salle du radio ». Le père possède en effet un poste émetteur-récepteur de radio à ondes courtes grâce auquel il capte des nouvelles de l'Europe en guerre. Les jeunes y discutent de leurs convictions souvent contradictoires. Louis-Philippe Taschereau, pétainiste convaincu, s'oppose avec véhémence à son frère Antoine, gaulliste et pro-Anglais[1]!

L'information circule mal et le Québec voit encore la guerre à travers le prisme de son opposition à la conscription. Pour plusieurs, de Gaulle a eu tort de se réfugier en Angleterre. Avant l'engagement des États-Uniens, pour une bonne partie des Québécois, il s'agit d'une guerre européenne. Quant à Pétain, héros de la Grande Guerre, on dit qu'il a fait ce qu'il pouvait pour sauver les meubles et conserver un peu de liberté en France. On ne sait alors pratiquement rien des camps de concentration et de l'extermination des juifs ; on ne sait rien non plus de la complicité de Pétain avec Hitler dans ce crime innommable contre l'humanité.

Un jour, les jeunes trouvent la « salle du radio » vide. Étonnés, ils interrogent le docteur Thibaudeau, qui leur apprend que la Police montée[2] est venue saisir l'appareil. Le docteur a été dénoncé pour espionnage! C'est tout un émoi au sein du groupe. Très vite les soupçons se portent sur le fou d'en haut. Le dentiste a en effet installé son cabinet et sa famille dans un logement de deux étages appartenant au défunt juge Desaulniers. La veuve de ce dernier vit à l'étage supérieur avec un fils pour le moins farfelu. Ce dernier affirme être communiste. Il fait partie de la brigade de volontaires qui envahit les rues lors des black-out et des alertes simulées. Les gars de la bande

1. Le général Charles de Gaulle, qui refusait la capitulation signée par Pétain, était hébergé et soutenu par les Anglais.
2. La Gendarmerie royale du Canada.

se payent régulièrement sa tête, lui faisant croire que sa présence est requise pour diriger le trafic à l'angle des rues Sherbrooke et Saint-Denis. Tous sont convaincus que c'est lui qui a dénoncé le père des Thibaudeau comme un dangereux espion nazi.

Cet incident a peu de suite, le docteur Thibaudeau étant, comme bien d'autres notables québécois, surtout préoccupé par le maintien de l'identité française et catholique en Amérique. Il n'a que faire des visées hégémoniques du dictateur du IIIᵉ Reich. D'ailleurs, à mesure que la guerre progresse, les enjeux de ce conflit se précisent. Au Québec comme ailleurs. Maintenant que des milliers de leurs compatriotes sont engagés dans le combat, les QuébécoisES souhaitent, tout autant que les autres CanadienNEs, la victoire des Alliés.

Fernand se dit déjà nationaliste, mais sa perspective s'ouvre. L'appartenance à sa bande de copains multiplie les occasions de stimulations intellectuelles. Les jeunes discutent pendant des heures. Lui développe sa pensée, sa capacité d'analyse, sa facilité de parole. Les débats passionnés que ses camarades et lui tiennent sur l'actualité chaotique de l'époque, la musique qu'ils découvrent et les livres qu'ils lisent constituent un exercice intense qui lui profitera tout au long de sa longue carrière. Même si son entrée à l'université et, plus tard, son engagement syndical vont l'éloigner de certains membres du groupe, il n'oubliera jamais cette bande d'amis soudée par une passion peu commune de vivre et de découvrir.

L'Abitation

L'été, la bande se déplace parfois dans les Laurentides. Le père des Thibaudeau y possède une maison de campagne nommée l'*Abitation*[1] et acquise de nul autre que du chanoine Lionel Groulx. L'idée de découvrir ce lieu où le grand penseur nationaliste a probablement rédigé certains de ses textes flamboyants excite Fernand au plus haut point. En plus, c'est loin et c'est à la campagne. Enfant, il a tellement rêvé de cet envers de la ville, transporté par les histoires de son oncle Ernest qu'il croit encore entendre : « On va avoir des poules, des vaches, des chevaux. Tu vas avoir un chien à toi, Fernand. »

Ce n'est pas tout à fait ce qu'il découvre lorsqu'il est invité pour la première fois à l'Abitation. Elle est située sur les bords du lac Archambault, à Saint-Donat. Le vaste terrain partiellement boisé est superbe. Une petite chapelle y a été aménagée en retrait par le chanoine. Elle sert maintenant de lieu

---

1. Orthographié comme à l'époque où Samuel de Champlain avait nommé la maison et les dépendances qu'il s'était fait construire à Québec en 1608. C'est cet immeuble historique qu'avait voulu évoquer le chanoine Lionel Groulx en baptisant ainsi sa maison de campagne.

de détente et de discussion aux fils Thibaudeau et à leurs copains. Tout cela est magnifique, mais n'a rien à voir avec les rêves bucoliques de Fernand. Sa campagne à lui relève davantage du fantasme que de l'expérience concrète.

On s'y rend généralement dans la voiture du docteur Bertrand, un ami du dentiste Thibaudeau, car celui-ci n'en a pas. Le voyage est long dans cette voiture où, à peine sorti de Montréal, le docteur impose une interminable récitation du chapelet. Cet exercice ne fait pas partie des mœurs familiales de Fernand et probablement pas de celles de ses copains. Pendant l'exercice de piété, ils ont du mal à garder leur sérieux et sont parfois pris d'irrésistibles fous rires. Or, le docteur Bertrand, qui est très pieux, ne tolère pas la dissipation.

Fernand se plaît à l'Abitation en compagnie de la bande, mais ne partage pas tous leurs plaisirs. Il n'a jamais su nager et, sur ce lac, il n'y a pas de plage. Ses copains se baignent en plongeant d'un rocher qui émerge à cinquante pieds de la rive. Lui ne le peut pas. Fernand s'ennuie un peu de la ville. Les excursions en forêt et les randonnées en chaloupe à moteur le distraient, mais sans plus. Il ne se sent pas toujours à l'aise dans cette grande maison régentée par la mère des Thibaudeau, passablement plus directive que sa propre mère. Elle y reçoit des personnages comme son ami Édouard Rivard, un proche de Duplessis. Il est hautain, parle de tout d'un ton tranchant, définitif. Fernand ne passe jamais plus de deux ou trois jours à la fois à l'Abitation. D'autant qu'il doit travailler l'été et ne peut se permettre de quitter la ville trop longtemps.

Plus tard, occasionnellement au cours des années 1950, André, Jacques, Fernand et Gilbert Picard s'y retrouveront avec leurs amies ou conjointes. Propriétaires d'une voiture, ils feront l'économie de la récitation du chapelet.

La passion du chant

Fernand et sa bande sont amateurs de toutes les formes d'art et d'expression. Ils fréquentent le Théâtre Saint-Denis où l'on projette des films français. Au sous-sol de la bibliothèque Saint-Sulpice se produit la troupe de théâtre Mont-Royal. Fernand et ses amis trouvent le moyen de se glisser dans la salle. Le souvenir des premières pièces de théâtre auxquelles il assiste reste indélébile : *L'Aiglon* d'Edmond Rostand et *Altitude 3200*, une pièce populaire de Julien Luchaire.

Cependant, Fernand a une passion particulière pour le chant. À dix-sept ans, il devient membre de la chorale de l'Église Saint-Jacques. Il est une basse dans ce chœur de chant où il côtoie son voisin de la rue Émery, André Turp, et une vedette montante, Louis Quilicot, dont la famille est propriétaire d'une boutique de vélos sur Saint-Denis. Au Théâtre Saint-Denis, un événement extraordinaire a lieu une fois par année : le célèbre *Metropolitan Opera* de New York y produit un spectacle. Avec des amis, Fernand fait de la figuration dans certaines de ces productions, côtoyant des vedettes comme la basse Enzio Pinza, le soprano lyrique brésilien Bidu Sayao, la basse bouffe Salvatore Baccaloni. Quel émoi d'entendre de si près ces voix riches et puissantes! Quels fous rires aussi, lorsque l'accent italien d'une de ces vedettes transforme en « *Sali démire chaste et pire...* », l'air célèbre du *Faust* de Charles Gounod[1]. Ou, plus drôle encore, quand son ami Jean-Guy Benoît, qui personnifie un ours, vient près de plonger dans la fosse d'orchestre.

De temps en temps, Fernand entend parler des encans de meubles d'occasion que tient l'entreprise de déménagement *Baillargeon*. Il a une idée en tête, un rêve. Il se pointe à l'une de ces ventes aux enchères et fait l'acquisition pour la somme de 50 dollars de l'objet de ses rêves. L'émoi de la famille et des copains en voyant arriver par la ruelle, sur un chariot poussé par de puissants déménageurs, un piano à queue! Le déménagement et l'installation de cet énorme instrument dans le salon constituent un événement dans l'histoire de la famille, peu habituée aux meubles non utilitaires. Une attraction! Excité, Fernand a tôt fait de faire venir un professeur de piano pour l'initier. Ce musicien aveugle lui apprend que la table d'harmonie est fêlée! L'aubaine s'explique. La déception est à la mesure du bonheur qu'avait suscité l'arrivée du fabuleux objet. Celui-ci trône néanmoins devant la fenêtre du salon pendant quelques années.

Un jour, Fernand entraîne chez lui son compagnon anticonscriptionniste André Mathieu, rencontré par hasard dans la rue. Il lui montre la bête malade. Mathieu, qui a joué sur les meilleurs pianos du monde, est évidemment peu impressionné. Il s'installe tout de même au piano et en tire un déchaînement de notes fortes et vigoureuses, caractéristiques de son style romantique. Il termine sa prestation flamboyante par une remarque assassine, soufflée à mi-voix à l'intention de Fernand : « Débarrasse-toi de ça, pis vite, mon grand! »

Fernand ne s'y résigne pas tout de suite. Une famille de chambreux occasionnels, des habitués de la maison, s'intéresse particulièrement à l'instrument. Les Gélinas, garçons et filles, sont des commerçantEs trifluvienNEs qui viennent régulièrement à Montréal pour affaires. La maison des Daoust est leur port d'attache. Ils y sont chez eux, y entrant et en sortant comme dans un moulin. Lucille, la plus vieille des filles, s'installe souvent au piano et en joue avec plaisir, malgré sa sonorité fêlée. Un jour, les Gélinas l'achètent pour une bouchée de pain et l'emportent, laissant un trou béant dans le salon...

---

1. Le texte original est « Salut, demeure chaste et pure... ». *Faust*, opéra en cinq actes de Charles Gounod, a été créé au Théâtre Lyrique le 19 mars 1859. Le livret de Jules Barbier est inspiré de la légende du même nom et de la pièce de Goethe.

Les gars de la bande sont impressionnés par la voix exceptionnelle de Fernand. Jacques Thibaudeau, qui s'intéresse aussi au chant, l'entraîne un jour à une audition. Le maître de chant, Marcel Laurencelle, est à la recherche de chanteurs pour former un chœur de chant semi-professionnel. Fernand a préparé un air de Mozart : *Non più andrai*. Il est très nerveux lorsqu'il découvre qu'il ne chantera pas *a capella* comme il en a l'habitude, mais sera accompagné d'un pianiste professionnel. Celui-ci lui demande sa partition. Il n'en a pas. Il a appris cet air par oreille. Heureusement, le pianiste connaît bien la pièce tirée de *La Flûte enchantée*. Il en joue les premières mesures. Fernand s'éclaircit la voix et tente de faire son entrée. Une fois, deux fois, trois fois. Il ne le fait jamais à la bonne mesure. C'est la honte. Excédé, le maître de chant lui demande de chanter n'importe quoi. Il entonne un *Ô Canada* bien senti, son chant du cygne.

Ainsi meurt dans l'œuf une brillante carrière promise, à n'en pas douter, à une réputation internationale… Louis Quilicot et André Turp ont le champ libre! La bande d'amis ne laisse rien paraître de sa déception devant l'échec de l'un de ses héros. Elle se permet tout au plus une légère remarque ironique en affublant Jacques Thibaudeau et Fernand Daoust du titre de « basses déchues ». C'est sans doute pour exprimer discrètement sa sympathie que la bande adopte comme thème de ralliement sifflé les premières mesures de *Non più andrai*.

Fascination pour les sciences et ouverture sur le monde

En 1945, c'est la fin de la guerre. C'est aussi la fin de son cours scientifique à l'école du Plateau. Fernand en sort avec de bons résultats, mais ne sait pas vraiment dans quoi se diriger. Il n'a qu'une seule envie : étudier encore. Comme il n'a pas fait son cours classique, les portes d'entrée à l'université sont limitées. Il faut au départ oublier les professions libérales comme le droit ou la médecine. Les mathématiques et les sciences l'intéressant particulièrement, il s'inscrit donc à la Faculté des sciences, qui ne requiert pas d'études classiques préalables. Auparavant, il prend quelques cours préparatoires dans une école privée dirigée par M. Cinq-Mars, un ingénieur connu pour ses convictions nationalistes[1]. Ce qui n'est pas pour lui déplaire.

Pour le jeune homme féru de connaissances et de découvertes, les études en sciences sont des plus stimulantes. Lui qui adore les mathématiques, il est encore plus fasciné par la physique et la chimie. Il retrouve le même envoûtement que lors de ses longues lectures d'enfance et d'adolescence à la bibliothèque municipale. La description des phénomènes de transformation de la matière et les expériences en laboratoire le fascinent.

---

1. Il sera candidat du Rassemblement pour l'indépendance nationale (RIN) en 1966.

Sa première année d'études en sciences est marquée par un événement tragique : les États-Unis bombardent Hiroshima et Nagasaki. Le monde découvre le pouvoir terrifiant de l'arme atomique. Malgré l'horreur et les désastres que cette arme sème, c'est aussi la révélation d'avancées technologiques accélérées. De quoi donner un intérêt accru aux cours de physique et de chimie. Fernand suit aussi des cours de biologie, de philosophie et de mathématique. Après deux ans, il obtient un baccalauréat en sciences.

Il pourrait poursuivre des études dans l'une des matières reliées aux sciences. Un événement exceptionnel va pourtant l'attirer dans un autre domaine. À cette époque, l'Organisation internationale du travail (OIT) tient ses assises annuelles ailleurs qu'à Genève. En 1944, les déléguéEs avaient convergé à Philadelphie, en 1945 à Paris et, en 1946, on choisit Montréal pour tenir la 29e session annuelle.

Fernand ne connaît pas bien l'OIT ; il sait cependant qu'elle a été fondée en 1919 et que c'est la plus ancienne organisation des Nations unies. On lui dit aussi que c'est le seul organisme tripartite mondial, qui réunit dans son conseil d'administration des représentantEs des travailleurs et des travailleuses, des employeurs et des gouvernements. Lorsqu'il apprend que c'est sur le campus tout neuf de l'Université de Montréal que l'OIT tient ses travaux, il fait des démarches pour y assister. Ne faisant évidemment partie d'aucune délégation officielle, il se voit refuser l'entrée. Toutefois, il découvre qu'une carte de presse peut lui donner accès aux assises. Il se déclare donc reporter de *L'Écho du Bas-du-Fleuve* et, ainsi, il assiste à toutes les séances.

Cette expérience demeurera toujours vive dans sa mémoire. Une grande fenêtre s'ouvre sur ce monde à reconstruire après les destructions massives de la guerre. Il a encore fraîches dans sa mémoire les images de désolation vues au cinéma : une Europe meurtrie, ses villes bombardées et ses monuments détruits. Il découvre maintenant que cette Europe est néanmoins toujours dominante. Une partie de la session de Montréal porte d'ailleurs sur les normes minimales dans les territoires dits dépendants. Il prend la mesure du phénomène colonial encore très lourdement présent sur la planète. L'Angleterre, la France et le Portugal sont toujours des empires qui dominent la quasi-totalité de l'Afrique et une bonne partie de l'Asie. Le Canada, qui n'est plus une colonie à proprement parler, ne jouit-il pas d'une autonomie toute relative par rapport à l'Angleterre ? N'est-ce pas à cause de cette dépendance qu'il a plongé dans cette guerre quand Londres l'a sommé de le faire ?

Le monde lui apparaît comme un univers de disparités, de sous-développement, de famines, d'épidémies. Il est très impressionné par ces séances où une succession bigarrée d'orateurs de couleurs, d'accoutrements et de langue différents, montent à la tribune et prononcent des discours sur un ton solennel. Et tout est traduit simultanément en français. À cette époque, le français est encore la principale langue de la diplomatie. Le jeune homme est fasciné par la sonorité des accents, mais aussi par la richesse de cette langue que « parlent si bien » les Européens et les Africains. Les débats, qu'il suit religieusement, lui révèlent que l'emploi, la formation professionnelle et la sécurité sociale sont les armes indispensables de la lutte contre la pauvreté.

Il éprouve une fascination immédiate pour le domaine des relations du travail qu'il ignorait totalement jusque-là. Les représentants des salariéEs l'impressionnent particulièrement. Il voit et entend des syndicalistes de tous les continents, témoins ou acteurs de luttes parfois périlleuses. Certains ont passé des années en prison pour faire reconnaître le droit d'association dans leur pays. Il ressent entre eux une fraternité spontanée, plus forte que les frontières et les fossés culturels. Il se prend à souhaiter participer à ce mouvement. Il veut se joindre à cette famille aux idéaux stimulants.

En tant que prétendu journaliste, il est invité à un banquet, le premier de sa vie. Comment se comporter ? À sa table sont mêlés des délégués étrangers, dont l'un parle sa langue. C'est Philippe Cantave, un ministre haïtien, qui le met à l'aise en mangeant son poulet avec ses mains. Il s'y met lui aussi et dévore tout, nourriture, conversations, images d'un monde bigarré, multiple et intrigant.

Livreur de pièces et *fifth cook*

Sa notion du syndicalisme est floue jusque-là. Elle lui vient de sa mère, qui parle fréquemment de l'union dont elle fait partie et qui lui assure du travail dans l'industrie du vêtement. Il a aussi entendu son oncle Georges, ouvrier à la filature de la *Dominion Textile*, raconter avec admiration comment Madeleine Parent et Kent Rowley tenaient tête à la compagnie.

Si Fernand n'a pas encore vécu lui-même une expérience syndicale, il s'est tout de même frotté, pendant les vacances d'été, aux réalités du travail dans des milieux très diversifiés. Adolescent, après les petits boulots de livreur d'épicerie et de moniteur de terrain de jeu, il a travaillé dans l'entrepôt de la *Pharmacie Montréal* à manipuler les stocks. Cette pharmacie, située en face du grand magasin *Dupuis Frères* sur la rue Sainte-Catherine, était unique dans la métropole. Elle présentait déjà à l'époque l'aspect des bazars qu'adopteront plus tard les pharmacies québécoises. Ouverte vingt-quatre heures par jour, elle ne fermait littéralement jamais ses portes : un mur d'air chaud y tenait lieu de porte d'entrée, hiver comme été.

Puis il a décroché un véritable « emploi de guerre » en 1944. Il fait alors son entrée dans une vraie usine à Longueuil, l'avionnerie *Fairschild*. C'est un bâtiment aux dimensions démesurées qui s'étale sur les bords du fleuve. Un atelier immense, comme il n'en a jamais vu. Si grand qu'il doit effectuer son travail de livreur de pièces à bicyclette! Mais le principal choc ne vient pas de la géographie des lieux. C'est l'omniprésence de l'anglais qui le frappe. Dirigés par des contremaîtres unilingues anglais, les ouvriers francophones doivent faire des réquisitions de pièces sur des formulaires unilingues anglais, à l'intention de magasiniers francophones!

En 1945, avec son ami Jean-Guy Benoît, il découvre que le *Canadian Pacific* embauche du personnel de bord pour ses trains. Ils se présentent donc un matin à la *Glenn Yard*, dans le sud-ouest de Montréal, où sont formés les *crews*, les équipes de cuisiniers. Comme à la *Fairschild*, tout se passe en anglais. Sans plus de formation, Fernand sera *fifth cook*[1], alors que Benoît aura le grade de *third cook*. Dans les faits, le premier est surtout affecté à la vaisselle et verse les jus, alors que le deuxième confectionne des sandwiches. Pour Fernand, qui n'est jusque-là à peu près jamais sorti de Montréal, c'est une aubaine. Ces trains le mènent aussi loin qu'Halifax, Toronto ou Winnipeg. Ces voyages constituent un élargissement subit du territoire réel. De longs trajets au cours desquels, entre ses quarts de travail, il lit beaucoup. Il se fait une réputation d'intellectuel bizarre en passant des heures à dévorer les pages du journal *Le Devoir*, qu'il ne manque jamais d'apporter.

La nuit, la salle à manger est transformée en dortoir où il n'est pas toujours facile de dormir. Un groupe de loustics, plutôt fêtards, compose son équipe. Au petit matin, ils ne prennent pas la peine de traverser dans le wagon voisin pour déverser le trop-plein des liquides absorbés. Lorsqu'il reprend son quart de travail, Fernand rage en nettoyant le bac à glace rempli de l'urine de ses collègues à toques.

Un jour, au départ d'Halifax, on fait monter dans les wagons quelques centaines de prisonniers allemands. Ce voyage vers des prisons militaires de l'Ouest prend une allure moins routinière. Les copains trouvent des prétextes divers pour aller fouiner aux portes des wagons des Boches[2]. Ils les découvrent à la fois disciplinés et dignes dans leur uniforme, se mettant tous au garde-à-vous lorsque l'un de leurs officiers, prisonnier comme eux, se lève pour aller aux toilettes. Lors des arrêts de ravitaillement en eau et en charbon, des soldats armés se répartissent sur les quais. Cette surveillance étroite n'empêche pourtant pas l'un des prisonniers de prendre la clé des champs lors d'une halte en Ontario. S'ensuit un branle-bas de combat qui retarde le convoi de plusieurs heures. Le train doit repartir sans l'évadé.

Certaines haltes sont plus tranquilles. Lorsqu'elles doivent être prolongées, les plus vieux de la *crew* lancent invariablement un joyeux cri de ralliement : « *Let's go*, les *boys*. On s'en va à broue pis à peau![3] »

---

1. Aide-cuisinier.
2. Surnom péjoratif donné aux Allemands.
3. La « broue », c'était évidemment la bière (de *brew* en anglais) et la peau, les femmes.

À part quelques participations à ces beuveries (ses premières à vie), Fernand s'abstient, heureux de profiter du silence inhabituel du train pour s'adonner à ses lectures.

Patronage et nuits de Montréal

Pendant les vacances de Noël, il faut aussi travailler. Une place convoitée chez les étudiants, c'est la Commission des liqueurs[1]. Seul problème, ces emplois s'obtiennent par patronage. Fernand, l'ancien militant du Bloc populaire, n'a pas beaucoup d'amis haut placés. Mais la mère de ses copains Thibaudeau en a. Il apprend un jour que l'ami qui la visite souvent, l'avocat duplessiste Édouard Rivard, est aussi le président de la fameuse Commission. Il est vite mis en relation avec le puissant personnage qui lui confirme, quelques jours plus tard, qu'il peut se présenter à la succursale de la Place Jacques-Cartier, près de l'Hôtel de Ville.

On est tout près du Palais de justice de la rue Notre-Dame, mais aussi de la rue Saint-Jacques et du quartier des affaires. Cette succursale est très achalandée. Ses clients sont surtout des avocats, des hommes d'affaires anglophones ou les secrétaires des uns et des autres. Ils ont les moyens d'acheter bien plus que ne le permettent les règles de rationnement d'après-guerre. Contrairement aux Canadiens français moyens, ils ne viennent pas s'approvisionner en « gros gin » ou en vins sucrés. Ils commandent du scotch, du triple sec, du champagne… Aussi, ils ont l'habitude de glisser dans leur carnet de rationnement de généreux pourboires aux commis, qui dérogent avec plaisir aux restrictions de la loi. En effet, il n'y a pas de libre service à l'époque et les clients doivent commander leur boisson à des commis répartis tout au long du comptoir. Les boissons alcooliques convoitées se situent à un bout du comptoir auquel n'ont accès que quelques vieux employés, toujours les mêmes. Fernand voit là une injustice dont il se plaint à ses copains Thibaudeau, qui ont tôt fait d'en aviser leur mère, qui s'en indigne devant son ami Édouard Rivard.

Le lundi suivant, le gérant tout obséquieux installe Fernand au bon bout du comptoir privilégié avec ménagement : « T'aurais dû nous dire ça plus vite, Fernand, que tu connaissais Monsieur Rivard… »

Fernand tombe un peu des nues en découvrant les passe-droits et la corruption généralisés érigés en système sous le régime « bleu » de Duplessis. Il s'en scandalise devant des compagnons de travail qui lui répondent en riant : « Voyons Fernand, tu savais pas ça ? De toute façon, les rouges faisaient pareil avant. S'ils battent Duplessis, ils se gêneront pas pour nous décoller d'icitte, pis nous remplacer par leurs *chums*. C'est pareil dans la voirie, pis dans les ministères… »

---

1. La Commission des liqueurs a été créée en 1921 par le gouvernement libéral de Louis-Alexandre Taschereau.

Des leçons accélérées de vraie vie, il en a aussi en faisant du taxi la nuit pendant ses études universitaires. Il doit auparavant suivre des cours à la *Federal Auto School* et falsifier son âge, puisqu'on doit avoir vingt et un ans pour obtenir un *pocket book,* le permis de conduire d'une voiture taxi. Premier de la bande à savoir chauffer, comme on le dit à l'époque, il transmet son savoir à ses copains Thibaudeau et Taschereau, à qui il donne des leçons de conduite à bord des grosses voitures de taxi noires de la compagnie *Vétéran.*

Le propriétaire de la voiture la lui laisse à la maison, sur la rue Terrasse Saint-Denis, en début de soirée, deux ou trois fois par semaine. Fernand commence alors à sillonner les rues à la recherche de clientEs. En peu de temps, la ville n'a plus de secrets pour lui. Il la connaît comme le fond de sa poche. Muni de son *Lovell*[1], il découvre toutes les rues et les moindres ruelles de la ville, il apprend tous les trucs et raccourcis pour passer d'un point à un autre en un minimum de temps.

Les nuits de Montréal… La vie intense des boîtes de nuit, des tripots clandestins, des maisons de débauche, où l'on conduit discrètement des gens bien mis, « qui n'ont pas l'air de ça ». C'est aussi la ville de tous les dangers où sévissent les mauvais garçons. Un jour, à deux heures du matin, Fernand en fait les frais lorsqu'un client lui met un couteau sur la gorge. Il lui remet sans hésiter les quelques dollars et pièces de monnaie qu'il a en sa possession. Il déclenche une alerte radio dès que le voyou a filé. En moins de trois minutes, des voitures taxis surgies de partout l'entourent. Il constate que, dans ce métier difficile, la solidarité est spontanée et intense. Il y a toujours quelqu'un pour prêter main-forte lors d'un coup dur. Une voiture immobilisée par une crevaison ou par une panne est vite remise en route.

---

1. Petit bottin reproduisant le plan des rues de Montréal, indispensable à tout chauffeur de taxi avant l'invention du GPS.

Chapitre 6

Les études en relations industrielles (1947-1950)

À LA SUITE de sa participation à l'assemblée annuelle de l'OIT, la voie de Fernand est toute tracée : il veut faire du syndicalisme. Son enthousiasme est communicatif. Il convainc André Thibaudeau, qui vient de terminer ses études classiques au collège Brébeuf, de s'inscrire avec lui à l'École de relations industrielles. Ils y font leur entrée en septembre 1947. Jacques Thibaudeau, d'un an plus jeune, les y rejoint l'année suivante. Cet enseignement est nouveau à Montréal. La Faculté des sciences sociales de l'Université de Montréal n'offre ce nouveau cycle de cours que depuis deux ans.

Une école ancrée à droite

La direction de l'École est assumée par un jésuite, le père Émile Bouvier[1], un solide gaillard, massif, éloquent, imposant, bien ancré à droite. Son modernisme consiste à faire l'éloge du patronat états-unien. Il est l'un des animateurs, sinon le fondateur de l'Association professionnelle des industriels, l'ancêtre du Conseil du patronat. C'est en large partie à cause de lui que la Faculté des sciences sociales de l'Université de Montréal a la réputation d'être plus à droite que celle de l'Université Laval de Québec, dirigée par le dominicain Georges-Henri Lévesque. À Québec, la Faculté a aussi créé une École des relations industrielles dès 1943. L'abbé Gérard Dion,

---

1. Le père Émile Bouvier s.j. (1906-1985) a obtenu un doctorat en sciences économiques à l'université de Georgetown. Il a fondé l'École des relations industrielles de l'Université de Montréal en 1945 et l'a dirigée jusqu'en 1951. Il a ensuite fondé une école de relations industrielles à México et a été le premier recteur de l'Université laurentienne de Sudbury. De 1963 à 1972, il a été professeur au Département d'économie de l'Université de Sherbrooke. Émile Bouvier a continué d'enseigner jusqu'en 1985, année de son décès.

qui sera connu dans les années 1950 pour ses positions antiduplessistes[1], y enseigne dès 1945.

Pour certains de leurs cours, les étudiants en relations industrielles sont jumelés aux étudiantEs en sciences sociales, dont la majorité est de sexe féminin. Un jour arrive une jeune Française à la beauté troublante, mademoiselle de Bernonville. Son arrivée impromptue en cours d'année scolaire est entourée de mystère. On chuchote qu'elle est la protégée du père Bouvier. Quelques mois plus tard éclate un scandale : son père, le comte Jacques Dugué de Bernonville, est démasqué en tant que collaborateur des nazis[2]. La jeune femme disparaît avec sa famille, vraisemblablement en Amérique du Sud. Cet incident, qui n'a pas de grandes répercussions sur la vie étudiante, en dit long sur le type de relations que pouvait entretenir le jésuite.

Le père Bouvier n'est pas le seul homme de droite dans l'équipe professorale. Un autre jésuite amuse beaucoup les étudiantEs par son anticommunisme primaire, voire délirant. Il s'agit du père Ledit, un Français hautain, qui voit comme preuve de la barbarie des communistes leur manque de savoir-vivre au moment d'envahir l'Allemagne, qu'il décrit avec mépris :

> Les femmes des officiers soviétiques se présentaient à des réceptions attifées de robes de chambre en soie, du butin de guerre qu'elles confondaient avec des robes de bal. Leurs maris, pas plus futés, portaient deux ou trois montres à la fois, croyant ainsi faire preuve d'élégance. Quel contraste avec le raffinement des Allemands, si cultivés![3]

Le jésuite tient ces propos trois ans après la fin de la guerre, alors que toutes les horreurs dont s'était rendu coupable le régime nazi étaient mondialement connues. Ses propos paraissent d'autant plus incongrus aux étudiantEs que l'Union soviétique conserve aux yeux de plusieurs l'aura du grand pays où s'incarne le socialisme. On peut être critique de l'action des

---

1   Gérard Dion (1912-1990) avec l'abbé Louis O'Neil publie une dénonciation des mœurs électorales au lendemain de l'élection de 1956, qui a porté une fois de plus Duplessis au pouvoir. Leur texte, « L'immoralité politique dans la province de Québec », est d'abord publié dans *Perspectives sociales,* une revue qui s'adresse surtout au clergé. Il est repris par *Le Devoir.* Il servira de base à leur ouvrage à large diffusion, *Le chrétien et les élections,* qui est publié à Montréal aux Éditions de l'Homme en 1960.
2. Sous le régime de Vichy du maréchal Pétain, il avait joué un rôle de premier plan et prêté allégeance au régime d'Hitler. Entré au Canada sous une fausse identité, puis démasqué, son extradition a été l'objet d'un débat virulent. Avant que celui-ci ne soit tranché, il s'enfuit au Brésil avec sa famille. < http://fr.wikipedia.org/wiki/ Jacques_de_Bernonville >.
3. Propos reconstitués à partir des souvenirs de Fernand.

communistes au Québec, mais on entretient une admiration certaine pour ce peuple qui a résisté héroïquement aux troupes nazies. L'action de l'Armée rouge, lorsqu'elle s'est jointe aux Alliés, a été déterminante dans la défaite d'Hitler.

Un contrepoids progressiste

André Montpetit, le fils du célèbre Édouard Montpetit[1], leur enseigne le droit du travail. Les cours de statistiques leur sont donnés par Abel Gauthier et le notaire Chaussé les initie au droit familial. Rien de bien passionnant dans tout cela. En tout cas, ces professeurs et leur enseignement ne l'ont pas particulièrement marqué.

Un autre jésuite joue un rôle important à l'École et fait contrepoids au père Bouvier. Il s'agit du père Jacques Cousineau[2] qui, malgré un statut inférieur de chargé de cours, jouit d'une grande popularité auprès des étudiantEs. Cet homme est aussi gagné à la cause syndicale que le père Bouvier l'est à la cause patronale. C'est un aumônier des syndicats catholiques et, malgré tout, un admirateur du *Congress of Industrial Organizations* (CIO)[3]. Au sortir des cours de Cousineau, lorsqu'ils retrouvent le réactionnaire Bouvier, Fernand et ses camarades prennent un malin plaisir à le mettre en contradiction avec son collègue progressiste. S'ils ont des idées sociales diamétralement opposées, les deux jésuites ne s'affrontent jamais ouvertement devant les étudiantEs. Ils font plutôt mine d'ignorer ce qui les oppose.

La sympathie pour le syndicalisme est faible parmi les étudiantEs. La très grande majorité se prépare à œuvrer dans le monde patronal. L'intérêt de Thibaudeau et de Daoust pour les syndicats est considéré par la plupart de leurs collègues comme bizarre, sinon suspect.

Ce qui capte davantage l'attention de Fernand, outre les cours du père Cousineau sur le syndicalisme, ce sont les cours de Roger Dehem, un économiste belge. Il lui doit son initiation aux politiques de planification économique d'inspiration sociale-démocrate. Avec lui, il fait la découverte de

1. Fondateur en 1920 de l'École des sciences sociales de l'Université de Montréal, il enseigne aussi à l'École des hautes études commerciales et à la Faculté de droit. Il a occupé différents postes de direction à l'Université, dont celui de secrétaire général.
2. Le père Jacques Cousineau s.j. (1905-1982) a fait des études en sociologie à l'Université de Montréal et à l'École des sciences politiques de Paris. Il a été rédacteur au magazine *Relations*, professeur à l'Université de Montréal, où il a été le premier à donner un enseignement universitaire sur le syndicalisme au Québec. Membre influent de la Commission sacerdotale d'études sociales (CSES) et conseiller moral des Conseils centraux et de quelques fédérations de la CTCC, il a dû abandonner toutes ces fonctions sociales sous l'ordre de son supérieur en 1950.
3. Congrès des organisations industrielles (COI). Comme pour l'AFL, nous utiliserons CIO dans cet ouvrage plutôt que le sigle français.

l'économiste britannique John Maynard Keynes, qui propose une intervention accrue de l'État pour réguler l'économie. Il étudie aussi William Beveridge, un économiste dont les travaux inspirent la construction des États-providence dans les pays industrialisés.

Fasciné jusque-là par l'essor de l'Union soviétique, Fernand a du mal à adhérer à la philosophie marxiste. Le pouvoir contraignant auquel Staline a assujetti cette doctrine le rebute. S'il éprouve une antipathie naturelle à l'encontre des magnats de l'économie et des *trusts* financiers, qui dominent le monde capitaliste, il se résigne mal au sacrifice des libertés individuelles que semble imposer le « socialisme réel ».

Les idées sociales-démocrates, qui préservent les valeurs de liberté tout en privilégiant la justice sociale, lui conviennent davantage. Il se passionne alors pour tous les ouvrages qui traitent de planification économique, de programmes sociaux universels et de justice distributive. Les cours d'économie, qui sont arides pour certainEs, sont pour lui synonymes d'ouverture, d'espoir. La vie des gens peut être meilleure, les richesses mieux réparties. Il découvre en même temps qu'il s'agit là d'une vision de la société que partagent les syndicalistes qu'il admire de plus en plus.

Une histoire passionnante

Par les cours du père Cousineau, Fernand apprend à connaître les grands courants qui ont marqué l'histoire du syndicalisme au Québec : les premières associations et mutuelles ouvrières dans la première moitié du XIXᵉ siècle, l'organisation parfois éphémère, parfois durable, des premiers syndicats de métiers – charpentiers, menuisiers, typographes, tailleurs de vêtements, cordonniers, boulangers, pompiers, mouleurs, tailleurs de pierre, débardeurs... Des syndicats non reconnus, donc illégaux[1], sans grand moyen financier, sans appui extérieur, qui mènent des grèves héroïques pour gagner le droit d'exister et d'améliorer des conditions de travail parfois assimilables à l'esclavage.

Donc, au moment où Fernand entreprend ses études en relations industrielles en 1947, des syndicats se battent au Québec[2] depuis plus d'un siècle. Il apprend que c'est à partir de 1860 que l'influence du mouvement syndical nord-américain devient déterminante. Des syndicats de métiers canadiens s'affilient aux structures outre-frontière, d'autres sont carrément organisés par des recruteurs états-uniens. Avec l'arrivée des Chevaliers du travail en 1880, on assiste à des regroupements interprofessionnels sur une

---

1. Toute forme de coalition ouvrière était considérée comme une entrave au commerce, au droit individuel d'entreprendre ou de contracter. Ce n'est qu'en 1872 que le droit d'association sera reconnu par le gouvernement de John A. Macdonald. Voir Rouillard, *Histoire du syndicalisme québécois, op. cit.,* p. 26-30.
2. Voir le tableau reproduit dans Rouillard, *ibid.,* p. 17.

base régionale. Avec le déclin des Chevaliers à la fin du XIXe siècle, l'*American Federation of Labor* (AFL)[1] établit son hégémonie sur le syndicalisme canadien, regroupé dans le Congrès des métiers et du travail du Canada (CMTC). Puis, le clergé québécois, qui avait bien tenté de s'opposer au développement de ce syndicalisme souvent progressiste, suscite la naissance des syndicats catholiques au début du XXe siècle.

Ce qui intéresse particulièrement le jeune Fernand dans l'histoire récente, c'est le développement, à partir des années 1930, du syndicalisme industriel. Il y voit une nouvelle forme de lutte ouvrière, beaucoup mieux adaptée à l'économie actuelle, marquée par une industrialisation accélérée. Il se passionne pour ce type de syndicalisme incarné aux États-Unis par John L. Lewis[2]. Ce mineur de charbon est le fondateur du CIO. Il a symbolisé la rupture au sein de l'AFL en traversant la salle du congrès pour aller mettre son poing sur la gueule du président international de la Fraternité unie des charpentiers-menuisiers d'Amérique (FUCMA), Bill Hutcheson, qui dénigrait les syndicats industriels.

Fernand apprend que le CIO a son pendant au Canada : le Congrès canadien du travail (CCT). Cet organisme, tout jeune encore, puisqu'il a été formé en 1940, regroupe les syndicats industriels nord-américains implantés au Canada et au Québec, comme ceux des Travailleurs unis de l'automobile (TUA), les Métallurgistes unis d'Amérique (MUA), les Travailleurs amalgamés du vêtement d'Amérique (TAVA), auquel a appartenu sa mère, les Travailleurs des salaisons, etc. Une caractéristique du CCT, qui plaît à Fernand, c'est son autonomie par rapport à la centrale états-unienne. Cela le distingue du CMTC beaucoup plus docile aux injonctions de l'AFL. On trouve aussi dans le CCT des syndicats canadiens, sans affiliation états-unienne, comme la Fraternité canadienne des cheminots. De fait, au moment de sa fondation, le CCT s'est lié au Congrès pancanadien du travail (CPT), une petite centrale qui regroupait des syndicats canadiens résistant à l'hégémonie du mouvement syndical états-unien. C'est d'ailleurs Aaron Mosher, président du CPT et du syndicat des cheminots, qui devient président du CCT à sa fondation. Il en sera le seul président puisqu'il est toujours en poste au moment de la réunification du CCT avec le CMTC en 1956[3].

---

1. Fédération américaine du travail (FAT). Tout au long de cet ouvrage sera utilisé le sigle anglais, comme c'était l'usage au sein du mouvement syndical au Québec avant les années 1970.
2. John L. Lewis, le président des Travailleurs unis des mines d'Amérique est l'un des principaux promoteurs des unions industrielles au sein de l'AFL, dominée par des syndicats de métiers. Il y crée d'abord, en 1935, le *Commitee for Industrial Organizations*. Expulsé de l'AFL avec des syndicats représentant le tiers des membres de la centrale, il fonde en 1938 le *Congress of Industrial Organizations* (CIO).
3. Fusion qui donne naissance au Congrès du travail du Canada (CTC).

Une admiration spontanée

Parmi les syndicalistes que le père Cousineau fait défiler dans sa classe, apparaît un jour un énorme bonhomme rigolo, Romuald J. Lamoureux, dit Doc Lamoureux. Ce personnage projette une image de bon vivant. S'il n'a pas le verbe particulièrement éblouissant, il n'en est pas moins considéré comme « Monsieur CIO » au Québec. Cet ancien de la Fraternité canadienne des cheminots est passé au service des unions industrielles lorsqu'elles ont formé le CCT au Canada. Depuis 1941, il est responsable du recrutement chez les Métallurgistes unis d'Amérique, l'un des syndicats industriels nord-américains en plein essor. Les Métallos, comme on les nomme aujourd'hui, sont alors en passe de devenir le plus grand syndicat industriel du Québec.

Ce qui retient l'attention de Fernand dans l'histoire récente des syndicats industriels et du CIO, c'est qu'on s'éloigne de l'approche corporatiste des syndicats de métier. Depuis près d'un siècle, ces derniers consacrent leurs efforts à défendre surtout les ouvriers qualifiés. On y développe une solidarité professionnelle et un rapport de force visant à protéger le métier. Fernand apprend que, pendant plusieurs décennies, cette approche a eu des effets bénéfiques sur l'ensemble des conditions de travail de la classe ouvrière. Mais il estime que ce type d'organisations est désormais dépassé.

Évidemment, cette image est réductrice. Depuis leur création et leur regroupement en centrales, les unions de métiers n'ont pas revendiqué que pour leurs seuls membres. Elles ont toujours eu le souci de faire inscrire dans des lois bénéficiant à touTEs les citoyenNEs les droits qu'elles avaient arrachés en négociation au profit des syndiquéEs. Ces syndicats de métier nord-américains, regroupés au Québec dans la Fédération provinciale du travail du Québec (FPTQ) et dans les conseils du travail locaux, ont fait pression sur le gouvernement fédéral, les gouvernements provinciaux et municipaux pour faire adopter des lois et des règlements protégeant les droits des travailleurs et des travailleuses, et pour obtenir des programmes sociaux universels. On leur doit les principaux progrès sociaux en Amérique du Nord depuis le début de la révolution industrielle.

Pourquoi, malgré cette contribution indéniable au progrès social nord-américain, le syndicalisme de métier est-il remis en cause au moment où Fernand étudie à l'École des relations industrielles? C'est que, depuis le début du XXe siècle, la grande industrie se développe à un rythme accéléré. La technologie multiplie les tâches répétitives exigeant peu de qualifications et permet aux entreprises de recruter en masse une main-d'œuvre sans formation technique. Le syndicalisme de métier est mal préparé pour organiser et défendre ces masses de travailleurs et de travailleuses surexploitéEs. Il demeure efficace dans des secteurs comme la construction, l'imprimerie et quelques autres milieux de travail traditionnels.

Fait à noter, même si le parti-pris de l'AFL pour le syndicalisme de métier conduit à la scission et à la création du CIO, elle ne rejette pas totalement le syndicalisme industriel. En fait, l'AFL abrite dans ses rangs des syndicats qui recrutent des travailleurs et des travailleuses sur une base industrielle : l'Association internationale des machinistes (AIM), l'Union internationale des ouvriers du vêtement pour dames, les Ouvriers unis du textile d'Amérique, l'Union internationale des travailleurs du tabac et quelques autres. Dans les faits, l'AFL reconnaît que la syndicalisation par métier n'est pas une forme d'organisation qui convient à tous les milieux de travail.

Les droits reconnus par des lois

Fernand découvre avec étonnement que les protections légales des droits des travailleurs et des travailleuses ont été mises en place bien tardivement. Nés dans l'illégalité au XIXᵉ siècle, les syndicats arrachent un à un leurs gains. Ils ont conquis le droit d'association au Canada en 1872.

Aux États-Unis, c'est le *Wagner Act* de 1935[1] qui permet au syndicalisme industriel de recruter massivement les salariéEs. Au Canada et au Québec, les réformes des relations du travail assurant une reconnaissance syndicale claire et un véritable droit à la négociation arrivent plus tard, pendant la guerre, en 1944. C'est en effet le gouvernement libéral d'Adélard Godbout qui adopte alors une première Loi des relations ouvrières québécoise[2]. Il instaure ainsi un cadre juridique, dont l'ossature essentielle est encore en vigueur aujourd'hui. Duplessis, qui reprend le pouvoir quelques mois après l'adoption de cette loi, rétablit sa Loi du cadenas et tente de réduire les effets de la législation du travail qu'il juge trop favorable aux syndicats. Il est conforté en cela par l'exemple états-unien. Dès 1947, le gouvernement des États-Unis commence à restreindre les acquis du Wagner Act par les amendements Taft-Hartley[3].

Lors de leur dernière année à l'École des relations industrielles, au début de 1949, Fernand et ses collègues suivent avec passion les débats entourant la présentation par Duplessis du *Bill* 5, un projet de loi qui interdit l'atelier fermé[4]. Le premier ministre avait déjà qualifié l'atelier fermé « d'attentat

---

1. *National Labor Relations ACT* ou *Wagner ACT*, du nom de son promoteur, le sénateur Robert Wagner. Cette législation fut adoptée en 1935 et fait partie de l'ensemble des réformes instaurées par le président Roosevelt dans le cadre de son *New Deal*.
2. C'est en février 1944 que la Loi des relations ouvrières du Québec est adoptée, seulement quelques jours avant que ne le soit la loi fédérale. On voulait bien marquer la prépondérance de la compétence provinciale en matière de relations du travail.
3. Cette loi imposée par les républicains restreint les prérogatives des syndicats et limite le droit de grève. Le président Harry Truman s'y était opposé en vain. Ces dispositions allaient être renforcées par la Loi Landrum-Griffin en 1959.
4. Traduction littérale de *closed shop* ; surtout négocié par les unions de métier, l'atelier fermé pose l'adhésion au syndicat comme condition d'embauche ou du maintien

au droit de tout ouvrier de travailler librement » et de tentative de la part des syndicats « de constituer un État dans l'État[1] » ; le projet de loi impose aussi des restrictions au droit de grève et permet de démanteler des syndicats que les autorités politiques estimeraient dominés par des communistes. On assiste alors à une levée de boucliers unique dans les annales. Pour la première fois, les unions industrielles, les unions de métiers et les syndicats catholiques forment un cartel pour s'opposer à ce projet de loi. Même la Commission sacerdotale des études sociales et le Conseil supérieur du travail dénoncent ce projet de loi. Devant une telle unanimité, Duplessis doit battre en retraite[2].

Toutefois, il ne renonce pas à mettre les syndicats au pas. Il en donne la preuve la même année, pendant la grève de l'amiante et, tout au long des années 1950, au cours de nombreux conflits de travail. Fréquemment, la Commission des relations du travail bafoue le droit d'association, aussi bien par ses décisions injustes que par ses retards à trancher des litiges en faveur des syndicats. Sa partialité favorable aux patrons n'a d'égale que celle de la Police provinciale, qui obéit aveuglément à celui qu'ils nomment le *Cheuf*[3] ou le *Boss*. D'ailleurs, élection après élection, Duplessis consolide son pouvoir, récoltant à partir de 1948 plus de 50 % des suffrages et plus de 75 % de la représentation à l'Assemblée législative. Il est favorisé en cela par une carte électorale qui donne une représentation disproportionnée aux zones rurales plus traditionalistes et conservatrices que les villes. Jusqu'à la fin de son long règne, il fait tout pour restreindre et domestiquer les syndicats. Fort de son pouvoir absolu, il ira même jusqu'à adopter des mesures répressives rétroactives.

Église conservatrice et évêques sociaux

Après la guerre, le contrôle de l'Église[4] sur les institutions sociales est encore quasi total : elle a la mainmise sur le système d'éducation, du niveau primaire au niveau universitaire, en passant par le cours classique, cette pépinière pour l'élite canadienne-française. Des communautés religieuses possèdent et administrent les hôpitaux, les foyers pour vieillardEs ou pour handicapéEs, les asiles d'aliénéEs et les crèches où s'entassent orphelinEs et enfants dits illégitimes. C'est encore l'Église qui distribue l'aide sociale par ses œuvres paroissiales et diocésaines.

---

de l'emploi. Duplessis l'avait rendu illégal lors de son premier mandat en 1938. Godbout abroge ces dispositions en 1940.

1. *Le Devoir*, 19 juillet 1937.
2. Rouillard, *Histoire du syndicalisme québécois, op. cit.*, p. 260.
3. Les dociles ministres, organisateurs d'élection et partisans avaient l'habitude d'appeler Duplessis par ce titre, une prononciation familière de « chef ».
4. Linteau, Durocher, Robert et Ricard, *Histoire du Québec contemporain, op. cit.*, p. 308-322.

Malgré l'omniprésence de l'Église dans les institutions, depuis la guerre, l'émergence d'une société libérée de la tutelle religieuse est en gestation. Les premières réformes du régime Godbout annoncent la construction future d'un État moderne, que complète la Révolution tranquille dans les années 1960. L'Église du Québec vit une période de remise en cause profonde de ses rapports avec la société. L'idéologie dominante de la hiérarchie catholique québécoise demeure conservatrice. Il faut attendre 1942 pour qu'elle se rallie à des idées jugées autrefois si néfastes, selon elle, que l'instruction publique obligatoire!

D'ailleurs, la hiérarchie elle-même n'est plus aussi homogène dans sa pensée sociale. Une partie, bien sûr, continue de faire l'éloge des valeurs traditionnelles, du retour à la terre, de la revanche des berceaux, de la mère au foyer et de la soumission aux diverses formes d'autorité. En 1946, par exemple, alors que les travailleurs de la *Montreal Cotton* de Valleyfield vivent une grève très dure, le vicaire général du diocèse, Paul-Émile Léger, célèbre des messes quotidiennes pour les *scabs*[1]. Ensuite, sur le parvis de la cathédrale, il les confie à la Police provinciale de Duplessis, qui les aide à briser les lignes de piquetage. Le même futur cardinal, que certainEs s'obstinent encore aujourd'hui à croire progressiste, avait félicité auparavant des militants de l'Action catholique qui avaient saccagé les locaux du syndicat pendant une campagne de syndicalisation en 1943[2].

Heureusement, des hommes plus modernes comme l'archevêque de Montréal, Mgr Joseph Charbonneau, prennent position en faveur des travailleurs et des travailleuses et critiquent les fondements mêmes du capitalisme. Cet évêque progressiste donne un appui déterminant aux grévistes de l'amiante à Asbestos en 1949. Il n'est pas le seul. L'évêque de Sherbrooke, Mgr Philippe Duranleau, apporte aussi son soutien non équivoque aux travailleurs de l'amiante. On compte aussi, parmi les évêques plus sociaux, celui de Saint-Hyacinthe, Mgr Arthur Douville, et l'évêque auxiliaire de Québec, Mgr Charles-Omer Garant. Sans prendre une position aussi nette, l'assemblée des évêques du Québec lance tout de même un appel à tous les curés de paroisses pour qu'ils organisent des cueillettes de fonds et de vivres pour les familles des grévistes[3].

---

1. Briseurs de grève.
2. Rick Salutin, *Kent Rowley, une vie pour le mouvement ouvrier*, Montréal, Éditions coopératives Albert Saint-Martin, 1982, p. 62.
3. Après la grève d'Asbestos, les évêques québécois, publient, en 1950, une *Lettre pastorale sur le problème ouvrier*. Ils y prennent en compte les problèmes des travailleurs et des travailleuses dans cette période d'industrialisation accélérée. Ils y reconnaissent également la légitimité de l'action des syndicats sans exiger qu'ils soient catholiques et ne condamnent plus le travail des femmes. Voir à ce sujet, Suzanne Clavette, *Les dessous d'Asbestos. Une lutte idéologique contre la participation des travailleurs*, Québec, PUL, 2005, p. 167.

À la même époque, les organisations de l'Action catholique, notamment la Jeunesse ouvrière catholique (JOC), se renforcent. Ses militants ne s'opposent pas ouvertement à la hiérarchie conservatrice, mais leur pratique est bien inscrite dans la réalité contemporaine. Ils s'alimentent aux courants européens de la pensée chrétienne progressiste, dont le personnalisme. Ce courant promu par des intellectuels français prend en compte la dimension sociale en valorisant la personne et ses responsabilités envers autrui. Les jocistes tentent de trouver des solutions pratiques aux problèmes concrets que vivent les jeunes travailleurs et travailleuses. Plusieurs de ces militants se retrouvent ensuite à des postes de direction dans les syndicats, le plus souvent à la CTCC. Jean Marchand et Gérard Pelletier ont été dans le giron de ce mouvement.

La CTCC en mutation

À l'intérieur de la centrale syndicale catholique, une profonde mutation s'opère. Contrairement à une perception répandue, il n'a pas fallu attendre la grève d'Asbestos, en 1949, pour que l'on y questionne ses prémisses idéologiques. La réalité du terrain que vivent les syndicalistes catholiques est souvent brutale et bien éloignée de l'idéal corporatiste. La CTCC a fait l'expérience concrète de l'impossibilité d'assujettir les rapports patronaux-syndicaux au monde idéal des intérêts communs. Les chefs d'entreprise, grands et petits, anglophones ou canadiens-français, n'ont que faire de la responsabilité sociale de l'entreprise.

Peu de temps après la fondation de la centrale catholique, dans les années 1920, des grèves très dures, notamment dans l'industrie de la chaussure, montrent que la réalité économique est plus sauvage que le monde rêvé des encycliques. Dans les années 1930, les grandes grèves dans l'industrie du textile et dans la construction navale, même contre la famille catholique des Simard à Sorel, font école.

En 1937, la Fédération du textile de la CTCC se lance dans la première grande lutte de son histoire contre la puissante *Dominion Textile* à Montréal, à Valleyfield, à Drummondville, à Sherbrooke et à Montmorency. La compagnie refuse de reconnaître le syndicat. Il faut trente jours de grève, sans fonds de défense, des affrontements violents avec la police et l'intervention du cardinal Jean-Marie-Rodrigue Villeneuve, pour que le syndicat soit reconnu et qu'une première convention collective soit signée. Le prélat conservateur, qui affirme que « la grève est une extrémité lamentable », convainc son ami Duplessis, qui jusque-là a soutenu l'employeur, d'amadouer ce dernier. Cela ne dure pas puisque, l'année suivante, la compagnie crée des syndicats de boutique, refuse de négocier et obtient de Duplessis que des conditions soient imposées par la Commission du salaire minimum, en remplacement de celles prévues par la convention collective. Les travailleurs et travailleuses de Valleyfield, échaudéEs par cette expérience, ne voudront plus rien savoir des syndicats catholiques. Lorsque Kent Rowley et Madeleine Parent entreprennent leur campagne de syndicalisation en 1943, ils doivent d'abord faire la preuve qu'ils n'ont rien à voir avec les « chats noirs[1] ».

La grande grève de reconnaissance syndicale déclenchée contre la famille Simard à Sorel constitue pour la CTCC une autre étape importante de sa mutation. Joseph Simard avait acquis le chantier Manseau en 1919, pour y construire des dragueurs et des remorqueurs. Son entreprise baptisée *Marine Industries* est devenue l'une des premières grandes entreprises à propriété québécoise. L'influence de la famille Simard sur la vie économique et politique du Québec est alors considérable. Jusqu'en 1937, aucun syndicat ne s'est installé dans l'entreprise. Cette année-là, la CTCC doit y organiser une grève de reconnaissance syndicale. Cette grève est aussi le théâtre de violents affrontements avec la police de Duplessis et se solde, après plusieurs mois de lutte, par un échec.

La même année, les travailleurs de l'amiante à Asbestos sont plus heureux et gagnent la reconnaissance de leur syndicat après une semaine de grève seulement. En se frottant ainsi aux dures réalités des luttes, les syndicats catholiques se transforment en profondeur. La conception angélique des relations du travail prônée par l'Église en prend pour son rhume. On comprend que la bonne entente et la recherche des intérêts communs entre employeurs et salariéEs ont bien peu d'effets comparativement au développement d'un bon rapport de force.

Le corporatisme au rancart

Après la Deuxième Guerre mondiale, le corporatisme, comme idéologie officielle de la centrale, doit être mis au rancart. De toute façon, il n'a jamais influencé de façon significative les rapports entre le capital et le travail au Québec. Il n'a jamais été implanté, aussi bien en pratique que dans les lois. Sauf, peut-être, dans la Loi québécoise des décrets, laquelle s'est inspirée de lois européennes. Faut-il rappeler que, dans les pays où il a été instauré, le corporatisme a été imposé par des dictatures fascistes ?

Lors du congrès de la CTCC en 1948, on parle plutôt de « réforme de l'entreprise », s'inspirant d'intellectuels catholiques français qui prônent une forme de cogestion[2]. Le patronat se montrant aussi allergique à ces idées

---

1. « Chats noirs » pour chanoines ou curés, à qui les travailleurs de Valleyfield reprochaient de les avoir trahis en 1937. Voir Salutin, *op. cit.,* p. 60.
2. Courant promu au Québec au lendemain de la guerre par des jésuites progressistes comme le père Cousineau, le département des relations industrielles de l'Université Laval, notamment sous la plume de Gérard Dion, et par les aûmoniers de la CTCC. Voir sur le sujet, Clavette, *Les dessous d'Asbestos, op. cit.,* p. 35-90.

de réforme qu'au corporatisme, la CTCC se rabat plus tard sur une notion plus floue « d'humanisme libéral », au nom duquel elle combat les discriminations et fait la promotion de la « vraie démocratie politique ». En 1960, elle profite de son changement de nom[1] pour se déconfessionnaliser. Depuis une bonne décennie, les aumôniers y jouaient un rôle plutôt symbolique.

Son tournant majeur, la centrale catholique l'a pris à partir de 1946, sous la présidence de Gérard Picard. Ce dernier est rejoint à la direction de la CTCC par Jean Marchand, devenu secrétaire général en 1948. Sous leur direction, la centrale développe une pratique syndicale de plus en plus semblable à celle des unions industrielles. Un rapprochement important s'effectue avec les unions du CIO. Ces dernières expriment concrètement leur solidarité pendant le conflit de l'amiante et à maintes occasions. Cette convergence ouvre la voie à une solide unité d'action syndicale et politique pendant les années 1950.

Fernand se passionne pour ces questions. Pourtant, malgré le fait que la CTCC mène des luttes de plus en plus exemplaires, il la perçoit comme encore trop collée à l'Église. D'ailleurs, un stage qu'il y a fait pendant quelques mois, à raison d'une journée par semaine, au cours de sa première année en relations industrielles, l'a peu impressionné. Il y est pourtant arrivé gonflé à bloc, prêt à faire ses premières armes dans le syndicalisme. Au lieu de quoi, on le confie à l'ancien président Alfred Charpentier[2], qui s'affaire encore au service des archives. Celui-ci le charge de quelques travaux de classification insignifiants et l'entretient de façon bien peu stimulante du syndicalisme catholique. Fernand se rend bien compte que l'image que Charpentier évoque avec nostalgie est déjà dépassée dans les faits. Sa propre défaite contre Gérard Picard en témoigne. Fernand sait que la CTCC se transforme peu à peu en vrai mouvement militant, mais il y décèle encore des relents de bondieuserie et de conservatisme qui conviennent mal à un jeune homme assoiffé d'idées nouvelles. À la suite de cette expérience, Fernand confie à ses copains : « Ça sent encore la soutane là-dedans! »

La grève de l'amiante

Comme beaucoup d'étudiantEs de l'époque, Fernand se passionne pour les conflits ouvriers en cours. Une bonne partie de sa classe participe à la cueillette de vivres destinés aux grévistes de l'amiante à Asbestos et à Thetford Mines. Le père Cousineau leur parle des enjeux de ce conflit extrêmement dur, qui oppose les ouvriers à un patronat brutal soutenu par le gouvernement Duplessis. Les revendications concernent essentiellement la santé et

1. La CTCC devient alors la Confédération des syndicats nationaux (CSN).
2. Alfred Charpentier a été président de la CTCC de 1936 à 1946. Il est défait par Gérard Picard, auquel s'associe Jean Marchand, à titre de secrétaire général, en 1948.

la sécurité du travail et, conformément à la nouvelle philosophie[1] de la centrale, elles constituent une certaine remise en cause du droit de gestion. Il est fort possible que, dans le contexte de la guerre froide et de chasse aux sorcières, ces idées ne soient perçues de façon plus radicales qu'elles ne le sont en réalité. Le préjugé qu'on entretient alors à leur égard explique probablement l'inflexibilité patronale et la brutalité du régime Duplessis et de sa police.

Échaudés par l'expérience des arbitrages antérieurs favorisant immanquablement les employeurs, les travailleurs sont entrés immédiatement en grève. Aussitôt, le gouvernement déclare leur grève illégale. Quelques jours plus tard, il leur retire leurs accréditations syndicales, puis envoie la Police provinciale protéger les biens de la compagnie et inciter les grévistes à reprendre le travail.

Le 11 avril 1949, plusieurs centaines d'étudiants accompagnés du père Cousineau vont livrer leurs provisions aux grévistes. Ils en profitent pour manifester sur place à Asbestos. Fernand a l'habitude des manifestations populaires et nationalistes. Il est impressionné par l'organisation plus structurée des actions syndicales. Il constate que ces dernières s'exercent parfois dans une adversité violente. Pendant cette grève, comme à l'occasion de plusieurs autres conflits, des *scabs* rentrent tous les matins au travail ; ils sont escortés et protégés par la police de Duplessis. Ce sont les mêmes agents de la Police provinciale qui pourchassent les grévistes jusque chez eux, les tabassent et intimident leurs familles. Parlant aux grévistes des étudiants venus avec lui manifester leur appui, le père Cousineau déclare : « Vous avez devant vous une génération de professionnels qui placera la justice sociale au-dessus de la légalité[2]. »

Une déclaration à rapprocher de celle de l'archevêque de Montréal, Mgr Joseph Charbonneau, qui affirme en appelant au soutien des grévistes : « Nous voulons la paix, mais nous ne voulons pas l'écrasement de la classe ouvrière. Nous nous attachons plus à l'homme qu'au capital. [...] Que l'on cesse d'accorder plus d'attention à l'élément d'argent [sic] qu'à l'élément humain[3]. »

Le vent de la réaction

À la suite de leur expédition à Asbestos, Fernand et ses camarades découvrent sur un babillard une lettre de Duplessis qui les rappelle à l'ordre. Dans des termes officiels se profile une menace à peine voilée d'une coupe des subventions dont bénéficie l'École des relations industrielles de l'Université de Montréal. Cette lettre a sûrement été affichée à la demande du père Bouvier.

---

1. La réforme de l'entreprise.
2. *Le Devoir*, 12 avril 1949.
3. *Le Devoir*, 2 mai 1949.

Ce dernier ne cache pas ses opinions rétrogrades, proches de celles de Duplessis. Ses étudiants l'ignorent, mais il a poussé beaucoup plus loin son engagement contre les grévistes d'Asbestos. Selon Gérard Picard, président de la CTCC à l'époque de la grève, le père Bouvier serait l'un des coauteurs du rapport Custos avec un certain Paul-Evrard Richemont[1]. Ce pamphlet antisyndical délirant décrit les dirigeants de la grève et certains membres du clergé à différents niveaux de la hiérarchie (sans les nommer) comme des gens manipulés par Moscou. Il vise particulièrement le père Cousineau, aumônier du Conseil central de Montréal de la CTCC, et l'abbé Henri Pichette, aumônier général de la centrale. Le rapport dénonce aussi des laïcs que Fernand fréquentera et aura comme amis plus tard, Réginald Boisvert et Jacques-Victor Morin.

Ce document circule au Vatican grâce aux bons soins des ministres lobbyistes de Duplessis. Ce dernier, qui en veut particulièrement à l'archevêque de Montréal, à cause de son appui militant aux grévistes, a probablement donné la commande de ce rapport à ses amis Bouvier et Richemont. D'ailleurs, Richemont obtient de Dupplessis un mandat rémunéré pour faire des représentations à Rome. Mais ses accointances trop évidentes avec l'extrême droite française indisposent certains prélats romains. Une dénonciation similaire, portée celle-là par l'archevêque de Rimouski, Mgr Georges Courchesne, aurait eu raison de Mgr Joseph Charbonneau. Celui-ci est forcé par Rome de démissionner de son poste d'archevêque[2] et de s'exiler sur la côte ouest du Canada.

Son successeur, Paul-Émile Léger, ancien organisateur de *scabs* à Valleyfield et pourfendeur de communistes, a tout pour plaire à Duplessis. L'évolution historique des institutions n'est jamais linéaire. L'Église québécoise des années 1950 exécute son pas de danse : un pas en avant, deux pas en arrière. Contrairement à son prédécesseur, qui n'a jamais été élevé à la pourpre cardinalice, Paul-Émile Léger est nommé rapidement cardinal par le pape en 1953. Celui qu'on va plus tard admirer pour son abnégation de missionnaire auprès des lépreux du Cameroun arrive à Montréal en grande pompe. Sur le balcon de l'hôtel de ville, il s'exclame, ému : « Montréal, tu t'es faite belle pour accueillir ton Prince ! » Sur quoi il se retire en se drapant de sa cape cardinalice d'un geste théâtral digne de Cyrano. À l'épo-

---

1. Gérard Picard, *Le Travail*, 2 et 16 mars 1951. Voir aussi *La grève de l'amiante*, un ouvrage collectif dirigé par Pierre Elliott Trudeau, Montréal, Éditions du Jour, 1970, p. 407-418. La paternité du rapport Custos n'a jamais été contredite par le père Bouvier.
2. Voir Renaude Lapointe, « Une victime de son milieu », chapitre 2 de *L'histoire bouleversante de Mgr Charbonneau*, Montréal, Éditions du Jour, 1962, p. 157 et p. 16-24.

que, le prélat médiatisé, que des mécréants surnomment *Kid Kodak*, se pare de bijoux opulents, se prononce contre la théorie de l'évolution[1], combat le syndicalisme enseignant et invite l'Opus Dei à s'établir au Québec[2].

Une curiosité insatiable

Pendant ses études en relations industrielles, Fernand obtient un stage au Comité paritaire de l'industrie de la chaussure. Il s'attend à y étudier les dispositions du décret et à être initié au travail des inspecteurs. Il est plutôt chargé de transcrire d'interminables listes d'employeurs et de salariéEs sur des plaques d'*adressographe*[3]. Seule consolation, le stage est rémunéré. Tout comme celui qu'il fait l'année suivante à la compagnie hydroélectrique *Montreal Light Heat and Power*. Là, on lui fait faire de la classification en anglais, puisqu'il s'agit de la langue de travail de l'entreprise. Une fois de plus, comme à l'avionnerie *Fairschild* et sur les trains de la *Canadian Pacific Railways*, il constate que, si l'argent n'a pas d'odeur, il a une langue et ce n'est pas le français. Même au Québec.

Ces quelques expériences ennuyantes n'ont cependant pas raison de l'insatiable curiosité de Fernand. Dès l'enfance, il s'évadait de la grisaille d'une vie proche de la misère en voyageant allégrement à bord de livres et de revues. Dans les bibliothèques, on lui apportait de lourdes reliures de vieux journaux, qui le transportaient instantanément dans le temps et dans l'espace. Jeune adulte, il voyageait dans les idées avec la même avidité. Et ses voyages de *fifth cook* lui ont donné le goût de voir du pays.

Étudiant, en 1947, il n'est pas plus fortuné qu'il ne l'était plus jeune. Chaque sou gagné à ses multiples petits boulots est déjà utile : il faut payer les études, les dépenses courantes, les cigarettes, le tramway, les vêtements et les quelques rares séances de cinéma. C'est son frère André qui rapporte maintenant le principal revenu à la maison. Il trouve important que son petit frère (de six pieds) poursuive ses études. Même si, de son côté, Fernand

---

1. Théorie élaborée par Charles Darwin au XIXe siècle et à laquelle l'Église s'oppose d'abord parce qu'elle contredit son dogme de la création. Mais c'est désormais chose du passé. Trente ans plus tôt, le frère Marie-Victorin et, en 1919, Teilhard de Chardin en ont reconnu le bien-fondé sans pour autant être excommuniés.

2. C'est ce que rappelle, le 26 juin 2004, Frederick R. Dolan, vicaire régional de l'Opus Dei pour le Canada. Il participe alors à une messe célébrée par le cardinal de Québec, Marc Ouellet, en l'honneur de la canonisation du fondateur de l'ordre d'extrême droite, Josemaría Escrivá de Balaguer. Voir le site web de l'Opus Dei, < *www.fr.opusdei.ca* >. Comme le cardinal Léger, Mgr Marc Ouellet a succédé à un évêque progressiste, Mgr Maurice Couture, qui, s'il n'a pas connu la déchéance de Mgr Charbonneau, n'a jamais été nommé cardinal lui non plus.

3. Appareil muni d'un clavier avec lequel on fabriquait des petites plaques reproduisant les adresses des clientEs. On pouvait ainsi éviter de recopier manuellement les adresses à chaque facturation.

ne paie pas une pension régulière à sa mère, il se fait tout de même une fierté de rapporter régulièrement de la nourriture à la maison. Il ne lui reste donc à peu près rien pour voyager. Qu'à cela ne tienne, il a trop la bougeotte pour rester dans l'espace clos de Montréal. Une petite valise à la main, les poches presque vides, il explore le Québec sur le pouce[1].

Il fait ainsi deux fois le tour de la Gaspésie. La première fois, pendant ses études, la deuxième fois, trois ans plus tard, alors qu'il est déjà un permanent syndical, mais ne possède toujours pas une auto. À mesure qu'il s'éloigne de Montréal et de son centre-ville ficelé de rails de *tramways* et de fils de *trolleybus*[2], il se saoule de grand air et d'horizons. La lumière envahit tout, le ciel, les champs, le fleuve. Les mots aussi prennent la couleur particulière de l'accent gaspésien, dont la chaleur charme les oreilles du gars de la ville. Il savoure les paroles des gens qui lui font faire un bout de chemin dans leur voiture.

Il est ébloui aussi par la nature forte de la Gaspésie. Ce fleuve, que les clichés disent majestueux, se déchaîne parfois, devient rageur et s'acharne sur les côtes. Celles-ci lui opposent d'imposantes murailles de pierres sédimentaires, dont les stries ondulantes semblent mimer les vagues. Un spectacle démesuré, qui donne une dimension nouvelle aux gens qui habitent un tel décor. Les pêcheurs gaspésiens, dont Fernand a souvent entendu parler, ne sont plus des personnages pittoresques de cartes postales. Ce sont des hommes impétueux, au teint basané, peu bavards, au regard interrogeant sans cesse le ciel pour prévoir le temps qu'il fera. Fernand ajoute ces grands espaces à son imaginaire déjà bien peuplé.

L'amour courtois

Jusque-là, Fernand a peu fréquenté de jeunes filles. À l'école primaire comme à l'école supérieure du Plateau, les classes ne sont pas mixtes. Sa bande d'amis n'a été composée que de gars. Ces derniers d'ailleurs imaginent mal qu'il peut en être autrement. En fait, la question ne se pose même pas. Marie, la sœur des Thibaudeau, tourne autour et écornifle un peu, mais, plus jeune de sept ou huit ans, elle est renvoyée à ses poupées par ses grands frères.

Pendant ses études en sciences à l'université, les seules collègues de l'autre sexe sont trois « bonnes sœurs[3] », couvertes de la tête aux pieds. À se fier au bout de frimousse que laisse voir son austère costume, l'une d'elles

---

1. En auto-stop.
2. Autobus mu par un moteur électrique alimenté comme les tramways par une tige montée sur son toit en contact avec les fils sous tension suspendus dans les rues de la ville.
3. Religieuses.

est particulièrement belle. Les garçons s'amusent à la faire rougir. Elle baisse inévitablement les yeux, mais ils ne parviennent jamais à lui arracher une parole. Les religieuses restent frileusement entre elles, ne communiquent avec aucun camarade de classe et s'esquivent dès la fin du cours.

Fernand, qui a pris de l'assurance, qui s'exprime bien et qui semble à l'aise dans sa peau, perd pourtant tous ses moyens en présence de belles femmes. Pudique, il est réservé et maladroit. Sa première fréquentation débute à la bibliothèque Saint-Sulpice où il aime étudier. Il y a remarqué une belle rousse à la peau très blanche. Lui rappelle-t-elle la belle serveuse du restaurant de la rue Émery découverte un jour en fâcheuse situation? En tout cas, l'image de cette étudiante le hante. Après de longues et discrètes observations, le contact s'établit sous prétexte d'une demande de référence : un livre qu'elle consulte et qu'il dit chercher depuis longtemps. Ils se revoient quelques fois. Ils causent parfois de façon anodine et, un jour, elle le prend au dépourvu en l'invitant chez elle.

Elle s'appelle Odette Léger. Fernand découvre qu'elle est la sœur de Jean-Marc[1], un étudiant en droit qu'il a croisé quelques fois dans des réunions nationalistes à l'université. Celui-ci se distingue déjà par son élocution châtiée, singulièrement raffinée. Sa sœur s'exprime correctement, mais n'a pas l'accent de son frère. Fernand est curieux de connaître le reste de la famille. Il est étonné de constater que Jean-Marc est le seul de son espèce dans cette famille nombreuse. Le père travaille au magasin de meubles *Légaré-Woodhouse*, rue Sainte-Catherine. Outre Odette et Jean-Marc, il découvre Pierre, déjà bohème et excentrique. Poète et journaliste rebelle, il ne tarde pas à faire partie de la faune artistique montréalaise. Dans les années 1960, après la sortie du célèbre film de Godard, c'est tout naturellement que ses compagnons de brosse[2] le surnomment Pierrot le fou. Fernand, qui depuis l'enfance a la conviction qu'on se construit soi-même, en a une preuve de plus avec cette famille disparate et colorée.

Odette et Fernand se fréquentent pendant quelques mois, puis se voient de moins en moins, pour finalement prendre des chemins distincts. Une amitié qu'on néglige et qui s'éteint peu à peu. Une relation qui ressemble à celle qu'il entreprend avec Denyse Choinière, une étudiante en service social qui, comme la mystérieuse mademoiselle de Bernonville, suit des cours avec les étudiants en relations industrielles. Des échanges de vues épisodiques sur les cours se transforment en une fréquentation qui donne lieu à quelques sorties au cinéma et à de longues marches agrémentées de tout aussi longues discussions. Comme avec Odette Léger, cette fréquentation ressemble davantage à une douce amitié qu'au prélude d'une relation amoureuse.

1. Jean-Marc Léger, futur journaliste au journal *Le Devoir*.
2. Beuverie, saoulerie.

Le coup de foudre

L'amour véritable, Fernand ne le voit pas venir. C'est chez lui, dans l'appartement de sa mère où il habite toujours, qu'il est frappé en plein cœur. L'une des chambreuses, une certaine Lucille, qui travaille dans un atelier de haute couture, s'amène un jour à la maison avec une collègue de travail. Fernand est touché par la beauté gracile de cette jeune femme. Mais, timide, il ne le laisse pas paraître. Lui, dont les horaires chargés se partagent entre les études, le travail et les rencontres de la bande, passe peu de temps à la maison. Il va s'esquiver quand Lucille l'interpelle :

— Fernand, t'as bien l'air pressé. Prends une minute… Mon amie Ghyslaine aimerait bien te connaître.

Sans réfléchir, il bafouille d'une traite :

— Non, non, je suis pas pressé… J'ai tout mon temps, en fait, ça me fait plaisir de vous rencontrer.

Les deux amies pouffent de rire. Lui se rend compte de sa maladresse, rougit un peu, s'en veut d'avoir montré tant d'empressement. Ghyslaine Coallier trouve charmant l'embarras de ce grand jeune homme qui, une minute auparavant était si affairé et sérieux et maintenant si démuni et désemparé. C'est le coup de foudre mutuel.

Cependant, le couple ne suit aucun modèle traditionnel, chacunE étant très occupéE. En plus de son travail à l'atelier de couture, Ghyslaine suit des cours de théâtre chez Sita Riddez et doit rendre visite à sa mère hospitalisée en permanence. Pas question de sortir ensemble « les bons soirs[1] » comme le fait André, le frère de Fernand. Le couple se voit souvent, mais pas de façon routinière. Parfois Ghyslaine accompagne Fernand chez les Thibaudeau, chez Jean-Guy Benoît ou chez l'un ou l'autre des amis de la bande. Le plus souvent Ghyslaine visite Fernand chez sa mère ou c'est lui qui la rejoint à la maison de pension où elle habite sur la rue Saint-Hubert, un peu au nord de Sherbrooke. Comme il n'est jamais attendu à l'avance, chaque fois qu'il y va, c'est une heureuse occasion.

Même si elle a deux ans de moins que Fernand, Ghyslaine est déjà une femme très autonome. Elle est la septième d'une famille de huit enfants, élevée dans le nord de l'île, à Bordeaux. Son père, tailleur de costume haut de gamme, est décédé alors qu'elle n'avait que onze ans. Quelques années plus tard, lorsque sa mère est devenue invalide, elle a dû laisser l'école pour en prendre soin, assumer la gestion de la maison et élever son plus jeune frère.

---

1. On nommait ainsi les sorties conventionnelles des jeunes couples le mardi, le jeudi, le samedi et le dimanche, le plus souvent en présence d'un chaperon.

Elle l'a fait avec courage, même si elle a toujours regretté de ne pas avoir poursuivi ses études. Sa mère, une femme instruite, qui écrit particulièrement bien, lui a transmis le goût de la lecture. Lorsque son état de santé a forcé la famille à l'hospitaliser, Ghyslaine est partie vivre et travailler dans le centre-ville. Elle a été embauchée à l'atelier de couture *Tepner* sur la rue Ontario près du boulevard Saint-Laurent, où elle travaille lorsqu'elle fait la connaissance de Fernand.

Ghyslaine et Fernand se lient très vite, mais sans faire de projets de vie commune. ChacunE de son côté a trop à faire et à découvrir. Ghyslaine admire la curiosité intellectuelle de Fernand. Elle aime la passion qu'il met à décrire ce qu'il apprend à l'université sur l'économie et surtout sur le syndicalisme, dans lequel il souhaite s'engager un jour. Fernand écoute avec intérêt Ghyslaine parler de ses dernières lectures ou de la pièce de théâtre qu'elle prépare avec madame Riddez. Un peu plus tard, elle suivra des cours de culture générale à l'école Pierre-Paul-Élie. Elle relate alors à Fernand ce que des professeurs passionnants lui font découvrir en histoire, en art, en politique ou en littérature. Dès le début, leur relation prend l'allure d'une complicité simple et solide entre deux personnes indépendantes, qui ne cherchent pas à changer les habitudes de l'unE ou de l'autre.

Chapitre 7

Devenir syndicaliste (1950)

À LA FIN de ses études en relations industrielles, en 1950, Fernand n'en démord pas, il veut devenir syndicaliste. Malgré la transformation des syndicats catholiques, dont la combativité récente les rapproche des unions industrielles, c'est vers ces unions qu'il veut aller. Il le dit à Ghyslaine et le répète sans cesse à André Thibaudeau : « Tant qu'à militer au sein d'un mouvement qui calque de plus en plus son action sur les unions industrielles, aussi bien s'intégrer à l'original plutôt qu'à sa copie. »

Avant la fin de sa dernière année universitaire, Fernand sollicite un emploi auprès de Doc Lamoureux, « Monsieur CIO », lequel manifeste peu d'intérêt pour le jeune militant en herbe. Il prend sa candidature en note, mais ne lui donne plus signe de vie. Fernand est déçu, mais ne capitule pas.

Roger Provost

Il apprend par son confrère de classe, Raymond Péladeau, qui a fait un stage à l'Union de la sacoche, que ce syndicat a un poste à combler. Son directeur s'appelle Roger Provost, un syndicaliste de l'autre famille syndicale, celle du Congrès des métiers et du travail du Canada (CMTC). Il chercherait un organisateur. Provost est une figure montante du syndicalisme. Le père Cousineau l'a déjà présenté à ses étudiants. Fernand en a gardé le souvenir d'un homme assez grand, de belle apparence, distingué, charmeur et excellent orateur. Il sait aussi qu'il est l'un des conseillers municipaux qui représentent le mouvement syndical.

Lorsque Fernand le rencontre, il a trente-neuf ans et ne fait partie du mouvement syndical que depuis trois ans. Après des études classiques, il a été journaliste au quotidien *L'Illustration*[1], puis employé de banque et

---

1. *L'Illustration* a été fondé en 1930 par Arthur Berthiaume et Camillien Houde. Le journal devient le *Montréal-Matin* en 1941. Associé idéologiquement au Parti

inspecteur d'assurances. Devenu président des Jeunesses réformistes, puis secrétaire québécois de la CCF, c'est par ce parti social-démocrate qu'il se fait connaître dans le mouvement syndical.

Ce personnage public, à qui Fernand sollicite un emploi, est l'unique permanent de l'Union des ouvriers de la sacoche, une petite organisation mise sur pied par le Syndicat des chapeliers[1]. Ce syndicat de métier, affilié à l'AFL aux États-Unis et au Congrès des métiers et du travail du Canada, est dirigé au Québec par Maurice Silcoff, un juif irlandais, unilingue anglais. On ne sait trop si l'Union de la sacoche est un syndicat à part entière ou une simple sous-section de l'Union des chapeliers.

Entré par la petite porte, Provost connaît une ascension fulgurante. Un an après le début de sa carrière syndicale, en 1947, il est déjà secrétaire du Conseil des métiers et du travail de Montréal, présidé par Claude Jodoin[2], directeur du Conseil conjoint de l'Union internationale du vêtement pour dames (UIOVD). Le CMTM est de loin le plus grand et le plus influent regroupement de syndicats au Québec. Provost est ensuite élu à la présidence de la Fédération provinciale du travail du Québec en 1951 et, après la fusion de 1957, il sera le premier président de la Fédération des travailleurs du Québec (FTQ).

Cependant, ses véritables assises syndicales, Roger Provost les acquiert dans des conditions troubles, lorsque Kent Rowley et Madeleine Parent sont chassés de la direction des Ouvriers unis du textile d'Amérique (OUTA), en 1952, lors d'une purge anticommuniste. Alors qu'ils menaient une grève très dure contre la *Dominion Textile* à Montréal et à Valleyfield, les deux syndicalistes sont démis de leur fonction par la direction internationale de leur syndicat, qui met en tutelle leurs sections. Provost est alors nommé directeur québécois du syndicat par la direction états-unienne. Un coup de force que Jacques-Victor Morin[3] n'hésite pas à qualifier de « vol au sens

conservateur puis à l'Union nationale, il est formellement acquis par cette dernière en 1947. Racheté par *La Presse* en 1973, il ferme ses portes en 1978. Voir, Joseph Bourdon, *Montréal-Matin, son histoire, ses histoires*, Montréal, La Presse, 1978. Provost travaille à ce quotidien pendant une courte période en 1934. Voir, Bruno Bouchard, *Roger Provost, premier président de la FTQ, une vie syndicale inachevée*, mémoire de maîtrise en histoire, Montréal, UQAM, 2007.

1. Union internationale des chapeliers d'Amérique.
2. Claude Jodoin occupe le poste de président du CMTM de 1947 à 1954. Il représente également cet organisme au conseil municipal de Montréal. En 1949, il est élu à la vice-présidence du CMTC et, en 1954, il devient président de cette centrale canadienne. Conseil des travailleuses et travailleurs du Montréal métropolitain, *Cent ans de solidarité. Histoire du CTM, 1886-1986*, Montréal, VLB, 1987, p. 83.
3. Jacques-Victor Morin (1921-2007) est le petit-fils de Victor Morin, un notaire québécois, membre de l'élite canadienne-française du début du XXe siècle. Ce grand-père est l'auteur du code de procédure d'assemblée le plus utilisé au Québec, le *Code*

TABLEAU SOMMAIRE DES SYNDICATS INTERNATIONAUX

	SYNDICALISME DE MÉTIER	SYNDICALISME INDUSTRIEL
ÉTATS-UNIS	American Federation of Labor (AFL) 1886	Congress of Industrial Organizations (CIO) 1939
	AFL-CIO 1955	
CANADA	Congrès des métiers et du travail du Canada (CMTC) 1886	Congrès canadien du travail (CCT) 1940
	Congrès du travail du Canada (CTC) 1956	
QUÉBEC	Fédération provinciale du travail du Québec (FPTQ) 1937	Fédération des unions industrielles du Québec (FUIQ) 1952
	Fédération des travailleurs du Québec (FTQ) 1957 Fédération des travailleurs et travailleuses du Québec (FTQ) 1985	
MONTRÉAL	Conseil central des métiers et du travail de Montréal (CCMTM) 1886	Conseil du travail de Montréal (CTM) 1940
	Conseil des métiers et du travail de Montréal (CMTM) 1903	
	Conseil du travail de Montréal (CTM) 1958 Conseil régional FTQ Montréal métropolitain (CRFTQMM) 2001	

littéral[1] ». Or, c'est un vol qui a l'appui des syndicalistes du CMTC et de la FPTQ. Le journal *Le Monde ouvrier* dénonce depuis quelque temps déjà le radicalisme et l'intransigeance des dirigeants des OUTA.

Fraîchement élu secrétaire correspondant du Conseil des métiers et du travail de Montréal en remplacement de son ami Roger Provost, Louis Laberge participe avec d'autres militants au vidage musclé des bureaux de Rowley et de Parent[2]. Plus tard, il dira regretter ce geste excessif. D'ailleurs, il aimait répéter que les communistes avaient été utiles à une époque où le mouvement syndical avait besoin de se faire « brasser la cage[3] ».

La FPTQ

On peut s'étonner qu'avec aussi peu de passé syndical, Provost devienne président de la Fédération provinciale. Créée en 1937, cette fédération a alors un caractère plutôt symbolique. Elle est une émanation du CMTC et constitue surtout un organisme de représentation auprès du gouvernement québécois. Elle a vu le jour alors que les syndicats catholiques livraient une dure concurrence aux unions internationales. C'est contre ces unions que Duplessis, nouvellement élu, dirige ses premières mesures anti-ouvrières.

Chaque année, les dirigeants de la FPTQ se contentent de présenter un mémoire législatif au gouvernement. Ces rencontres, baptisées pèlerinages à Québec, ont surtout pour but de faire entendre la voix des travailleurs et des travailleuses auprès du pouvoir. Sous les deux régimes Duplessis, il faut bien admettre que la plupart de ces revendications ne sont pas entendues. Seul, le régime libéral d'Adélard Godbout répond pendant la guerre à plusieurs revendications traditionnelles des unions internationales.

Depuis sa création, les présidents de la FPTQ ont été des syndicalistes sans grande assise syndicale. Le premier, Raoul Trépanier, président du Conseil des métiers et du travail de Montréal (CMTM) est le dirigeant du syndicat de la *Montreal Tramway Company*, mais perd sa base dès 1942, lorsque son syndicat

---

Morin. Jacques-Victor a été président canadien de la section jeunesse de la CCF, puis secrétaire du parti au Québec, avant de passer au secrétariat du Comité contre l'intolérance raciale en 1951. À sa fondation en 1952, il devient secrétaire exécutif de la FUIQ. Il a été ensuite permanent des Travailleurs unis des salaisons d'Amérique et responsable du Service d'éducation au Conseil du Québec du Syndicat canadien de la fonction publique. Il a aussi été secrétaire associé de la Commission canadienne pour l'UNESCO.

1. Mathieu Denis, *Jacques-Victor Morin, syndicaliste et éducateur populaire*, Montréal, VLB Éditeur, 2003, p. 103.
2. L'auteur l'a personnellement entendu raconter cette histoire à quelques reprises. Laberge aurait fait le coup de main avec des marins envoyés là par leur leader Hal Banks (1909-1985).
3. Louis Fournier, *Louis Laberge, le syndicalisme, c'est ma vie*, Montréal, Québec-Amérique, 1992, p. 98.

est maraudé par la Fraternité canadienne des cheminots, affiliée au CCT. Son successeur, Elphège Beaudoin, élu en 1945, est un dirigeant du même syndicat, donc sans membre cotisant. En 1949, c'est Marcel Francq[1], dirigeant l'Union internationale des employés de bureau, un syndicat alors en voie d'organisation au Canada, qui devient président pour une courte période.

Beaucoup de sections locales négligent de s'affilier à la FPTQ ou n'y cotisent que pour une partie de leurs membres. Dans ces structures, ce sont les syndicats qui détiennent le pouvoir et les ressources financières. Leur autonomie est quasi totale par rapport aux centrales que sont l'AFL, le CMTC et la FPTQ. Les sections locales québécoises des syndicats internationaux du CMTC s'affilient sur une base volontaire à l'organisation québécoise. Résultat, moins de 30 %[2] le font et la FPTQ, centrale provinciale, compte moins de membres que le CMTM, un regroupement pourtant régional[3]. Avec des dirigeants comme Claude Jodoin et, plus tard, Louis Laberge, le Conseil est beaucoup plus présent dans les médias. Ses réunions hebdomadaires sont souvent couvertes par des journalistes. De son côté, pendant toute son existence, la FPTQ n'a jamais eu un président rémunéré.

Bénévole à l'Union de la sacoche

Les syndicats de métiers de l'AFL, ce n'est pas le choix de Fernand, lui qui est si impressionné par le CIO. Il a alors le sentiment que tous ces syndicats de métier sont des organismes vieillots, dépassés et conservateurs. Faute de mieux, comme il tient absolument à travailler au sein du mouvement syndical, il se dit qu'il faut bien commencer quelque part. En mai 1950, il rencontre Roger Provost à son bureau du Carré Phillips. Après une discussion, qui porte sur ses expériences de travail et ses études en relations industrielles, Provost lui dit qu'il est intéressé à l'embaucher. « Si t'es prêt, tu peux commencer lundi. »

Fernand n'en croit pas ses oreilles. Évidemment qu'il est prêt ! Tout feu tout flamme, il s'amène dès la première heure lundi matin. Il trouve un Provost à la mine basse. Embêté, il lui apprend qu'il a consulté Maurice Silcoff, le dirigeant des Chapeliers et qu'ils n'ont pas de quoi lui payer

---

1. Petit-fils du leader historique Gustave Francq.
2. Rouillard, *Histoire du syndicalisme québécois, op. cit.,* p. 179 ; voir aussi Émile Boudreau, *Histoire de la FTQ, des débuts jusqu'en 1965,* Montréal, FTQ, p. 169-170.
3. Fondé en 1886, le Conseil central des métiers et du travail de Montréal est le plus vieux regroupement syndical interprofessionnel québécois. Réunissant les syndicats de métier et les Chevaliers du Travail, il a été expulsé du CMTC en 1902. Le CMTM prend le relais en 1903. S'il jouit d'une plus forte adhésion des sections locales que la FPTQ, c'est qu'il a longtemps joué un rôle de représentation politique qui débordait sa compétence régionale et que les enjeux locaux et régionaux (logement, aide aux nécessiteux, transports en commun) dominent.

un salaire. Fernand découvre alors que l'Union de la sacoche ne vole pas vraiment de ses propres ailes, qu'elle est totalement dépendante du syndicat qui l'a créé. Qu'à cela ne tienne, il ne se dégonfle pas si facilement :

– Écoutez, laissez-moi faire mes preuves. Donnez-moi de l'ouvrage. Vous me paierez quand vous en aurez les moyens…
   Mi-étonné, mi-amusé, Provost acquiesce :
– Tu veux, le jeune! Je vais te donner des adresses de *shops* à organiser[1]. Je te paye les « tickets de p'tits chars[2] », puis j't'amènerai luncher avec moi à midi.

C'est le début d'une longue carrière qui se poursuivra pendant plus d'un demi-siècle. Fernand fait ainsi ses premiers pas dans le syndicalisme comme recruteur bénévole. Comme le véritable employeur est le Syndicat des chapeliers, Silcoff exige que ses représentants portent un chapeau en tout temps. Fernand se plie à cette fantaisie. Son chapeau ne le quittera plus, même l'été, ce qui l'amuse et ne manque pas de faire rigoler les membres de la bande qu'il croise lorsqu'il rentre à la maison. Il habite toujours chez sa mère, sur la Terrasse Saint-Denis. La maison est animée, toujours achalandée de chambreurs et de chambreuses, auxquelLEs s'ajoutent les amiEs des deux fils.

Provost l'entraîne avec lui dans ses visites d'ateliers. Ils vont d'abord saluer le patron, généralement juif et anglophone. Ces rencontres sont habituellement courtoises et détendues. On rencontre ensuite la déléguée syndicale avec qui on se retire dans un coin. Ce qui constitue un tour de force. Ces manufactures sont généralement exiguës. Un nombre limité d'employéEs y travaillent dans un fouillis indescriptible. L'air y est rare, le bruit des machines à coudre assourdissant. Si un problème est soulevé, on retourne voir le chef d'atelier et, le plus souvent, on le règle sur-le-champ. Fernand ne se souvient pas d'avoir entendu Provost prononcer le mot grief une seule fois à l'époque. À la sortie de ces visites, il paie le *lunch* à son jeune syndicaliste bénévole, le plus souvent à la cafétéria *Northeastern*, au Carré Phillips, ou à l'*American Spaghetti* sur Sainte-Catherine.

Le bureau de Fernand est installé dans la salle de réunion du syndicat. C'est là qu'il fait le travail de classement des cartes de membres, met à jour les listes, rédige des tracts pour le recrutement, tient les livres et exécute toutes les tâches que Provost, très occupé, déverse sur sa table de travail. Les autres syndicalistes bénéficient de pièces fermées. Les bureaux sont

---

1. « Organiser une *shop* », anglicisme communément utilisé à l'époque lorsqu'on procédait à la syndicalisation d'un atelier.
2. Les billets de tramway.

du même côté, en enfilade, et s'ouvrent sur l'une des cloisons de cette salle : le premier bureau, le plus grand, disposant de deux fenêtres, est celui de Silcoff, à côté duquel est installée la secrétaire, Thérèse Cinq-Mars ; le second est celui de Roger Provost, suivi de celui d'un représentant des Chapeliers ; vient ensuite celui de Paul Fournier, le représentant international de l'Union des travailleurs des distilleries. Fournier sous-loue des locaux aux Chapeliers, sans doute parce qu'il est lui-même un ancien permanent de ce syndicat.

Des visites étonnantes

Assez vite, Fernand découvre que Fournier reçoit de la visite étonnante. De belles grandes femmes défilent fréquemment pour le rencontrer derrière la porte capitonnée de son bureau. Fernand apprend rapidement que ce syndicaliste est propriétaire d'un petit cabaret sur la rue De Montigny. Il a aussi des intérêts dans le Casino Bellevue, l'une des plus chics boîtes de nuit de Montréal, située à l'angle des rues Ontario et Bleury. Ces jolies visiteuses sont des danseuses qui viennent lui témoigner leur reconnaissance… au grand désespoir de la secrétaire Thérèse, qui semble éprouver une affection déçue pour Fournier.

Quelques-unes de ces jolies dames sont mises à contribution pour agrémenter les soirées de certains délégués aux congrès de la fédération provinciale, la FPTQ. Elles font également partie du comité d'organisation de Fournier lorsqu'il se présente à la présidence de la FPTQ contre Roger Provost en 1954. Sa candidature, comme celle de son colistier, Lucien Tremblay[1] des Teamsters, sent Duplessis à plein nez. Même si, à cette époque, Roger Provost est jugé un peu trop mou face à l'autoritaire premier ministre du Québec, ce dernier ne le trouve pas suffisamment docile à son goût. En encourageant la candidature de Fournier et de Tremblay, Duplessis veut passer un message à Provost[2].

L'entrée de Fernand dans le monde syndical par la porte de la sacoche correspond donc à la découverte d'une faune étonnante, amusante, mais un peu décevante. Ce n'est pas l'idée que le jeune militant idéaliste, un brin puritain, se faisait des mœurs syndicales.

Les vieilles barbes

Le 16 juin 1950, quelques semaines après son arrivée au syndicat, Provost l'invite au congrès de la FPTQ, au Palais Montcalm à Québec. Pour

---

1. Quelques années plus tard, en 1959, Lucien Tremblay fonde la tristement célèbre Fédération canadienne des associations indépendantes (FCAI). Pendant plus de vingt ans, cette fédération de syndicats de boutique est appelée à la rescousse par les employeurs qui craignent qu'un syndicat authentique ne s'implante dans leur entreprise.
2. Fournier, *Louis Laberge, le syndicalisme, c'est ma vie, op. cit.*, p. 98-99.

Fernand, c'est une occasion unique de voir d'un coup toute une galerie de personnages des unions de métiers. Cela n'a rien à voir avec les congrès de la FTQ d'aujourd'hui, qui regroupent plus de 1 200 déléguéEs et durent cinq jours. Les congrès de l'époque ont plus l'allure d'une réunion de famille. Pas plus de 250 déléguéEs participent à ce congrès, qui ne dure que deux jours.

Jeune syndicaliste frais émoulu, Fernand subit un choc. Il découvre un monde qui a ses traditions, ses personnages, ses couleurs, ses histoires. Pour lui, bourré de préjugés à l'égard des unions de métiers, il s'agit d'un rassemblement de vieilles barbes. Provost présente Fernand à des syndicalistes du secteur de l'imprimerie, dont les typographes, membres d'un syndicat formé au XIXe siècle[1]. Gustave Francq, qui est présent à ce congrès, y a fait ses premières armes en 1887. Son petit-fils, Marcel Francq[2], qui est élu au congrès à la présidence de la FPTQ, n'occupe ce poste que quelques mois. En janvier 1951, il est appelé par Duplessis à siéger comme membre permanent de la Commission des relations ouvrières.

Fernand rencontre aussi les permanents du CMTC au Québec, une équipe de cinq ou six recruteurs, dont fait partie Bernard Boulanger. Ce dernier tranche un peu sur ses collègues parce qu'il a l'air plus intellectuel et politisé. On mesure l'importance de la centrale canadienne par le nombre de ses employéEs au Québec. Du côté de la FPTQ, le bureau ne compte qu'une employée permanente, la secrétaire exécutive Hélène Antonuk.

Fernand est intrigué par la présence des gars de la construction, qui font un peu bande à part, se mêlant moins aux autres. Ils ont aussi moins de facilité de parole. Sauf le président de leur Conseil des métiers, Édouard Larose, qui est aussi dirigeant de la Fraternité unie des charpentiers-menuisiers d'Amérique (FUCMA), l'un des premiers syndicats internationaux implantés au Québec[3]. Surnommé le « Bonyeu d'bois[4] », probablement à cause de ce

---

1. La section locale 145, communément appelée l'Union typographique Jacques-Cartier, a été créée en 1870. C'est une section de l'Union internationale des typographes. Gustave Francq a d'abord été membre de la section 302 à Québec, puis de la section 145, après s'être installé à Montréal en 1902. Voir Leroux, *Gustave Francq, op cit.*
2. Marcel Francq a acquis une certaine notoriété en fondant auparavant une école syndicale dans les Laurentides où se réunissent des représentantEs et des militantEs d'unions affiliées.
3. La section locale 134 de la Fraternité unie des charpentiers-menuisiers d'Amérique (FUCMA), que dirige Édouard Larose en 1950, a été fondée en 1887 par des membres des Chevaliers du travail. En peu de temps, la Fraternité multiplie les sections locales et devient le plus grand syndicat international à Montréal. Elle déclenche des grèves en 1894, 1905 et 1909. Rouillard, *Histoire du syndicalisme québécois, op. cit.*, p. 50-51.
4. Bon Dieu de bois.

juron dont il ponctue ses phrases, il a la voix forte et s'impose au micro. On sent qu'il jouit d'une autorité morale certaine. Il est d'ailleurs élu secrétaire-trésorier par le congrès.

D'autres personnages aussi costauds que taciturnes impressionnent Fernand, les débardeurs menés par Hector Marchand. Il remarque aussi les marins. Il sait que ces derniers sont dirigés par Hal Banks, un États-Unien au passé louche fraîchement arrivé pour regrouper les marins dans une union internationale. Une histoire pas tout à fait nette dont a entendu parler Fernand. Pendant plusieurs années, les marins étaient membres d'un syndicat canadien très militant, affilié au CMTC, mais pas à l'AFL. Cette dernière a fait pression sur la centrale canadienne pour qu'elle expulse ce syndicat combatif dirigé par des communistes. La centrale états-unienne sommait aussi son vis-à-vis canadien d'accueillir dans ses rangs le Syndicat international des marins, formé en 1944. Après quelques mois de résistance et de vaines menaces de désaffiliations massives des unions internationales, le président du CMTC, Percy Bengough, a dû se soumettre au dictat de l'AFL. Le syndicat canadien des marins était remplacé par l'Union internationale des marins, nouvel affilié du CMTC.

Au congrès de la FPTQ, Fernand aperçoit les déléguéEs de l'Union internationale du vêtement pour dames. Son directeur canadien, Bernard Shane, est secondé par Claude Jodoin, directeur du Conseil conjoint du syndicat à Montréal. Jodoin, un colosse sympathique, est aussi président de l'important Conseil des métiers et du travail de Montréal. Ils sont accompagnés de Yvette Charpentier, une femme chaleureuse, qui parle des midinettes en les appelant ses p'tites filles. Fernand se souvient de la grève mouvementée des travailleuses du vêtement en 1937. Sa mère en parlait souvent à la maison. Le syndicat, qui avait alors subi la répression d'un Duplessis parti en croisade contre les communistes, semble aujourd'hui bien assagi.

Des délégations sont plus visibles que d'autres, notamment les syndiqués de l'avionnerie *Canadair*, membres de la Loge 712 de l'Association internationale des machinistes (AIM). Leur figure de proue est Adrien Villeneuve, dit le Renard argenté. À ses côtés, un militant fougueux semble piaffer d'impatience, le jeune Louis Laberge. Jovial et frondeur, il n'a pas la langue dans sa poche. Les gars de *Canadair* se font un titre de gloire d'avoir bouté dehors les communistes. Ces derniers, sous la direction de Bob Haddow, avec des militants comme Jean Paré, avaient pourtant fondé le syndicat pendant la guerre. Le syndicat est cependant demeuré dynamique et militant après leur départ. Fernand se rend bien compte qu'il avait tort de mettre dans le même sac tous les syndicats de métier. D'ailleurs, même si elle fait partie du CMTC et de l'AFL, l'AIM s'apparente davantage à un syndicat industriel, tant par sa composition que par sa mentalité. C'est le cas aussi de l'Union internationale des travailleurs du tabac, dirigée par un personnage effacé, quasi énigmatique, John Purdie ; certainEs prétendent que c'est un communiste. Son syndicat de type industriel, en tout cas, est souvent identifié comme le plus CIO des syndicats de l'AFL.

Fernand découvre aussi les représentants des deux syndicats de travailleurs de l'industrie des pâtes et papiers : le coloré Jean-François Laroche, surnommé Pit Laroche, et le terne Henri Lorrain. Par taquinerie et parfois avec un certain agacement, on traite les syndicalistes des pâtes et papiers d'aristocrates du mouvement syndical. Ces deux syndicats de métier – l'un organisant les opérateurs de machines à papier et l'autre l'ensemble des ouvriers et manœuvres de l'industrie – sont aussi des frères ennemis, les premiers snobant un peu les seconds, qu'ils jugent moins qualifiés. Leur sort n'en est pas moins lié et ils ont l'habitude de négocier ensemble avec les grandes papetières. Grâce à un bon rapport de force, ils réussissent traditionnellement à imposer à l'ensemble de l'industrie une convention collective modèle qui vaut à leurs membres de jouir de conditions de travail parmi les meilleures dans les entreprises manufacturières au Québec.

Madeleine Parent et Kent Rowley

En retrait, comme si ces deux personnes étaient ignorées des autres, il aperçoit Madeleine Parent[1] et Kent Rowley[2], le directeur canadien des Ouvriers unis du textile d'Amérique (OUTA). Nous sommes deux ans avant leur expulsion des OUTA et du CMTC. Parent et Rowley ont la réputation d'être des syndicalistes acharnéEs et intransigeantEs, surtout depuis la grève héroïque, sous leur direction, à Valleyfield, en 1946. Les deux syndicalistes ont aussi mené une autre grève tout aussi dure à la compagnie *Ayers* de Lachute, l'année suivante. Là aussi, Parent et Rowley ont fait face à la police brutale de Duplessis et le syndicat a même perdu son accréditation, sous prétexte que la grève était illégale.

---

1. Madeleine Parent (1918-2012) a été expulsée des OUTA avec Kent Rowley en 1952, les forçant à quitter le Québec pour l'Ontario, où les deux syndicalistes fondent la Confédération des syndicats canadiens en 1969. Madeleine Parent revient au Québec après la mort de Rowley en 1978. Elle milite notamment à la Fédération des femmes du Québec où elle s'intéresse en particulier au sort des Autochtones et des immigrantes. Retraitée en 1983, elle continue à militer pour différentes causes, participant à la Marche mondiale des femmes en 1995 et en 2000 et manifestant contre l'invasion militaire états-unienne en Irak. Elle meurt à l'âge de 93 ans, à Montréal.
2. Robert Kent Rowley (1917-1978) devient syndicaliste à dix-sept ans. Il milite contre la conscription et est emprisonné pendant deux ans (1940-1942). Il est nommé directeur canadien des Ouvriers unis du textile d'Amérique (OUTA) en 1943. En 1946, il est condamné à six mois de prison pour avoir fomenté une grève jugée illégale à Valleyfield, au Québec.

Les deux dirigeantEs ont fait de la prison à plus d'une reprise et semblent en tirer beaucoup de fierté. Plusieurs syndicalistes présents à ce congrès les rejettent ou s'en tiennent loin, parce qu'ils seraient communistes. Fernand a lu dans le *Monde ouvrier*, l'organe de la centrale, des dénonciations à peine voilées de leur action militante. D'ailleurs, lors de ce congrès, se sachant personnellement visée, Madeleine est la seule à enregistrer sa dissidence contre l'adoption d'une résolution qui condamne « les doctrines communistes » et invite les syndicats à « interdire (aux communistes) toutes les charges ou positions-clés qu'ils pourraient briguer ou obtenir[1] ». Pourtant, dans les usines, les travailleurs et les travailleuses ont beaucoup d'affection pour Madeleine et respectent Kent Rowley. Georges, l'oncle de Fernand, qui travaille toujours à la *Dominion Textile*, parle souvent de la jeune syndicaliste avec admiration.

Bien d'autres syndicats sont présents, bien d'autres militantEs que Fernand découvre et qu'il côtoiera tout au long de sa carrière syndicale.

Grève ou kidnapping ?

Un jour, Provost le convoque pour lui annoncer qu'il a besoin de lui dans l'organisation d'une grève, le lendemain matin. Fernand est étonné, il n'a pas eu vent d'une assemblée syndicale au cours de laquelle un vote de grève aurait été pris. Son patron lui explique :

— Non, non, pas besoin de ça. Le *boss* Nameroff, c'est un *tough*. Y veut pas négocier. On va lui faire comprendre : on sort son monde. Tu m'as dit que tu avais déjà fait du taxi. Tu dois connaître des chauffeurs… Organise-toi pour avoir une douzaine de chars demain matin devant la *shop*, au 2091, rue Beaudry, à la *Paramount Leather Goods*.
— Pourquoi des taxis ?
— Pour amener les gars et les filles ici, au local de grève. Tout va bien se passer, on a des poteaux[2] en dedans. Y sont prévenus. On va aussi avoir des gars pour nous aider à convaincre les autres de monter dans les taxis.
— Ça ressemble à un kidnapping…
— Non, non, c'est juste une grève[3].

Fernand, qui connaît bien le quartier, sait qu'il y a un poste de police juste au coin de la rue Dorion, à l'angle d'Ontario. Il en prévient Provost.

---

1. Rouillard, *Histoire du syndicalisme québécois, op. cit.*, p. 241-242 ; *Le Monde ouvrier*, mai-juin 1950.
2. Des personnes fiables, loyales au syndicat. On compte sur elles pour savoir ce qui se passe à l'intérieur de l'atelier ou pour y passer des mots d'ordre.
3. Ces propos sont reconstitués à partir des souvenirs de Fernand.

– T'en fait pas avec ça. Y s'ront pas là.

En effet, le conseiller municipal Provost, qui a des relations partout, est ami
avec l'officier en charge de ce détachement de l'escouade anti-subversion, le
capitaine Benoit. Il connaît bien aussi l'officier de police Boysum, surnommé
Scarface par les voyous du coin.

– Mes *chums* de la police municipale vont avoir affaire ailleurs demain
  matin.

Tout se déroule comme s'il s'agissait d'un *party*. À mesure que les
employéEs se présentent devant la manufacture, d'imposants préposés à
l'accueil les invitent à prendre place dans un taxi. Ces militants baraqués
sont en fait des membres de l'Union internationale des marins. Provost a
obtenu gracieusement leurs services par l'entremise de son ami, le controversé Hal Banks[1]. Les taxis défilent et conduisent les « grévistes » au local du
syndicat, au Carré Phillips.

En moins d'une heure, les salariéEs, surtout des femmes, envahissent
joyeusement la salle de réunion. Provost, beau parleur, leur explique sur un
ton calme qu'elles sont en grève. Devant leur émoi, leurs visages inquiets,
il les rassure :

– Vous en faites pas, ça durera pas plus que quelques heures. Le temps
  que le *boss* se remette à table, mesdemoiselles. Vous pourrez rentrer la
  tête haute, parce que c'est lui qui va plier. Et puis, si ça dure plus qu'une
  semaine, l'union va vous donner l'équivalent de votre salaire.

Fernand est responsable de la confection du *lunch*. Il revient les bras
chargés de pains, de *baloney* et de beurre d'arachide.

Or, ce qui devait être un pique-nique dure plus de cinq semaines. Provost
est vivement rabroué par Silcoff, qui dit ne pas avoir les moyens de soutenir
une telle aventure. Mais Provost tient son monde. La grève continue, malgré
l'absence de fonds de grève. Il se démène comme un diable dans l'eau bénite,
sollicitant le soutien financier des autres syndicats du Conseil des métiers et
du travail de Montréal. C'est un orateur persuasif. Les syndicats répondent
assez rapidement. Il est bientôt en mesure de verser des prestations de grève
à peu près égales au salaire régulier des ouvriers et des ouvrières. Il convoque
Fernand à son bureau.

---

1. Selon Kent Rowley, Roger Provost, Frank Hall et Bernard Shane ont servi de
   témoins à Hall Banks lors de la cérémonie au cours de laquelle il a obtenu sa
   citoyenneté canadienne au Palais de justice de Montréal, au début des années 1950.
   Dans Salutin, *Kent Rowley, op. cit.*, p. 106.

– J'ai une bonne nouvelle pour toi mon grand. J'ai trouvé assez d'argent pour payer les grévistes. Je devrais être capable de te payer, toi aussi : 25 dollars par semaine! En plus, si tu connais quelqu'un qui veut nous donner un coup de main, je pourrais le payer lui aussi.

Ça tombe bien. André Thibaudeau, qui vient de terminer ses études, n'a pas encore trouvé de travail. Lui aussi veut absolument travailler dans le milieu syndical, militer dans le mouvement ouvrier comme on dit à l'époque. Il a tôt fait de se joindre à l'équipe. Ils s'occupent d'animer la grève, d'organiser le piquetage, d'administrer la distribution des prestations, de confectionner des sandwiches et de maintenir le moral des troupes. Puis le conflit réglé, les deux se lancent dans des campagnes de syndicalisation. Ils sont alors payés le double, soit 50 dollars par semaine.

Le recrutement

Les grèves à l'Union de la sacoche, c'est exceptionnel. Le plus souvent les négociations sont courtes et courtoises. Une ou deux séances, des échanges de textes, on procède alors à la signature. C'est généralement Provost qui les mène. Fernand l'y accompagne parfois. Au début de 1951, il mène lui-même à terme une négociation à la compagnie *Vogue Bags*, sur le boulevard Saint-Laurent. Le président de la petite unité syndicale a un prénom qui fascine Fernand, Arcade! Toujours curieux de ces bizarreries, il le questionne en vain sur l'origine de son nom. Arcade Fortier, amusé, lui dit : « Je pense que mes parents ont trouvé mon nom dans l'un de leurs cauchemars… »

Le recrutement, c'est tout un apprentissage pour les jeunes syndicalistes que sont Fernand Daoust et André Thibaudeau. On se pointe à la porte des ateliers à la sortie du travail. On repère des ouvriers ou des ouvrières, qu'on prend en filature, à pied ou en tramway, et on essaie de découvrir leur adresse. On va ensuite les visiter et tenter de les convaincre de signer une carte. Dans certains ateliers de petite taille, les liens de parenté ou d'amitié avec le patron rendent l'opération délicate, sinon impossible, même lorsque les conditions d'exploitation ont produit leur lot de frustrations et d'écœurement.

Comme la rencontre a souvent lieu dans la famille, il ne suffit pas de convaincre le gars ou la fille des bienfaits du syndicalisme. Il faut parfois convertir toute la maisonnée. Pour les deux jeunes syndicalistes, il s'agit là d'un accès aux diverses conditions de vie de la classe ouvrière. Ils découvrent un environnement socioéconomique bien différent de ceux qu'ils connaissent. Plusieurs familles s'entassent dans des appartements exigus. Le délabrement et l'insalubrité de plusieurs logements du centre-ville sont révoltants. C'est un choc pour Thibaudeau qui habite une maison bourgeoise de la rue

Sherbrooke. Pour Fernand aussi, dont la mère débrouillarde et besogneuse a toujours réussi à trouver des logements modestes, mais convenables.

Le recrutement, c'est aussi une rude école où l'on développe sa capacité de persuasion. En termes simples, il faut rassurer, vaincre les peurs, combattre le fatalisme. Les gens abordés sont généralement méfiants. Ils en arrachent assez comme ça, ils ne vont pas risquer de perdre leur gagne-pain en s'embarquant dans des aventures pareilles. Les deux syndicalistes en herbe apprennent à écouter, deviennent empathiques. Ils y étaient tout disposés, eux qui parlaient avec passion du syndicalisme à l'université, qui monopolisaient les discussions de la bande depuis leur découverte du CIO et de ses nouvelles idées. Ils sont impatients de répandre cette idéologie.

Assis dans l'étroit salon enfumé d'une jeune ouvrière, sous le regard sévère sinon agressif de son père, ils doivent trouver vite des arguments. Pas question de se répandre en grandes théories. Ils savent que la patience du maître de maison risque d'être vite épuisée. Leur truc, c'est de faire parler un peu la fille de son travail à l'atelier, du climat qui y règne, des difficultés qu'elle y vit. Puis on lui dit que ça pourrait être autrement. On donne l'exemple de cette autre *shop* qu'elle connaît peut-être et on lui parle de ses droits. Sait-elle qu'il y a des lois qui la protègent? Il faut surtout éviter d'en parler en termes trop techniques. Les complexités juridiques, ça inquiète les gens.

Toutefois, ni André, ni Fernand ne sont du type vendeur. Ils sont idéalistes, passionnés et c'est leur ferveur militante, leur foi syndicale qu'ils essaient de communiquer. Tout au long de leur carrière, ils fréquenteront plusieurs de ces organisateurs nés, des personnages hauts en couleur, qui vendraient des « frigidaires aux Esquimaux ». Ils sauront que, sans ces as de la vente, beaucoup de syndicats n'auraient jamais vu le jour. Ils sont cependant un peu réticents au flot de promesses que les recruteurs lancent à tout vent. Ils savent que le réveil sera pénible lorsqu'il faudra arracher une à une les concessions patronales.

Une chasse aux sorcières acharnée

En septembre 1950, Provost invite Fernand à assister au congrès de la centrale canadienne, le CMTC. Comme ce congrès se déroule à Montréal[1], la délégation québécoise est importante. Il y croise à nouveau toute la panoplie des permanents et dirigeants qu'il avait rencontrés pour la première fois au congrès de la FPTQ. Il les identifie déjà un peu moins à une bande de « vieilles barbes ». Il apprend à les connaître. Plusieurs sont peu dynamiques et radotent inlassablement à propos de leurs gloires passées. Certains, comme les marins, ont des accointances louches. Mais il reconnaît mainte-

1. À l'hôtel Mont-Royal.

nant qu'on trouve dans ces syndicats de métier d'authentiques syndicalistes qui font un travail admirable.

Nous sommes en pleine guerre de Corée et c'est aussi le début de cette longue guerre froide qui durera quarante ans. Après la Deuxième Guerre mondiale, on a vite oublié que les Soviétiques ont été des alliés contre Hitler. Comme dans les années 1930, le communisme est dénoncé par les autorités politiques, civiles et religieuses. C'est l'incarnation d'un grand fléau menaçant. La guerre froide entraîne les syndicats, qui emboîtent le pas aux politiciens de droite, dans une sorte d'union sacrée.

Dès l'ouverture du congrès, le président, Percy Bengough, affirme avec force :

> Nous luttons contre la dictature de la Russie soviétique de Staline en Corée. Nous devons combattre ses adeptes [les communistes] ici, chez nous. Et, plus particulièrement, c'est notre devoir de les démasquer et de réduire à néant leur influence dans nos propres syndicats.

Fernand cherche des yeux Madeleine Parent et Kent Rowley dans la salle, pour voir leur réaction à ces propos. Il ne les voit pas. Se sachant rejetéEs par leurs confrères et consœurs, les deux syndicalistes ne sont pas présentEs. Le ministre fédéral du Travail, le libéral Milton Gregg, succède au président du CMTC au micro. Il en rajoute : il décrit la Corée comme une étape dans l'imposition de la dictature soviétique sur le monde.

Pour Fernand, ce congrès est un événement très impressionnant. Il y rencontre des syndicalistes de partout au Canada. Certains sont des orateurs chevronnés. D'autres parlent d'une voix tremblante des dangereux bolchéviques comme si, d'un moment à l'autre, des hordes de communistes sanguinaires allaient envahir la salle, poignard entre les dents, pour égorger les déléguéEs des syndicats libres. L'un des plus ardents anticommunistes est Frank Hall de la Fraternité des commis de chemins de fer et de navigation.

Fernand est étonné d'une telle véhémence à l'égard des communistes. Il découvre bientôt que cette chasse aux sorcières, déclenchée à la grandeur de l'Amérique du Nord, est menée avec acharnement non seulement par l'AFL et le CMTC, mais aussi par le CIO et le CCT. C'est d'ailleurs de leur côté qu'elle est la plus féroce.

Cette histoire a de vieilles racines. En sabordant sa Ligue d'unité ouvrière et ses syndicats en 1935, le Parti communiste du Canada avait donné le mot d'ordre à ses militantEs d'intégrer les syndicats nord-américains[1]. Les syndicats

---

1. C'est parce qu'elle s'inquiète de la montée du fascisme dans le monde que la Troisième internationale, l'Internationale communiste, invite ses organisations syndicales à joindre les rangs des syndicats majoritaires dans les différents pays où elle est active. Rouillard, *Histoire du syndicalisme québécois, op. cit.,* p. 236-238.

de métier, moins politisés et plus corporatistes, sont moins perméables à leur influence. On y retrouve pourtant des militantEs communistes notoires. Dans la mesure où ces militantEs font un travail syndical authentique, les dirigeants du CMTC n'ont rien à y redire. Des organisateurs comme Bob Haddow à l'Association internationale des machinistes et les « compagnons de route » du parti, Kent Rowley et Madeleine Parent chez les OUTA, occupent même des fonctions importantes dans leur syndicat. Il faut dire que ces syndicats, s'ils font partie de l'AFL, sont dans les faits des syndicats industriels, regroupant l'ensemble des ouvriers et des ouvrières d'une usine sans égard à leur métier.

Si les syndicats industriels du CIO sont plus radicaux dans leur épuration, c'est qu'ils sont davantage infiltrés, et cela jusqu'au plus haut niveau. En effet, l'action des militantEs communistes avait été déterminante dans l'essor du syndicalisme industriel. Ce qui fait dire à Jean Gérin-Lajoie, l'ancien directeur québécois des Métallos, que son syndicat « est arrivé au Québec dans les wagons du Parti communiste[1] ». Tous les grands syndicats du CIO, les travailleurs de l'automobile, du bois, de la fourrure, de l'électricité, les mineurs, etc., ont eu des dirigeants communistes à un niveau ou l'autre de leur hiérarchie, à un moment donné de leur histoire.

Pendant cette grande période de « nettoyage », des luttes internes épiques ont lieu aussi bien aux États-Unis qu'au Canada pour écarter du pouvoir les syndicalistes communistes. Si l'on ne parvient pas à les purger, les syndicats sont tout simplement expulsés. C'est ce qui est arrivé aux Ouvriers unis de l'électricité, radio et machinerie d'Amérique (OUE), mieux connue sous son sigle anglais, UE[2], à l'Union internationale des mineurs, lamineurs et fondeurs (les *Mine Mills*) et à l'Union internationale des travailleurs de la fourrure et du cuir. Entre 1948 et 1951, ils ont été tour à tour évincés par le CIO aux États-Unis et par le CCT au Canada[3].

Au Canada, comme aux États-Unis, des luttes féroces sont menées dans les syndicats. Cela a été le cas de l'OUE avant son expulsion. Ce syndicat, créé en 1936, était l'une des organisations fondatrices du CIO. Au début, son principal dirigeant, James B. Carey, un catholique progressiste, ne voyait aucun mal à travailler côte à côte avec des syndicalistes communistes. Même s'il a conservé la présidence, il leur a laissé la direction effective du syndicat lorsqu'il est devenu le secrétaire du CIO. Mais les différends entre communistes et le CIO se sont accrus et Carey a été délogé de son poste de

---

1. Jean Gérin-Lajoie, *Les Métallos, 1936-1981*, Montréal, Boréal Express, 1982, p. 24.
2. Nous utiliserons ce sigle anglais dans la suite du texte pour désigner la *United Electrical Workers*, expulsée du CIO en octobre 1949. Voir Boudreau, *Histoire de la FTQ, op. cit.*, p. 238.
3. Rouillard, *Histoire du syndicalisme québécois, op. cit.*, p. 239.

président de son syndicat. Avec ses partisanEs, il a continué sans succès de s'opposer à la ligne politique des OUE, qu'ils jugeaient imposée de l'extérieur. Aussi, il a refusé de quitter le CIO lors de l'expulsion du syndicat en 1949. C'est alors qu'il a fondé le Syndicat international des travailleurs de l'électricité, de la radio et de la machinerie (SITE)[1].

Fernand découvre plus tard dans le journal québécois du CCT, *Les Nouvelles ouvrières*[2], des propos dont la véhémence l'étonne. Il y lit des titres comme : « Dehors les communistes » et « L'UE a reçu son coup de mort. » On y relate les débats tenus au congrès de la centrale, à la fin de septembre 1950, à Winnipeg : « Le CCT, par la voix des délégués, s'est prononcé nettement contre le communisme en donnant le pouvoir à son exécutif d'expulser du Congrès toute union communiste ou à principes communistes. » Le rédacteur commente : « Les fidèles de Moscou sont destinés à rentrer sous terre les uns après les autres. Leur arrogance, leur hypocrisie [...], leur trahison de la cause ouvrière de leur pays, tout cela a fini par lasser les éléments sains du Congrès. »

Au Québec, la situation est gênante, puisque l'épuration interne des syndicats est relayée par l'ennemi principal du mouvement syndical, Duplessis. Ainsi, pendant que les représentantEs et militantEs du CCT au Québec s'opposent à la Loi du cadenas et aux autres tentatives de Duplessis de mater le mouvement syndical, le secrétaire-trésorier de la centrale, Donald Mac-Donald, ne semble pas s'en scandaliser outre mesure. Dans une lettre adressée à Jim Carey, le président du SITE, il affirme avoir appris de source confidentielle que toutes les sections de l'UE au Québec verront leurs certificats d'accréditation révoqués par la Commission des relations ouvrières de la province. Il l'invite donc à marauder[3] systématiquement l'UE, en ajoutant : « Je vous fais parvenir une liste de groupes susceptibles de tomber sous le coup de la décision envisagée par la Commission[4]. »

Toutes les organisations expulsées finiront par réintéger les structures syndicales officielles à la faveur de fusions. Le Syndicat des travailleurs de la fourrure est le premier à le faire en joignant les rangs des *Meat Cutters* (AFL) dès 1952, avant que ce syndicat ne fusionne avec celui des travailleurs unis des salaisons et denrées alimentaires en 1968. L'année précédente, en 1967, l'Union internationale des mineurs fusionne avec le Syndicat des métallos.

1. Terry Copp, *Le SITE au Canada. Historique*, Elora (Ontario), Comnock Press,1980, p. 13-22.
2. *Les Nouvelles ouvrières*, octobre 1950.
3. Vieux terme français désignant le vol de produits maraîchers. Par analogie, en milieu syndical au Québec, ce terme signifie tenter de recruter les membres d'un autre syndicat.
4. Lettre de Macdonald à Carey, 24 janvier 1952, reproduite dans Copp, *op. cit.*, p. 44.

Les Ouvriers unis de l'électricité sont réadmis au CTC en 1970 et fusionnent avec les Travailleurs canadiens de l'automobile (TCA) en 1992. Ils sont alors imités par les sections locales de l'Union internationale des mineurs, qui n'ont pas suivi leur organisation chez les Métallos.

Cette chasse aux sorcières syndicale étonne beaucoup Fernand. Dans les années 1930, seuls les employeurs et les gouvernements réactionnaires discréditaient les syndicalistes en les traitant de communistes. Après la guerre, les choses sont différentes. Une vaste opération de nettoyage est menée à l'intérieur même du mouvement syndical. Fernand se demande comment on en est venu là. Pendant ses études, il a raffermi ses convictions sociales-démocrates. En même temps, il a développé une certaine admiration pour la société soviétique qui se développait en faisant contrepoids au capitalisme mondial.

Pourquoi un rejet si brutal des militantEs syndicalistes soupçonnéEs de communisme? Il constate évidemment que le climat général de la guerre froide et la psychose entretenue dans le monde occidental y sont pour beaucoup. Le communisme gagne effectivement du terrain. Il vient de prendre le pouvoir en Chine. Il y a la guerre de Corée. L'Union soviétique consolide son pouvoir en Europe de l'Est. À divers degrés, l'URSS soutient des mouvements de libération à l'œuvre en Afrique, en Amérique latine et en Asie.

Après la guerre, les syndicats aux États-Unis s'alignent sur les positions de leur gouvernement en matière de politique étrangère. L'AFL et le CIO appuient le plan Marshall[1]. Au Canada, le CMTC et le CCT font de même. Ils approuvent l'adhésion du Canada à l'Organisation du traité de l'Atlantique nord (OTAN) et l'intervention en Corée. Les communistes qui s'y opposent sont misES en minorité et expulséEs. D'autres militantEs non alignéEs sur Moscou expriment leur refus de ce qui est jugé une politique impérialiste américaine.

Prétextes et causes profondes

À l'époque, plusieurs syndicalistes rendent responsables les militantEs communistes de cette épuration. On les accuse d'avoir subordonné l'action syndicale à leur allégeance communiste. Des querelles sur cette question ont aussi lieu en Europe à la même époque. Elles mènent à l'éclatement

---

1. Plan d'aide économique des États-Unis à l'Europe, proposé en 1948 par le général Georges Marshall, secrétaire d'État. En versant 16 milliards de dollars pour la reconstruction des pays dévastés par la guerre, les États-Uniens veulent surtout reconstruire des marchés pour les produits *made in USA*. Les syndicalistes communistes et progressistes voient là une stratégie de lutte dirigée contre la propagation du socialisme en Europe. D'ailleurs, cette aide est de plus en plus canalisée vers les dépenses militaires qui assurent l'hégémonie des États-Unis sur les pays aidés. Voir Howard Zinn, *Une histoire populaire des États-Unis,* Montréal, Lux, 2002, p. 497.

de la grande centrale syndicale unitaire, la Fédération syndicale mondiale (FSM) et à la création de la Confédération internationale des syndicats libres (CISL)[1].

Il faut aussi ajouter une autre explication à l'agressivité anticommuniste à l'intérieur du mouvement, surtout au Canada anglais : c'est celle de la lutte entre les syndicalistes sociaux-démocrates de la CCF et les syndicalistes membres ou sympathisantEs du Parti ouvrier progressiste (communiste). À partir de 1941[2], conformément aux directives staliniennes, non seulement le Parti appuie-t-il l'effort de guerre canadien, mais s'oppose en outre aux grèves qui pourraient nuire à la production de guerre ; il soutient aussi les libéraux de Mackenzie King lors des élections fédérales.

Comme dans toute grande crise et tout grand affrontement de tendances, il est difficile de distinguer les prétextes des causes profondes. La combativité des militantEs communistes n'est-elle pas souvent plus dérangeante que leur étiquette politique ? Kent Rowley, déchu de son poste de directeur des Ouvriers unis du textile d'Amérique et expulsé en 1952 de son syndicat avec Madeleine Parent, dirige au même moment une grève très dure contre la *Dominion Textile* à Montréal et à Valleyfield. Malgré les pressions de la direction états-unienne du syndicat, il refuse de signer une convention collective qu'il considère comme une capitulation. Après coup, il soutient : « Si j'avais signé le document, évidemment que nous n'aurions pas été communistes[3]. »

Outre le radicalisme des militantEs communistes jugé gênant par un mouvement syndical qui se voulait pragmatique et modéré, Rowley donne une troisième explication à cette épuration : la mainmise des directions syndicales états-uniennes sur le mouvement syndical canadien. Il est notoire, par exemple, que l'expulsion des marins canadiens, en 1948, a été vécue de façon pénible par la direction du CMTC. Ce dernier voyait son autonomie bafouée par la maison-mère américaine. La direction de la centrale canadienne ne s'est ralliée à cette expulsion et à l'arrivée de la bande de

---

1. La FSM avait été créée en octobre 1945 et regroupait les syndicats communistes, jusque-là membres de l'Internationale syndicale rouge, fondée en 1921, et les syndicats réformistes regroupés dans la Fédération syndicale internationale, fondée en 1919. Cette grande unité syndicale internationale allait vite éclater. Dans le contexte de la guerre froide, la Confédération internationale des syndicats libres (CISL) est créée en 1949 à la suite d'une scission de la FSM. L'AFL et le CIO aux États-Unis, le CMTC et le CCT au Canada en sont des organisations fondatrices, aux côtés de la DGB (*Deutscher Gewerkschaftsbund* – Confédération allemande des syndicats), du TUC (*Trades Union Congress*) britannique et de Force ouvrière (FO) de France.
2. À cause de l'invasion nazie de l'URSS (rupture du Pacte Hitler-Staline), l'Union soviétique entre en guerre contre l'Allemagne et se rallie aux Alliés.
3. Salutin, *Kent Rowley, une vie pour le mouvement ouvrier, op. cit.*, p. 111.

Hal Banks qu'après avoir été menacée d'une désaffiliation massive de certaines unions internationales. Lorsque Robert Haddow et trois de ses camarades sont expulsés de leur syndicat en 1946, tout comme le sont Parent et Rowley en 1952, c'est à la suite de décisions de leur union internationale respective et non par la volonté du CMTC.

En 1950, cependant, lorsque Fernand participe au congrès du CMTC, il n'y a plus beaucoup de traces de tiédeur à l'égard de la chasse aux sorcières. Même si le mouvement est parti des États-Unis, il s'est bien canadianisé. On semble même s'y adonner avec ferveur. Et certains, comme Roger Provost, en profitent personnellement : à la suite de la purge, il est nommé directeur des OUTA par la direction états-unienne du syndicat.

Chapitre 8

Au service des « unions » industrielles (1951)

À LA FIN de l'année 1950, quelques mois après son arrivée au Syndicat de la sacoche, l'alter ego de Fernand, André Thibaudeau, décroche un emploi au Congrès canadien du travail (CCT), l'organisme qui regroupe tous les syndicats industriels du CIO sur le territoire canadien. On y trouve aussi quelques syndicats exclusivement canadiens dont la Fraternité canadienne des cheminots et des sections locales indépendantes directement affiliées au CCT, qui sont communément appelés les « locaux chartrés[1] ».

Fernand confie fréquemment à André Thibaudeau son souhait de faire, lui aussi, le saut dans les unions industrielles. C'est faute de mieux qu'il a accepté de faire ses premières armes à l'Union de la sacoche. Thibaudeau parle régulièrement de lui au directeur québécois du CCT, Philippe Vaillancourt. En avril 1951, il convoque Fernand en entrevue. Le siège québécois de la centrale canadienne est situé dans l'immeuble de l'*Amalgamated Clothing*[2] sur la rue Clark, à l'angle de la rue De Montigny (aujourd'hui De Maisonneuve).

Tout feu tout flamme, Fernand rapplique au bureau de Vaillancourt. Il découvre un homme de taille moyenne, maigre et à l'allure austère. Au premier abord, Fernand est intimidé par la distance que semble imposer le personnage. Il reprend vite son aplomb lorsque le directeur québécois commence à lui poser des questions. Vaillancourt l'interroge sur ses expériences

1. Sans aucune attache avec le CIO ou avec un syndicat canadien, ces syndicats locaux existent en vertu d'une charte que leur décerne le CCT. D'où leur appellation usuelle de locaux chartrés. Au début des années 1950, il existe déjà quelques dizaines de ces sections locales au Québec, malgré le fait que les statuts du CCT prévoient que leurs membres doivent être transférés à des unions internationales œuvrant dans leur secteur d'activité spécifique.
2. Travailleurs amalgamés du vêtement d'Amérique, syndicat dont Éva, la mère de Fernand, a fait partie lorsqu'elle travaillait dans des ateliers de couture.

de travail, ses études, sa connaissance du mouvement syndical. Fernand répond à toutes les questions avec empressement et à mesure qu'il précise ses motivations, il se surprend à adopter un ton passionné. Il affirme sans détour qu'il croit que l'avenir du mouvement syndical est lié au développement des unions industrielles. Il dit toute son admiration pour l'action de ces dernières en Amérique du Nord. L'enthousiasme du jeune syndicaliste convainc vite Vaillancourt de la valeur de sa candidature. Il lui annonce sur-le-champ qu'il recommande son embauche aux dirigeants canadiens du CCT. C'est ce qu'il fait le 20 avril, dans une lettre adressée au secrétaire-trésorier Pat Conroy. Il y affirme que Fernand démissionnera de son emploi à l'Union de la sacoche le 1ᵉʳ mai : « Il a la compétence qu'il faut pour nous aider à donner du bon service aux employés de *Canadian General Electric* et participer à la campagne d'organisation que nous allons entreprendre en mai à l'usine de la *Consumers Glass*[1]. »

Fernand revient triomphant au bureau de Provost à qui il explique son intérêt pour cet emploi. Surtout qu'il y recevra un salaire décent que l'Union de la sacoche ne peut pas lui payer. Provost en convient et, s'il n'est pas très heureux de sa décision, il ne fait pas grand-chose pour le retenir. De toute façon, lui-même n'a probablement pas l'intention de moisir longtemps à la tête de ce minuscule syndicat. Il vient de se voir confier par intérim la présidence de la FPTQ, au moment du départ de Marcel Francq pour la Commission des relations ouvrières. Il est confirmé dans ces fonctions au congrès qui a lieu quelques semaines plus tard, en juin 1951.

Libraire, animateur, intellectuel

Fernand se lie très vite d'amitié avec Philippe Vaillancourt et ceux qui l'entourent. Il apprend que son nouveau patron est originaire de Québec, où il a fait un début d'études classiques puis a suivi des cours du soir avec le père Georges-Henri Lévesque[2]. C'est un intellectuel à la plume acérée, qui a été pamphlétaire sous le pseudonyme de Babylas. Pendant la crise, il est propriétaire d'une librairie vite devenue un lieu de rencontre de jeunes intellectuels passionnés par la politique et les questions sociales. Jacques Chaloult[3], son cousin Pierre Chaloult[4], Roger Lemelin[5] et Jean-

1. Lettre de Philippe Vaillancourt à Patrick Conroy, 20 avril 1951, fonds d'archives du CTC, Archives nationales du Canada, Ottawa.
2. Comby, *Philippe Vailancourt, militant syndical et politique, op. cit.*, p. 12.
3. Jeune avocat, cousin du député nationaliste René Chaloult, l'un des fondateurs de l'Action libérale nationale et, plus tard, du Bloc populaire.
4. Journaliste québécois décédé le 10 août 2000.
5. Roger Lemelin (1919-1992) sera un écrivain québécois célèbre, publiant *Aux pieds de la pente douce* (1944) et *Les Plouffe* (1948) ; ce roman devient un radio-roman, puis un téléroman dans les années 1950, l'un des premiers grands succès d'auditoire

Louis Gagnon[1] fréquentent cette librairie. Avec Gagnon et Pierre Cha-loult, Vaillancourt fonde la revue littéraire *Vivre* en 1934. Il milite aussi un temps au sein de l'Union nationale ouvrière, un groupe de défense des chômeurs et des chômeuses, puis fonde à Québec une section des Jeunes-ses patriotes.

Un jour s'amène à la librairie de Vaillancourt un jeune homme au teint sanguin et à la voix forte. C'est Jean-Marie Bédard[2]. Son père, qui est agro-nome, possède une ferme au Lac-Saint-Jean, dont le jeune homme est plus ou moins l'intendant. Il prend ce travail à cœur mais, passionné de lecture, il s'évade à Québec dès qu'il en a l'occasion et vient y faire main basse sur des dizaines de volumes à la librairie de Vaillancourt. Bédard, qui se réclame du trotskisme, discute avec emportement du système économique. Un jour qu'il fait état de son goût pour l'écriture, Gagnon et Vaillancourt l'invitent à collaborer à la rédaction de la revue *Vivre*.

En 1940, Philippe Vaillancourt épouse Marguerite Gagnon, la cousine de Jean-Louis Gagnon. Il abandonne ses activités peu lucratives de libraire et, au cours des deux années qui suivent, il travaille comme journalier à la construction du barrage hydroélectrique de la compagnie *Alcan* à Shipshaw au Saguenay[3]. La librairie fermée, ceux qui la fréquentaient continuent de se voir. C'est Jean-Louis Gagnon qui fait engager Jean-Marie Bédard comme journaliste au quotidien *Le Soleil*, en 1942.

Vaillancourt ne rompt pas les liens avec ses amis intellectuels. De retour à Québec, il épouse l'idéal socialiste et fonde en 1943, avec Roger Lemelin, le premier club de la CCF dans la vieille capitale. Y militent également Jean-Marie Bédard, Jacques Chaloult et Charles Devlin[4]. Il est

de l'histoire de la télévision québécoise. Lemelin sera aussi éditeur et éditorialiste du quotidien *La Presse* de 1972 à 1981.
1. Jean-Louis Gagnon (1913-2004) est rédacteur en chef au quotidien *La Presse* (1958-1961), avant de mettre sur pied le *Nouveau Journal* dont l'existence est de courte durée.
2. Jean-Marie Bédard (1916-1985). Journaliste à *L'Événement*, puis au *Soleil* en 1941-1942, il devient le rédacteur du journal Congrès canadien du travail (CCT) en 1943. Il participe également aux campagnes de recrutement du CCT, notamment aux chantiers de la *Davie Shipbuilding* de Lauzon. Il devient directeur régional du CCT en 1947, mais quitte ce poste dès 1948 pour rejoindre le Syndicat internatio-nal des travailleurs du bois d'Amérique (SITBA), dont il deviendra en 1974 le pré-sident de la région 2 Est du Canada. Il participe en 1963 à la fondation du Parti socialiste du Québec (PSQ), dont il devient le président de 1966 jusqu'à sa dissolu-tion en 1968.
3. Comby, *op. cit.*, p. 23-24.
4. *Ibid.*, p. 28.
Charles Devlin (1923-2003) avait une formation d'avocat spécialisé en droit du travail. À la fin des années 1940, il est devenu représentant syndical au CCT, puis directeur québécois du Syndicat des travailleurs unis du verre et de la céramique, un

même candidat du parti lors des élections provinciales de 1944. Avec ses camarades, Vaillancourt délaisse bientôt ce parti, déçu de le voir défendre la conscription après l'avoir combattue[1].

Bédard et Vaillancourt au CCT

Au journal *Le Soleil*, Bédard fait la connaissance de l'organisateur du CCT au Québec, Paul-Émile Marquette. Fréquemment, Marquette lui demande de publier des informations pour mousser ses campagnes de syndicalisation dans la vieille capitale. Le nombre d'adhérentEs du CCT augmentant rapidement, il propose à Jean-Marie de lui donner un coup de main dans le recrutement, en plus de rédiger un journal syndical périodique, *Les Nouvelles ouvrières*.

Ville plus traditionaliste que Montréal, Québec est un fief des syndicats catholiques. On s'y méfie des syndicats dits neutres que sont les unions internationales. Même si le CCT y fait des percées, c'est surtout à Montréal qu'il progresse le plus rapidement. Jean-Marie s'y installe donc en 1943 et participe avec Marquette et Léo Lebrun à l'organisation du syndicat des cols bleus de la Ville de Montréal, qui devient la section locale 1 de la Fraternité canadienne des employés municipaux[2].

En 1946, Bédard convainc Marquette d'embaucher son ami Vaillancourt au CCT.

Parce qu'il n'a pas envie de céder les locaux chartrés aux unions du CIO comme le prévoient les statuts, Marquette se querelle avec le CCT. Il démissionne en 1947 et essaie, sans grand succès, d'entraîner avec lui les affiliés québécois du CCT dans un syndicat indépendant, l'Association ouvrière canadienne[3].

---

syndicat affilié à la FTQ. En 1970, il a été nommé commissaire-enquêteur au ministère du Travail du Québec où il a œuvré jusqu'en 1995. Il a également enseigné à l'École des hautes études commerciales. Charles Devlin est décédé le 22 février des suites de ses blessures, après avoir été agressé à l'entrée de la station de métro Villa-Maria à Montréal. Il avait tenté de s'interposer auprès d'un jeune homme qui insultait des gens.

1. *Ibid.*, p. 30.
2. Il s'agissait d'un local chartré, directement affilié au CCT, malgré le lien théorique de la section locale 1 à une Fédération. On crée ainsi sur papier des fédérations devant éventuellement rassembler les sections locales d'un même secteur d'activité, mais ces fédérations n'ont jamais eu d'existence réelle. La section locale 1 est l'ancêtre direct de la section locale 301 du SCFP, qui regroupe encore aujourd'hui les cols bleus de la Ville de Montréal auxquels se sont ajoutés ceux des villes de l'île regroupées par la fusion municipale de 2002.
3. Il y entraîne les chauffeurs d'autobus de Montréal et des travailleurs de l'amiante. Son organisation vivote jusqu'en 1956, alors qu'il affilie ses 3 000 ou 4 000 membres aux Mineurs unis d'Amérique. Voir Rouillard, *Histoire du syndicalisme québécois, op. cit.*, p. 211-213 ; Boudreau, *Histoire de la FTQ, op. cit.*, p. 130-131.

Jean-Marie Bédard devient alors directeur québécois du CCT et membre du bureau exécutif canadien. Pas pour très longtemps, puisqu'il démissionne à son tour l'année suivante, marquant ainsi son désaccord avec l'appui de la centrale au Plan Marshall. Il passe alors au Syndicat international des travailleurs du bois d'Amérique (SITBA), où il retrouve des syndicalistes qui partagent son allégeance politique. Il est remplacé à la direction québécoise du CCT par Philippe Vaillancourt.

Des collègues issus de familles illustres

En intégrant la petite équipe de représentants permanents, Fernand apprend à connaître Vaillancourt. Il constate qu'il est tout sauf populiste. Il vouvoie la plupart de ses connaissances. Il a un discours articulé et convaincant, mais ce n'est pas un orateur flamboyant. C'est un homme renseigné et réfléchi, qui influencera de façon durable la pensée syndicale de Fernand.

Devenu directeur, Vaillancourt a attiré au bureau de Montréal ses deux amis avocats de la vieille capitale, Jacques Chaloult et Charles Devlin. Les liens et antécédents familiaux de ces deux nouveaux collègues éveillent rapidement la curiosité de Fernand. Il est impressionné par le lien de parenté de Jacques Chaloult avec le célèbre René Chaloult. Fernand se souvient entre autres du discours enflammé que ce dernier a prononcé au marché Saint-Jacques en 1942, discours qui lui a valu un procès. On l'a accusé en vertu des Règlements concernant la défense du Canada[1] d'avoir tenu des propos méprisants à l'égard de l'unité canadienne. Fernand a assisté avec passion et amusement à ce procès à l'issue duquel René Chaloult a été acquitté[2]. C'est à cet homme politique, qui a été député indépendant jusqu'en 1948, que l'on doit le drapeau du Québec.

Pour le jeune Fernand, encore profondément marqué par ses premières années de militantisme, tout cela confère à Jacques Chaloult, un ardent nationaliste, un capital de sympathie spontané. Petit, nerveux, la voix un peu haut perchée, Jacques Chaloult est un travailleur discipliné et dévoué. Un jour, en négociation à l'extérieur, Fernand appelle au bureau. Chaloult répond au téléphone dans le corridor. Après quelques secondes de conversation, Fernand, interpellé par un collègue, demande à Chaloult de demeurer en ligne quelques minutes. Le jeune négociateur oublie Chaloult qui passe plus d'une heure à attendre au bout du fil. Cela vaut à Fernand d'encourir une sainte colère de la part de son confrère à son retour au bureau.

---

1. Les Règlements concernant la défense du Canada élargissaient encore les pouvoirs conférés au gouvernement en vertu de la Loi des mesures de guerre, ce qui signifie que le pays était essentiellement dirigé par le Comité de guerre du cabinet ministériel pendant toute la durée de la Deuxième Guerre mondiale.
2. Laurendeau, *La crise de la conscription, op. cit.*, p. 131-135.

Méticuleux, Jacques Chaloult tape lui-même son courrier, ses plaidoiries d'arbitrage, ses conventions collectives. Il a aussi l'habitude d'aller remettre en main propre son courrier à ses destinataires. Plus tard, des mauvaises langues prétendront que c'était pour toucher des allocations pour le kilométrage effectué en voiture. Fernand croît plutôt que c'est par un souci quasi maniaque du travail accompli. Il révèle un jour à Fernand que, même en vacances, il note chaque matin le millage accompli la veille et l'essence consommée. Prévoyant, il ne se déplace jamais sans avoir en poche un billet de cent dollars. Toutes ces manies alimentent les taquineries de ses confrères. Cet homme quelque peu sévère n'a rien du gai luron. Il s'esquive rapidement lorsque ses collègues veulent l'entraîner à la taverne. Il n'en est pas moins un anticlérical notoire, qui voue à Duplessis une haine viscérale. Ses collègues l'affectionnent malgré ses sautes d'humeur. Tous reconnaissent son intégrité. Ils savent qu'en venant travailler dans le mouvement syndical cet avocat a renoncé à une lucrative pratique privée.

Charles Devlin est physiquement l'antithèse de Chaloult. Grand, robuste et bon vivant, mais nerveux, impulsif, voire colérique. Il en impose tout autant par sa stature que par sa compétence. Lui aussi est issu d'une famille qui impressionne Fernand. Irlandais d'origine, fils d'un avocat de Québec, son arrière-grand-père était arrivé au Canada à la suite de la grande famine qui a frappé l'Irlande en 1847-1848[1]. Fernand est fasciné par les histoires de familles atypiques. Le passé de ses propres ancêtres paternels est une fable fascinante, mais floue. Tandis que les antécédents de son nouveau compagnon de travail font partie de l'histoire officielle. Curieux, il le questionne. Il apprend que le grand-père paternel de son collègue, Charles Ramsay Devlin, ami d'Henri Bourassa, a été député libéral à la Chambre des communes en 1891, avant d'être nommé Commissaire du Canada en Irlande. Pendant son séjour dans ce territoire britannique, il renoue vite avec ses origines et se fait même élire député à Londres. De retour au Canada, il redevient député à Ottawa, puis à Québec, où il sera ministre de la Colonisation, des Mines et des Pêcheries dans le gouvernement libéral de Lomer Gouin, de 1907 jusqu'à sa mort en 1914.

Avocat et fils d'avocat, Charles n'a pas pratiqué le droit avant d'intégrer le mouvement syndical, mais on apprécie sa maîtrise des sciences juridiques. On le consulte fréquemment lors de la préparation de griefs en arbitrage. De père irlandais et de mère francophone, il maîtrise aussi bien l'anglais que le français. C'est à lui que Fernand et André Thibaudeau demandent de réviser les textes des conventions collectives souvent négociées en anglais.

---

1. Craig Brown, *Histoire générale du Canada*, Montréal, Boréal, 1988 p. 351.

Un autre permanent, Armand Tremblay, arrive un peu plus tard dans l'équipe. C'est un travailleur de la base, membre du Syndicat des chauffeurs de tramways, qui a gravi les échelons dans sa section locale avant d'en être libéré à plein temps. C'est le seul ouvrier du groupe. André Thibaudeau et Fernand, deux jeunes fraîchement sortis de l'École des relations industrielles, qui rejoignent l'intellectuel Vaillancourt et les avocats Devlin et Chaloult, confortent l'étiquette, dont est déjà affublée l'équipe, de petit groupe d'intellectuels autonomistes de gauche.

Vaillancourt et son équipe

Comme cette centrale des unions industrielles n'a toujours pas une fédération québécoise, c'est de son bureau de Montréal que s'effectue la coordination provinciale entre les syndicats nord-américains, canadiens et les sections locales directement affiliées. Le plus souvent, le directeur québécois est le porte-parole des affiliés auprès du gouvernement du Québec et des autres pouvoirs publics de la province. De son côté, l'équipe du CCT donne à l'occasion un coup de main aux syndicats affiliés dans leurs campagnes de recrutement. Toutefois, les principales tâches de l'équipe de Vaillancourt consistent à recruter des membres, qu'ils regroupent dans des sections locales directement affiliées à la centrale, les locaux chartrés. Ils négocient leurs conventions collectives et leur fournissent les services courants[1].

Lorsqu'elle n'est pas mobilisée au service de ces sections locales, l'équipe de Vaillancourt fait de la formation syndicale. Celle-ci s'adresse aux militantEs et aux dirigeantEs des sections locales des unions industrielles et aux locaux chartrés. En effet, à cette époque, aucune des unions du CIO ne dispose d'un service d'éducation syndicale au Québec. Les seuls services existants œuvrent ailleurs au Canada et sont le plus souvent unilingues anglais.

L'équipe du CCT quitte les locaux de l'*Amalgamated* pour déménager au cinquième étage du 506 de la rue Sainte-Catherine Est, porte voisine du magasin de musique *Archambault*[2]. Un bureau un peu exigu que partagent les permanents, qui doivent téléphoner dans le corridor, où est placé l'unique

---

1. Dans chacune des unions industrielles nord-américaines ou canadiennes affiliées au CCT, les mêmes services aux membres sont prodigués par des représentantEs permanentEs salariéEs de ces unions.

2. Fondé par Edmond Archambault, en 1896, le magasin *Archambault* se spécialise d'abord dans la vente de partitions de musique puis d'instruments de musique. Installé d'abord au coin des rues Saint-Denis et Sainte-Catherine, le magasin déménage en 1930 sur son site actuel, au coin des rues Berri et Saint-Catherine. Cet immeuble de sept étages était baptisé « la maison de l'avenir » par son propriétaire. C'est à partir des années 1980 que la compagnie prend de l'expansion et ouvre de nouveaux magasins. Elle est acquise par *Québecor Media* en 1995.

téléphone du bureau prévu à leur usage. La secrétaire, madame Thibeau, qui fait office de réceptionniste, a aussi le sien.

Au sein de l'équipe québécoise du CCT, on discute abondamment de politique. Tous ceux qui entourent Philippe Vaillancourt se réclament avec fierté du socialisme. D'ailleurs, le directeur québécois a l'habitude de dire qu'un vrai syndicaliste est nécessairement un homme de gauche. Pour lui, il s'agit là d'une condition d'emploi. Intransigeant, il identifie les syndicalistes apolitiques à des ignorants, sinon à des traîtres. Vaillancourt, s'il aime rire avec ceux qu'il respecte, peut être cassant et sarcastique avec ceux qu'il méprise. S'il aime participer à des conversations bien arrosées, entouré de ses disciples, il préfère les discussions politiques et philosophiques aux rigolades grossières. Lorsque l'alcool le met en voix, il entonne *L'Internationale* plutôt que *Chevaliers de la Table ronde*.

Tous se retrouvent fréquemment au bureau le samedi et le dimanche matin. Histoire de mettre à jour la correspondance, de compléter la rédaction de projets de conventions collectives ou simplement d'échanger entre collègues sur les dossiers de l'heure. Dans cette équipe et auprès de nouveaux compagnons syndicalistes qu'il croise, Fernand vit une période intense de formation politique et d'engagement militant.

Syndicats et têtes d'affiche du CIO au Québec

Comme le CMTC, le CCT est une centrale décentralisée. Elle regroupe surtout les unions du CIO, mais aussi quelques syndicats canadiens, comme la Fraternité canadienne des cheminots. Tous ces syndicats, aussi bien nord-américains que canadiens, jouissent d'une totale autonomie et ont leurs propres conseillers permanents. L'équipe du CCT est minuscule comparée au personnel de ces syndicats affiliés.

À l'arrivée de Fernand, le CCT n'a que dix ans d'existence. Minoritaire par rapport aux syndicats de métier du CMTC et même par rapport à la CTCC au Québec, cette famille syndicale a tout de même le vent dans les voiles depuis la guerre. Le mode de syndicalisation des unions industrielles est mieux adapté au développement rapide de l'industrie manufacturière. Au Québec, le CCT compte deux conseils locaux : le Conseil du travail de Montréal et celui de Saint-Jean[1]. Dans la métropole, le Conseil est présidé par Romuald Doc Lamoureux, l'organisateur des Métallos.

Les Métallos

Créé en mai 1942, le syndicat des Métallos[2] a du mal à s'implanter durablement au Québec tant que la Loi des relations ouvrières n'est pas adop-

---

1. Ville jumelle d'Iberville, sur le Richelieu, en Montérégie.
2. Voir Jean Gérin-Lajoie, *Les Métallos, 1936-1981,* Montréal, Boréal Express, 1982.

tée. Or, lorsque Fernand arrive au CCT, ce syndicat est en plein essor. D'autant que le CIO vient de lui remettre la responsabilité de recruter les mineurs, après l'expulsion de l'Union internationale des mineurs, les *Mine Mills*, lors des purges anticommunistes. Déjà, c'est numériquement le plus grand syndicat industriel au Québec. Il regroupe la majorité des travailleurs de l'industrie sidérurgique. Il est implanté chez *Dosco, Dominion Bridge, Stelco, Crane, Singer* à Saint-Jean et *Abex* à Joliette. À la suite de dures luttes, notamment contre la *Noranda Mines* dans le Nord-Ouest, en 1953, il réussit à s'imposer dans l'industrie minière, où peu de syndicats ont survécu jusqu'à maintenant.

Romuald Doc Lamoureux, que Fernand avait connu pendant ses études à l'Université de Montréal, est à l'emploi de ce syndicat. Lamoureux occupe souvent l'avant-scène du monde syndical. Tous les confrères de Doc lui reconnaissent le mérite d'avoir largement contribué à l'implantation des syndicats du CIO au Québec. Comme si cela lui revenait de droit, c'est tout naturellement qu'on l'élit tour à tour président du Conseil du travail de Montréal et président de la Fédération des unions industrielles du Québec.

Bon vivant, comique, il est reconnu pour ses coups de bedaine aux *scabs* et aux agents de sécurité sur les lignes de piquetage. Son sobriquet de Doc lui vient de son passage dans la marine. Démobilisé pendant la crise et pouvant difficilement se payer des vêtements neufs, il porte son pantalon blanc de marin. Inspirés par ce curieux accoutrement à l'allure d'infirmier ou de docteur, des copains le surnomment Doc.

Aux yeux de Fernand, ce gars sympathique n'est cependant pas un visionnaire stimulant. Au moment de la fusion entre la FPTQ et la FUIQ, personne ne tente de le retenir lorsqu'il tire sa révérence pour aller terminer sa carrière en Ontario, comme directeur canadien du Service de santé et de sécurité des Métallos.

Membre également du syndicat des Métallos, Émile Boudreau[1] est une autre tête d'affiche de la famille CCT-CIO. C'est un mineur de petite taille,

---

1. Émile Boudreau (1942-2006). D'abord bûcheron et colon en Abitibi, il travaille ensuite comme mineur à *Normétal*. Il est alors élu secrétaire de l'Association des employés en 1944. En 1950, cette association adhère au Syndicat des métallos. Émile Boudreau devient alors président de la section locale. À partir de 1953, il participe à la syndicalisation des mineurs de Murdochville et devient permanent du syndicat. Il sera nommé adjoint du directeur dans les années soixante. Militant puis président du Parti social-démocratique (PSD) de 1957 à 1959, il est l'un des fondateurs du Parti socialiste du Québec (PSQ) en 1964. En 1968, il participe à la fondation du Parti québécois duquel il démissionne en 1973 à la suite du refus du parti de permettre l'adhésion de syndicats. En 1970, il est candidat du Front d'action politique (FRAP) aux élections municipales de Montréal. De 1977 à 1983, il organise et dirige le Service de santé-sécurité au travail de la FTQ. Il est l'un des principaux inspirateurs de la Loi québécoise de la santé et de la sécurité au travail. Il prend sa retraite en

qui est déterminé, fait d'un seul bloc. Fernand a tôt fait de le connaître et de l'apprécier. C'est un autodidacte qui se distingue déjà par son ironie parfois assassine. Habituellement de bonne humeur, il prend cependant parfois la mouche. C'est un ancien créditiste[1] converti au socialisme. Homme droit aux principes clairs, il ne tolère pas l'hypocrisie et les magouilles. Il peut devenir hargneux et vindicatif à l'endroit de ceux qui en sont coupables à ses yeux. Il a intégré les Métallos en entraînant avec lui les 450 mineurs de Normétal, jusque-là membres d'une association indépendante, qu'il avait lui-même organisée. À ceux qui s'en étonnent, il répond d'un ton menaçant : « Une union indépendante, mais pas une union de compagnie![2] »

Il a tôt fait d'être embauché comme permanent par les Métallos. Lorsqu'il arrive à Montréal, il sort d'une campagne de recrutement à Malartic et à Val-d'Or. Il y a organisé les deux mines en deux mois. Il s'apprête à partir recruter sur la Côte-Nord avec Jos Rankin, une pièce d'homme venu des mines du Cap Breton. Émile explique pourquoi il doit l'accompagner : « Y'a toute pour être convaincant, sauf la parole. Y dit pas un mot de français. Ça, moi, j'm'en charge! »

À la même époque, arrive aussi au Syndicat des métallos, une personne qui va en marquer l'histoire, Jean Gérin-Lajoie[3]. Fernand l'a connu alors qu'étudiants, son ami André Thibaudeau et lui ont fait la cuisine au camp Laquémac[4]. Il y a aussi rencontré Gisèle Bergeron, qui deviendra la rédac-

---

1982. En 1985, il reprend le travail de Léo Roback chargé par la FTQ d'écrire l'histoire de la centrale. L'ouvrage, édité par la FTQ, *L'histoire de la FTQ, des tout débuts jusqu'en 1965*, paraît en 1988. Pour plus de détails sur les premières années de sa vie, voir son autobiographie : Émile Boudreau, *Un enfant de la grande dépression*, Outremont, Lanctôt Éditeur, 1998.

1. Adepte du Crédit social.
2. On qualifiait d'union de compagnie les syndicats dominés par l'employeur; on les nommait aussi syndicats de boutique ou syndicats jaunes.
3. Jean Gérin-Lajoie est né en 1928 à Montréal. Après des études à l'Université de Saint-Louis, au Missouri, à dix-neuf ans, il s'engage dans l'action syndicale, à Valleyfield. Il étudie à l'Université d'Oxford en tant que boursier Rhodes de 1948 à 1950 et obtient un doctorat en économie de l'Université McGill en 1953. En 1953, il devient représentant du Syndicat des métallos et puis directeur québécois, élu au suffrage universel, de 1965 à 1981. Il sera vice-président de la Fédération des travailleurs du Québec, de 1959 à 1981. En 1984, il est nommé par le gouvernement québécois à la Commission consultative sur la réforme du *Code du travail*. De 1984 à 1991, il a enseigné à l'École des Hautes études commerciales.
4. Le camp Laquémac a été organisé en 1945 par les services d'éducation permanente du Collège Macdonald et de l'Université Laval. Durant dix jours, il était consacré aux techniques et aux contenus de l'éducation des adultes. Il réunissait des universitaires, des gens de l'Office national du film et des personnes engagées dans l'action communautaire. Voir Denis, *Jacques-Victor Morin, syndicaliste et éducateur populaire, op. cit.*, p. 57 à 60.

trice du journal de l'*Amalgamated*, avant de faire carrière à Radio-Canada. Gérin-Lajoie se démarque des autres campeurs par sa discipline sportive quasi spartiate. Très tôt le matin, on le voit plonger dans l'eau glacée du lac.

Lorsque Fernand le retrouve chez les Métallos en 1952, Fernand est intrigué par le jeune homme de son âge, qui a vécu des expériences exceptionnelles. Issu d'une grande famille de la bourgeoisie canadienne-française, il a travaillé en usine. Et pas n'importe où : à Valleyfield, à la *Montreal Cotton*, en 1947, où il a été délégué, puis secrétaire du syndicat organisé par Kent Rowley et Madeleine Parent. À leurs côtés, il a eu l'occasion de participer à la première véritable négociation collective après le conflit de 1946.

Avant que Jean Gérin-Lajoie ne soit recruté par les Métallos, en 1952, Fernand s'est trouvé nez à nez avec lui devant les grilles de l'usine *Atlas Asbestos*[1]. Fernand, qui y menait une campagne de recrutement pour le CCT, en a été un peu vexé : Gérin-Lajoie y distribuait des tracts pour la CTCC! Il s'en est expliqué par la suite. Embauché pour l'été par la centrale catholique, il ne savait pas que le CCT était dans le décor et il trouvait normal de tenter de recruter des travailleurs de l'amiante. La CTCC représentait en effet la majorité des mineurs de ce secteur. Il ne s'est plus pointé là par la suite. À cette époque, il n'y avait pratiquement pas de concurrence entre les deux centrales amies. Le CCT y a obtenu une accréditation et a émis une charte pour cette nouvelle section locale desservie par la suite par Fernand.

Les Cheminots

La famille syndicale du CCT comprend aussi un grand syndicat, qui n'a aucune attache avec le CIO, la Fraternité canadienne des cheminots[2], le syndicat d'origine de Doc Lamoureux. À l'époque, le chemin de fer joue un rôle prépondérant dans les transports et des dizaines de milliers de travailleurs et de travailleuses y œuvrent au Canada. Au Québec, l'un des représentants du syndicat est Bill Dodge, vice-président du Conseil du travail de Montréal et membre du Conseil exécutif de la CCF.

Ce syndicat a été fondé en 1908, en Nouvelle-Écosse. Au départ, il regroupait la plupart des salariéEs du chemin de fer négligéEs par les unions de métiers. Ces dernières n'étaient intéressées qu'à représenter les seuls ouvriers spécialisés : chauffeurs de locomotives, aiguilleurs, mécaniciens, préposés à l'entretien des voies, etc. On retrouvait donc à la Fraternité les commis des gares, les bagagistes et les employéEs de wagons. Lorsqu'il était *fifth cook* à bord des trains du *Canadien Pacifique* à l'été 1944, Fernand

---

1. Située au 5600, rue Hochelaga, cette usine était spécialisée dans la fabrication de produits à base d'amiante (plaques de freins, tuyaux d'amiante-ciment). Quelque 500 employéEs, dont beaucoup de Néo-QuébécoisEs, y travaillaient.
2. Rouillard, *Histoire du syndicalisme québécois, op. cit.*, p. 87.

avait été membre de la Fraternité. En 1951, la Fraternité regroupe 46 sections locales au Québec. Depuis des années, elle déborde de sa juridiction du chemin de fer, organisant entre autres les employéEs d'hôtels appartenant aux compagnies ferroviaires et les conducteurs de tramways. Plus tard, elle recrute même les mécaniciens de garage.

Un des fondateurs de la Fraternité canadienne des cheminots en 1908, Aaron Mosher a été son premier président. C'est un personnage marquant du mouvement syndical canadien. En plus de présider la Fraternité jusqu'en 1952, il est président du Congrès pancanadien du travail (CPT) de 1927 à 1940 et du Congrès canadien du travail (CCT) à partir de 1940. Grand défenseur du syndicalisme canadien, il avait sans doute jugé le CIO plus respectueux de l'autonomie canadienne que l'AFL ne l'était. Après la Première Guerre mondiale, sa Fraternité avait en effet été expulsée du CMTC sous la pression des unions internationales de métier, qui toléraient mal le développement du syndicalisme en dehors des rangs de l'AFL. Mosher sera l'unique président du CCT jusqu'à sa fusion avec le CMTC en 1956, lorsqu'a été créé le Congrès du travail du Canada. En 1994, la Fraternité sera absorbée par les Travailleurs canadiens de l'automobile (TCA).

Les travailleurs des salaisons

Au sein des affiliés du CCT au Québec, un groupe se démarque par son militantisme : le Syndicat des ouvriers unis des salaisons d'Amérique et denrées alimentaires, communément appelés les *Packinghouse*[1]. Le syndicat recrute ses membres dans les abattoirs et les salaisons, qui sont alors nombreux à Montréal. Il représente des salariéEs des géants de l'industrie, comme *Canada Packers* et *Swift Canadian*. Il y négocie des conventions collectives modèles qu'il fait ensuite entériner par les nombreux abattoirs et salaisons indépendants. Reconnu pour son intransigeance, ce syndicat s'impose aux employeurs par sa capacité à créer un rapport de force qui lui est favorable. Il se fait même une gloire de ne jamais demander d'accréditation à la Commission des relations ouvrières. Dirigé au Québec par Roméo Mathieu[2], le syndicat est de toutes les luttes, de toutes les mobilisations.

---

1. *United Packinghouse Workers of America* (UPAW).
2. Roméo Mathieu (1917-1989) était dessinateur industriel de métier. Il a d'abord été organisateur à l'Association internationale des machinistes, avant de passer chez les Travailleurs unis des salaisons d'Amérique. Il est le secrétaire-trésorier de la FUIQ en 1952 jusqu'à la fondation de la FTQ en 1958. Il est alors élu trésorier de la centrale, mais est délogé de ce poste l'année suivante. Il préside la section québécoise de la CCF avant la fondation du NPD, dont il devient vice-président canadien. Il est aussi le premier président du conseil provisoire du NPD-Québec (avant Fernand Daoust). En 1972, il est élu directeur canadien des travailleurs canadiens de l'alimentation.

Mathieu se distingue par sa détermination et son autorité quelque peu frondeuse. C'est lui qui a implanté le syndicat au Québec dans les années 1940. Il l'a fait en ravissant la majorité des membres d'un syndicat de bouchers directement affilié au CMTC. Les grands abattoirs de *Canada Packers*, de *Swift*, de *Burns & Company*, tout y est passé. Quelque 4 000 membres votent massivement pour quitter le vieux bateau du CMTC[1]. Mathieu a réussi ce coup de force après avoir lui-même travaillé pour la centrale des syndicats de métier. Il en est sorti écœuré des connivences de ses représentants avec les employeurs. C'est alors qu'il a résolu de libérer les membres des griffes de cette organisation honteuse. Il faut l'entendre parler avec mépris de Max Swerdlow[2], un dirigeant du CMTC sous les ordres duquel il a travaillé. Arrivé au CIO avec quelques milliers de membres, Mathieu en mène large dans son syndicat. Il aime dire qu'il y fait ce qu'il veut.

Fernand découvre en Mathieu un syndicaliste fier et intransigeant, qui dénonce fréquemment ceux de ses confrères qui traînent de la patte. Il apprend aussi qu'il fréquente régulièrement des dirigeants de la CTCC. Il entretient particulièrement des liens d'amitié avec Jean Marchand et voue une grande admiration à Pierre Elliott Trudeau, alors jeune avocat et intellectuel en vue. C'est Mathieu qui invite Trudeau aux sessions d'étude des permanentEs et dirigeantEs du CCT au Québec. D'autres syndicats, dont les Métallos, font de même. Trudeau, qui vient de fonder *Cité libre*, devient aussi le conseiller juridique occasionnel de la Fédération des unions industrielles du Québec (FUIQ)[3], pour qui il rédige un mémoire en 1954.

Aux côtés de Mathieu, Fernand découvre une femme particulièrement frondeuse et dynamique, Huguette Plamondon[4]. C'est une belle femme énergique et fougueuse, qui a les allures d'une passionaria du syndicalisme. Elle ne tarde pas à faire sa place dans le mouvement. D'abord secrétaire du

---

1. Entrevue réalisée par Léo Roback avec Roméo Mathieu, août 1979. Cette bande sonore est conservée au centre de documentation de la FTQ.
2. *Ibid.*
3. Cette fédération a été fondée en 1952.
4. En 1942, Huguette Plamondon (1926-2010) est sténodactylo dans une entreprise de métallurgie. À dix-neuf ans, elle est embauchée comme secrétaire des Travailleurs unis des salaisons d'Amérique. En 1955, elle est la première femme au Canada à présider une grande organisation syndicale : elle est élue présidente du Conseil du travail de Montréal. En 1956, elle est élue vice-présidente du Congrès du travail du Canada et y est réélue jusqu'en 1988. Après la fusion des Travailleurs unis des salaisons d'Amérique avec les Travailleurs unis de l'alimentation et du commerce (TUAC), Huguette Plamondon a exercé les fonctions de vice-présidente internationale et d'adjointe au directeur canadien de ce syndicat pendant plusieurs années au Québec. Elle était la conjointe de Roméo Mathieu. Elle a également été vice-présidente du NPD fédéral. Voir Maryse Darsigny, Francine Descarries, Lyne Kurtzman et Évelyne Tardy (dir.), *Ces femmes qui ont bâti Montréal*, Montréal, Remue-ménage, 1994.

Syndicat des salaisons à partir de 1945, elle est de toutes les activités. On la retrouve sur les piquets de grève, dans toutes les grandes assemblées et manifestations. Elle a le don de hérisser les permanents plus conservateurs, peu habitués à être confrontés à des femmes syndicalistes. Elle a tôt fait de remettre à leur place les phallocrates qui pullulent dans le mouvement syndical des années 1950. Mieux vaut ne pas la trouver sur son chemin lorsqu'on ne partage pas ses idées.

Les travailleurs du bois

L'organisation que représente Jean-Marie Bédard, le Syndicat international des travailleurs du bois d'Amérique (SITBA), communément appelés les *Wood Workers*, a très peu de membres au Québec. Alors qu'il représente la quasi-totalité des travailleurs du bois et des scieries en Colombie-Britannique, ce syndicat n'a jamais réussi à recruter les travailleurs forestiers québécois. C'est plutôt la section industrielle de la Fraternité unie des charpentiers-menuisiers d'Amérique (FUCMA) qui fait une première percée significative au milieu des années 1950. Il semble que le SITBA n'a jamais jugé prioritaire d'affecter des ressources importantes à l'organisation des travailleurs forestiers au Québec. Bédard réussit tout de même à recruter les travailleurs de quelques manufactures, dont ceux du fabricant de bâtons de hockey et de patins CCM.

Landon Ladd est l'un des dirigeants du syndicat en Ontario. Fernand l'a vu pour la première fois en 1942, lors d'une assemblée d'opposition à la conscription. Seul anglophone à avoir pris la parole dans ces assemblées, il fait sensation. Il a même retourné la salle à un moment donné. À quelques étourdis qui crient « À bas la finance juive, à bas les juifs ! », il répond :

> La question posée aujourd'hui n'en est pas une de juif ou de chrétien. Nous avons des exploiteurs parmi nous. [...] Mon adversaire, ce n'est pas le juif ou le chrétien, c'est celui, quelle que soit sa religion ou sa race, qui veut conscrire notre jeunesse, mais ne veut pas laisser conscrire sa richesse[1].

Il recueille des applaudissements nourris et disparaît, sans que les organisateurs puissent savoir d'où il vient. Quelques années plus tard, Fernand le retrouve lors des congrès du CCT et parfois dans les bureaux de Jean-Marie Bédard. Comme Jean-Marie, Ladd est un camarade trotskiste. Fernand trouve en lui un militant syndical articulé et convaincant. Pour André Laurendeau, « il avait un timbre riche, un peu engorgé de ténor irlandais[2] ».

Au moment où Fernand fait sa connaissance, Jean-Marie Bédard, le prédécesseur de Vaillancourt à la direction québécoise du CCT, est devenu secrétaire du SITBA pour l'Est canadien, soit l'Ontario, le Québec et les

---

1. Laurendeau, *La crise de la conscription, op. cit.,* p. 93.
2. *Ibid.*

provinces maritimes. C'est un orateur redoutable à la voix forte et à la rhétorique flamboyante. Ce qui n'est pas pour déplaire à Fernand, qui, depuis son adolescence, a toujours été impressionné par ceux qui maîtrisent bien les idées et savent les projeter dans un discours convaincant. Jean-Marie Bédard, avec quelques autres, influencera ainsi son style d'élocution publique.

Bédard est embauché au SITBA après son départ forcé du CCT en 1948. Ses affinités politiques avec certains dirigeants ontariens d'allégeance trotskiste expliquent probablement son arrivée dans ce syndicat, où ce courant était très présent. Il épouse d'ailleurs la sœur de l'un des dirigeants trotskistes canadiens, Murray Dawson. Il aime raconter comment il a mis en boîte un officier d'immigration états-unien, qui lui cherchait des poux à la frontière pendant les pires années de chasse aux sorcières. Après avoir posé plusieurs questions sur son travail suspect de syndicaliste, l'officier avait pris un ton inquisiteur pour lui demander :

— Qu'est-ce que vous pensez de Joseph Staline ?
Spontanément, il avait eu ce cri du cœur trotskiste :
— Staline est un assassin et un dictateur abject !

L'officier rasséréné lui avait alors ouvert avec chaleur les portes de son paradis démocratique.

Jean-Marie Bédard sera responsable du SITBA jusqu'à sa retraite en 1983.

Vêtement, textile et automobile

L'un des vieux syndicats du CIO bien implanté au Québec est celui des Travailleurs amalgamés du vêtement d'Amérique (TAVA), qu'on appelle familièrement l'Union du vêtement pour hommes ou l'*Amalgamated*[1]. C'est dans l'immeuble de ce syndicat, au 2020 de la rue Clark, que sont installés les bureaux du CCT, lorsque Fernand y est embauché. Le syndicat est dirigé par Hyman Reiff, un juif anglophone qui a une réputation d'excellent négociateur[2]. Fernand découvre que l'un des personnages importants du syndicat est Adhémar Duquette (1882-1957), le gars de l'union qui visitait parfois sa mère à l'époque où elle était toujours couturière. Duquette était devenu membre du syndicat des tailleurs affilié à l'*Amalgamated* au début du siècle et avait lui-même organisé la section 105, composée de travailleurs et de travailleuses canadienNEs-françaisES. Il a été un représentant permanent du syndicat pendant près de quarante ans. Il y était donc en 1937, lorsque l'*Amalgamated* a participé à la fondation du CIO.

---

1. *Amalgamated Clothing Workers of America.*
2. Voir Gerald J. J. Tuchinsky, *Taking Root. The Origin of The Canadian Jewish Community*, Toronto, Lester Publication, 1992, p. 216.

D'autres syndicats comptant peu de membres au Québec complètent les rangs de la famille CCT-CIO. Ainsi, l'Union internationale des travailleurs du textile, fondée en 1939 par le CIO, qui a bénéficié d'un soutien actif des Travailleurs amalgamés du vêtement, compte un seul représentant, Gérard Rancourt[1]. Au début des années 1950, alors que l'industrie du textile est secouée par une crise, cette union du CIO concurrence sans grand succès les OUTA (AFL) de Kent Rowley et de Madeleine Parent. Elle fait davantage de gains, quelques années plus tard, sous la direction de Jean Philip.

Au début des années 1950, les travailleurs de l'automobile sont membres du CCT, mais leur syndicat se nomme alors Travailleurs unis de l'automobile (TUA)[2]. Il s'agit d'un grand syndicat nord-américain, fondateur du CIO et dirigé par Walter Reuther[3], un autre grand syndicaliste états-uniens qu'admire beaucoup Fernand. Il se distingue par ses positions progressistes, notamment sur la question des droits civiques et des programmes sociaux. Au Québec, il n'y a pas d'industrie de l'automobile et ce syndicat y compte peu d'adhérents.

Les locaux chartrés

La plupart des syndicats industriels du CIO s'organisent après la fondation de la centrale, le plus souvent pendant et après la guerre. Tous ne s'implantent pas au Québec dès le début. En leur absence, c'est le CCT qui recrute les salariéEs et les regroupe dans ses locaux chartrés. Il est prévu par les statuts de la centrale que, tôt ou tard, ils soient transférés à l'un ou l'autre des syndicats affiliés. Plusieurs dirigeants d'unions se plaignent du fait que le CCT dorlote ses sections locales et les incite bien mollement à joindre les rangs d'un vrai syndicat, entendre par là une union nord-américaine ou un syndicat canadien. Les permanents du CCT soutiennent que le rapport de proximité qu'ils entretiennent avec les membres des locaux chartrés permet d'y développer et d'y maintenir un syndicalisme particulièrement militant.

Au moment de l'arrivée de Fernand, on compte parmi ces locaux chartrés le groupe montréalais des travailleurs de la *Canadian General Electric*, dont l'usine située sur la rue Dickson, dans l'est de la ville, a porté plu-

---

1. D'abord embauché par les Travailleurs amalgamés du vêtement à la fin des années 1940, Rancourt dirige l'union du textile au début des années 1950. Il retourne quelques années plus tard chez les Travailleurs amalgamés jusqu'à son élection au poste de secrétaire général de la FTQ, en 1966.
2. Mieux connu sous le nom anglais de *United Auto Workers* (UAW).
3. Walter Philip Reuther (1907-1970) a été le chef historique des Travailleurs unis de l'automobile de 1946 à 1970. Il a été président du CIO de 1952, à la mort de Phillip Murray, jusqu'à la réunification avec l'AFL en 1955. Voir, *Walter Reuther, espoirs et aspirations,* TCA-Canada, 1995.

sieurs noms, dont celui de *Camco*[1]. Le CCT vient tout juste de s'y implanter. D'abord regroupés dans un syndicat de boutique (l'Association des employés de *Canadian General Electric Co. Limited*) pendant deux ans, les salariéEs de l'usine sont ensuite sollicitéEs par deux syndicats concurrents : la Fraternité internationale des ouvriers en électricité (FIOE) affiliée au CMTC et à l'AFL et par l'UE, un syndicat international récemment expulsé du CIO et du CCT.

Julien Major[2] est le recruteur de l'UE. Après une brève campagne, il dépose une requête en accréditation forte d'une nette majorité (966 adhésions sur quelque 1 700 travailleurs et travailleuses). Mais, avant le dépôt de la requête, des militants de la Jeunesse ouvrière catholique (JOC) accourent se faire embaucher pour combattre l'UE, réputée dangereux syndicat communiste. Leur action conjuguée à la partialité de la Commission des relations ouvrières de Duplessis a pour effet de faire débouter les deux unions internationales. C'est alors que les dirigeants de l'Association des employés, appuyés par les jocistes, se tournent vers le CCT qui leur octroie une charte. Même si le CCT regroupe des unions internationales non confessionnelles ou neutres, dont plusieurs rattachées au CIO, la confusion règne et les jocistes croient que le nouveau local chartré est un syndicat catholique...

Ce local chartré ne le reste pas longtemps. Le CCT facilite le passage des employéEs de *Canadian General Electric* dans un nouveau syndicat, l'Union internationale des ouvriers de l'électricité[3], où ils forment la section locale 501, dès décembre 1952. Le même syndicat hérite aussi d'un autre local chartré représentant les employéEs de la *Solex*. Il consolide sa position au Québec en s'implantant ensuite à *RCA Victor*, où l'UE s'était vu retirer son accréditation par la Commission des relations ouvrières[4].

---

1. En janvier 2012, l'entreprise annonce qu'elle met définitivement fin à ses activités de production en 2014. La production d'appareils électroménagers sera alors transférée au Mexique et aux États-Unis.
2. Julien Major (1918-2010). Durant la Deuxième Guerre mondiale, il est officier de l'armée canadienne ; il entreprend par la suite des études en relations industrielles à l'Université de Montréal. En 1949, il devient organisateur du CIO à Montréal, puis comme représentant de la *United Electrical Workers* (UE). Il milite également dans un groupe trotskiste affilié à la CCF avant de joindre le Parti ouvrier progressiste. Il est expulsé de ce parti pour insubordination et, entre-temps, il a perdu son emploi à l'UE. Au début des années 1960, il est organisateur à la FTQ où il se spécialise rapidement dans les problèmes d'accident de travail. Il devient ensuite directeur du service d'éducation du Syndicat des travailleurs du papier. De 1974 à sa retraite, en 1983, il est vice-président du CTC.
3. Syndicat formé avec le soutien du CIO lorsque ce dernier expulse l'UE. C'est Jim Carey, l'un des fondateurs de l'UE, qui prend la direction de ce nouveau syndicat. Copp, *Le SITE au Canada, historique, op. cit.*
4. Relaté par Julien Major en entrevue, en mai 2005. Voir aussi Copp, *op. cit.*

Lorsque Fernand arrive au CCT, la centrale n'a pas encore commencé à transférer massivement ses membres à des syndicats du CIO. Elle compte ainsi dans ses rangs des employéEs de différentes entreprises : plusieurs grosses laiteries de Montréal (*Borden, Perfection, JJ Joubert, Mont-Royal et la Ferme Saint-Laurent*) ; des boulangeries ; *Continental Paper* au Cap-de-la-Madeleine ; la compagnie de tabac *Rock City* à Québec ; l'usine de chaux *Standard Lime* à Joliette ; le fabricant d'aiguilles *Torrington* à Bedford ; *Building Products* à Lachine ; la *Dominon Glass* à Pointe-Saint-Charles ; *Simmons Bedding* à Saint-Henri. Plusieurs employéEs des municipalités de la région de Montréal sont aussi membres de locaux chartrés du CCT, dont la plus grande unité, celle des cols bleus de la Ville de Montréal[1]. Ce syndicat avait été le premier à obtenir une charte de la centrale canadienne au Québec.

Léo Lebrun, une autorité morale

En 1941, les cols bleus étaient regroupés dans le Syndicat des employés municipaux de la cité de Montréal. Ce syndicat catholique non affilié à la CTCC avait l'allure d'un syndicat de boutique. Pendant toute son existence, il n'a jamais recueilli plus de 10 ou 15 % des adhésions des employéEs.

L'un des militants insatisfaits de cette organisation faible et inefficace est Léo Lebrun[2]. Entré à la ville en 1939, ce leader naturel a une solide formation politique de gauche. Dès 1943, avec l'aide de Jean-Marie Bédard, alors permanent du CCT, il organise les cols bleus en un vrai syndicat, qui recueille bientôt quelque 2 600 adhésions. En recevant sa charte du CCT, le groupe devient la section locale 1 de la Fraternité canadienne des employés municipaux. La ville, refusant de reconnaître ce syndicat, congédie même cinq de ses militants. Lebrun déclenche alors une grève de cinq jours. La ville plie, reconnaît le syndicat et accepte que les congédiements et les conditions de travail soient soumis à l'arbitrage.

Léo Lebrun est un personnage marquant du mouvement syndical québécois. C'est un homme de petite taille, mais qui en impose par une présence et une autorité morale très fortes. Il fait ses premières armes syndicales dès 1920 en tentant d'organiser sans succès les travailleurs de *Simmons Bedding*. Il milite pour la défense des chômeurs et des chômeuses et devient communiste pendant la crise. Il fréquente alors les cours de l'université ouvrière d'Albert Saint-Martin où il côtoie entre autres Henri Gagnon et Kent Rowley. Il devient débardeur et participe à la grève de 1937.

---

1. Jean Lapierre, *L'histoire des cols bleus regroupés de Montréal.* Tome I. *De ses origines à 1963*, Syndicat canadien de la fonction publique, 2008.
2. Léo Lebrun (1895-1980) a été président du Syndicat des cols bleus de la ville de Montréal de 1944 à 1954, puis de 1956 à 1963.

Jacques Victor Morin raconte comment cet homme astucieux compense son analphabétisme : avec l'aide de sa compagne Bernadette, une militante communiste indéfectible, il apprend sa convention collective par cœur[1]. Il développe aussi un système de notes personnelles, qui tient plus des hiéroglyphes que du français. Solidement épaulé par sa base, il ne sera pas victime des purges anticommunistes qui balaieront le mouvement syndical d'après-guerre, au grand dam du maire de Montréal, le tonitruant Camillien Houde. Un jour, alors que ce dernier reçoit une délégation du Conseil du travail de Montréal, dont Léo Lebrun fait partie, le maire s'exclame :

– Comment ça se fait que vous tolérez un communiste dans votre délégation ?
Ce à quoi, Léo répond du tac au tac :
– C'est pour faire contrepoids à un maire fasciste[2].

Fernand a appris à le connaître et à apprécier aussi bien sa grande droiture que son habileté de syndicaliste chevronné.

Les syndicalistes juifs

La prise de contact avec le monde syndical suscite des interrogations et des remises en question parfois inattendues. Bien sûr, y a la vision politique qui change et qui se raffine, mais aussi de vieilles perceptions plus ou moins conscientes, qu'on soumet à un nouvel éclairage.

Cinq ans à peine après la guerre, le monde est toujours bouleversé par la découverte du sort atroce qu'a fait subir aux juifs le régime nazi. On ne mesure pas encore l'ampleur de ce génocide. On n'emploie d'ailleurs pas encore ce terme. On commence cependant à faire un examen de conscience collectif à propos des complicités actives ou passives ayant permis une telle extermination. On se rappelle avec honte l'antisémitisme larvé ou actif auquel on s'est adonné à un moment ou un autre. Le Québec, nationaliste en temps de crise et même au début du conflit mondial, n'a-t-il pas affiché des sympathies ouvertes à l'égard des régimes fascistes d'Europe ? Ses porte-parole n'ont-ils pas eux-mêmes tenu des propos qui dénotaient un antisémitisme ? Fernand se souvient des assemblées contre la conscription où, aux slogans anti-impérialistes et anti-anglais, se mêlaient parfois des « À bas les juifs ! »

Les CanadienNEs françaisES n'ont d'ailleurs pas eu le monopole de l'antisémitisme. Le Canada n'a-t-il pas fermé ses portes aux expatriéEs de la communauté juive fuyant l'Allemagne nazie tout au long des années 1930 et

---

1. Denis, *Jacques-Victor Morin, syndicaliste et éducateur populaire, op. cit.*, p. 77.
2. Propos rapportés par Fernand qui avait entendu raconter ce haut fait d'arme, dès son arrivée au CCT.

pendant toute la durée de la guerre[1] ? Même au moment où il devenait clair qu'une persécution systématique était en cours! Ce n'est qu'après la Libération qu'on les accueille. Ainsi 30 000 rescapéEs de l'Holocauste arrivent à Montréal, qui devient alors le troisième lieu d'accueil en importance, après New York et Israël.

Fernand sait que l'industrie où travaille sa mère est plus ou moins dominée par des juifs. Patrons, tailleurs, presseurs et une partie des couturières sont de cette communauté. Tout comme les dirigeants syndicaux. Il découvre maintenant le rôle important joué par les syndicalistes juifs dans le mouvement syndical québécois. Contrairement à une idée reçue, la communauté juive n'a jamais été un groupe homogène et tissé serré. Il y a bien sûr des religieux intégristes et des hommes d'affaires prospères, mais aussi des sionistes non religieux et socialistes, des internationalistes communistes, des anarchistes et des progressistes antisionistes. Et, bien sûr, un grand nombre de simples travailleurs et travailleuses qui ne demandent qu'à améliorer le sort de leur famille.

TouTEs ne sont pas arrivéEs en même temps. La première grande vague d'immigration de travailleurs et de travailleuses du peuple juif a eu lieu au début du XXe siècle. À cette époque, la communauté juive canadienne passe de moins de 7 000 à plus de 125 000 personnes en vingt ans. Au Québec, de 2 700 à près de 50 000[2]. Il s'agit d'immigrantEs économiques et politiques en provenance de la Russie tsariste, de la Pologne, de l'Ukraine, de la Lithuanie et d'autres pays de l'Europe de l'Est. La plupart sont pauvres. Une partie importante de ces travailleurs et travailleuses sont embauchéEs par l'industrie de la confection[3], de la fourrure et du chapeau. On y trouve donc rapidement un patronat juif, un prolétariat juif et un leadership syndical juif. On trouve aussi d'importantes concentrations de salariéEs de la communauté juive dans l'alimentation – produits *kasher* obligent –, mais aussi dans d'autres industries comme le bâtiment. Dès 1905, des ouvriers juifs forment une section de la Fraternité unie des charpentiers-menuisiers d'Amérique (FUCMA).

L'organisateur du premier grand regroupement de travailleuses de l'industrie de la robe est un juif communiste d'origine ukrainienne, Joshua Greshman. Son Syndicat industriel des ouvriers de l'aiguille, membre de la Ligue d'unité ouvrière (communiste), mène le premier grand débrayage de l'industrie à Montréal en 1934. Cette grève ne débouche pas sur la reconnaissance syndicale. Toutefois, elle illustre la capacité de mobilisation des

1. Voir Stuart Schoenfeld, « Juifs », *The Canadian Encyclopedia,* Historica Dominion Institute, 2012, < www.thecanadianencyclopedia.com/articles/fr/juifs >.
2. *Ibid.*
3. Voir Jacques Rouillard, « Les travailleurs juifs de la confection à Montréal (1910-80) », *Labour/Le Travailleur,* n° 8-9, automne/printemps 1981/1982), p. 253-259.

midinettes. Lorsqu'en 1935 la Ligue est dissoute, l'UIOVD et son jeune recruteur Bernard Shane ont le champ libre.

Dès son embauche au syndicat de la sacoche par Roger Provost, Fernand apprend que le véritable patron du syndicat est Maurice Silcoff, le directeur du Syndicat des chapeliers. Il est à même de constater que, malgré la taille modeste de son syndicat, ce dirigeant syndical jouit d'une notoriété particulière dans la famille CMTC et de l'AFL. Il constate maintenant que Hyman Reiff, le directeur de l'*Amalgamated,* est un leader important dans la famille CCT-CIO comme l'est Bernard Shane dans le CMTC-AFL. Fernand apprend aussi que des liens étroits unissent les deux unions de l'industrie du vêtement, même si elles sont membres de centrales syndicales rivales.

Fernand est curieux de découvrir comment se vivent les rapports entre syndicalistes juifs et francophones. Il découvre que les trois syndicats, dont la direction est juive, ont des porte-parole francophones au Québec. C'est le rôle que joue plus ou moins Provost auprès de Silcoff, et d'une façon beaucoup plus importante, Claude Jodoin, auprès de Bernard Shane, puisqu'il y occupe un poste de directeur. Reiff, quant à lui, est assisté de Léo Oligny et on trouve dans son équipe Adhémar Duquette, « le gars de l'union » de la mère de Fernand. Le journal du syndicat, *L'Aiguille,* est rédigé par Gisèle Bergeron.

Suscitant l'admiration de plusieurs pour leur sens aigu de la solidarité et de l'entraide, les syndicalistes juifs sont parfois, à tort ou à raison, taxés de sectarisme. Le fait que tous ces dirigeants sont unilingues anglais n'arrange pas les choses[1]. On prétend parfois qu'ils défendent d'abord et avant tout leurs intérêts communautaires. Fernand entend des collègues insinuer que patrons et syndicalistes de cette communauté ont plus de liens que de conflits. Pourtant, en fouillant dans ses souvenirs d'enfance, il ne se rappelle pas avoir entendu sa mère exprimer de la méfiance à l'égard de sa direction syndicale.

Aux États-Unis, ce sont ces syndicats de l'industrie du vêtement qui ont formé le *Jewish Labor Committee,* un comité d'entraide de salariéEs de la communauté juive, qui combat l'antisémitisme dans les milieux de travail. En 1947, Kalmen Kaplansky, un typographe, convainc le Conseil des métiers du travail de Montréal du CMTC et le Conseil du travail de Montréal du CCT de former un organisme conjoint pour lutter contre la discrimination en milieu de travail. C'est le Comité contre l'intolérance raciale et religieuse[2]. Ce sont d'ailleurs les deux présidents des conseils montréalais, Claude Jodoin et Romuald Doc Lamoureux, qui en assument la présidence et la vice-présidence. Ce comité fait surtout de l'éducation et

---

1. On oublie trop souvent que les écoles francophones catholiques leur étaient fermées. On les poussait ainsi tout naturellement à intégrer le système scolaire anglophone et à s'assimiler à l'anglais.
2. Denis, *Jacques-Victor Morin, syndicaliste et éducateur populaire, op. cit.,* p. 85-87.

de la sensibilisation. Il mène des luttes contre la discrimination à l'égard des travailleurs et des travailleuses d'origine juive, mais aussi à l'égard des immigrantEs ou des salariéEs des communautés noires.

Les bureaux de la permanence du Comité sont installés dans les locaux du *Jewish Labor Committee*, au 4848, boulevard Saint-Laurent. Jacques-Victor Morin en est le premier secrétaire. Fernand a tôt fait de repérer ce personnage dynamique, intellectuel passionné, mais atypique en milieu syndical. Morin fait désormais partie du noyau de militants que côtoie Fernand pendant les années 1950, particulièrement intenses en luttes syndicales et politiques. En 1952, Morin cède sa place au Comité contre l'intolérance raciale à nul autre que Jacques Thibaudeau, l'ami de Fernand. Au secrétariat du comité défilent ensuite Paul King, Robert Dean[1] et un ex-leader étudiant et jeune avocat qui devient plus tard célèbre, Bernard Landry.

Le comité joue un rôle important dans la sensibilisation des syndicalistes québécoisEs aux problèmes de la discrimination. Il contribue grandement à faire connaître les droits fondamentaux de la personne qu'on vient tout juste de proclamer dans la Charte universelle des droits de l'Homme aux Nations unies. La société québécoise d'après-guerre perd définitivement son caractère rural et s'ouvre franchement sur le monde. La lutte contre l'intolérance raciste devient importante dans la construction de cette société pluraliste en voie de déconfessionnalisation. Seul bémol à l'action de ce comité, au grand regret de Fernand et de ses amis nationalistes, on n'y considère pas comme discriminatoire le fait que les francophones, majoritaires au Québec, doivent gagner leur vie en anglais.

La lointaine CCF

Le CCT appuie officiellement la CCF. Un peu partout au Canada, ses permanents en sont donc des militants. Mais, au cours de la dernière décennie, pendant et après la guerre, toutes les tentatives électorales de la CCF au Québec se sont soldées par des échecs plus ou moins cuisants. Plusieurs syndicalistes comme Doc Lamoureux et Gérard Rancourt se sont, à un moment ou à un autre, lancés dans la mêlée. Un seul est élu au Québec, lors de l'élec-

---

1. Né à Montréal, le 26 octobre 1927, Robert Dean obtient un baccalauréat à l'Université Sir George Williams en 1963. Il a été tour à tour conseiller technique de l'Union des ouvriers du textile d'Amérique à Drummondville, de 1960 à 1963, conseiller technique et directeur adjoint du Syndicat canadien de la Fonction publique (service des employés d'Hydro-Québec), de 1963 à 1968, employé du Syndicat international des travailleurs unis de l'automobile, de 1968 à 1981, et son directeur de 1972 à 1981, vice-président de la Fédération des travailleurs et travailleuses du Québec, de 1969 à 1981. Il a été élu député du Parti québécois dans Prévost en 1981 et a occupé différentes fonctions ministérielles jusqu'en 1985. Voir < www.assnat.qc.ca/fr/deputes/dean-robert-2795/biographie.html >.

tion de 1944. Il s'agit de David Côté, le permanent syndical des *Mine Mills*[1] en Abitibi. Un traître selon Émile Boudreau, puisqu'un an après son élection, il « traversait la chambre pour aller siéger avec les libéraux[2] ».

Dans les années 1950, les représentants du CCT au Québec ne sont pas les plus ardents partisans de la CCF. Fernand, pour sa part, n'en fera jamais partie. Au grand désespoir de son nouvel ami Jacques-Victor Morin, qui en est un militant convaincu. Fernand et ses collègues reprochent à ce parti de faire peu de cas de l'identité des Canadiens français et de leur volonté d'affirmation nationale. Tous constatent son peu d'enracinement au Québec. L'organe officiel du CCT au Québec, *Les Nouvelles ouvrières*, qui prône avec ferveur l'action politique des syndicats, parle étrangement peu de la CCF dans ses pages.

Ainsi, au lendemain de la troisième victoire de Duplessis depuis la guerre, le journal du CCT constate que les circonscriptions ouvrières ont voté libéral. Pour le rédacteur de l'article, cela constitue un moindre mal, la classe ouvrière « n'ayant pas d'autres choix, le CCF ne pouvant satisfaire l'électorat québécois ». Il conclut en espérant « la formation très prochaine d'un mouvement plus favorable à la classe ouvrière[3] ».

En ce début des années 1950, il est de notoriété publique que la nouvelle dirigeante québécoise de la CCF, Thérèse Casgrain, est peu sensible aux revendications autonomistes québécoises. Cette grande dame est issue de la haute bourgeoisie francophone. Son père, sir Rodolphe Forget, a été député conservateur de Charlevoix et l'un des fondateurs de la Bourse de Montréal. Thérèse Casgrain s'est fait connaître par sa lutte en faveur du droit de vote des femmes au Québec dans les années de crise. Elle milite dans la CCF aux côtés d'Idola Saint-Jean qu'elle perçoit, selon Jacques-Victor Morin, comme une rivale qui lui fait de l'ombre[4].

Son mari est Pierre-François Casgrain, ancien député libéral de Charlevoix, président de la Chambre des communes, puis juge de la Cour supérieure du Québec à partir de 1941. Lorsqu'il quitte la politique pour la magistrature, Thérèse Casgrain veut prendre sa relève comme députée libérale, mais le premier ministre Mackenzie King refuse sa candidature. Cela l'amène d'abord à briguer les suffrages à titre de libérale indépendante, puis comme représentante de la CCF, à partir de 1946. Elle a gravi vite les échelons au sein de ce

---

1. Comme on l'a vu plus haut, les *Mine Mills* allaient être expulsés du CIO et du CCT à l'époque de la chasse aux sorcières qui a balayé le mouvement syndical nord-américain à la fin des années 1940. À voir évoluer Côté dans l'arène politique, le moins qu'on puisse dire est qu'il n'était pas un communiste convaincu.
2. Voir Boudreau, *Un enfant de la grande dépression, op. cit.*, p. 328.
3. *Les Nouvelles ouvrières*, juillet 1952. Le responsable officiel de la rédaction du journal est Philippe Vaillancourt. André Thibaudeau et Fernand rédigent fréquemment des textes.
4. Denis, *Jacques-Victor Morin, syndicaliste et éducateur populaire, op. cit.*, p. 74.

parti : d'abord membre de l'exécutif québécois et vice-présidente canadienne, elle devient présidente du parti au Québec en 1951.

Son accession à la présidence de la CCF au Québec est entachée par ses manigances et son acharnement à faire démissionner le président d'alors, l'avocat syndical Guy-Merrill Desaulniers. À ses yeux, ce dernier s'est rendu indigne du poste parce qu'il a divorcé. Ces actes de la grande dame rebutent le secrétaire du parti, Réginald Boisvert, qui claque la porte en balançant à Jacques-Victor Morin, son successeur : « Je te lègue la mère Casgrain![1] » L'influence de Casgrain demeure marquante dans la CCF. Il en sera de même dans le NPD, où elle promouvera une position fédéraliste centralisatrice contre les nationalistes autonomistes[2].

La CCF est née dans l'Ouest canadien et s'est distinguée en faisant la promotion des programmes sociaux et de la planification économique. Les militantEs québécoisES du CCT, Fernand y compris, adhèrent pleinement à cette approche. À l'université, il a été fasciné et conquis par les théories keynésiennes et les idées sociales-démocrates. Toutefois, ses collègues et lui reprochent à la CCF de concevoir la mise en œuvre de ces mesures de façon centralisée à Ottawa. Cette vision d'un Canada uni et uniforme explique probablement le peu d'enracinement de la CCF au Québec. Les militantEs québécoisES savent que les leaders anglophones du parti jugent suspectes les revendications québécoises sur la question de la juridiction provinciale exclusive en ce qui concerne les législations sociales. Il faut dire qu'avec le réactionnaire Duplessis au pouvoir, leurs réticences sont compréhensibles.

Au début des années 1950, le débat n'est pas tranché dans la gauche québécoise. Dans la famille syndicale du CCT, pour plusieurs syndicalistes progressistes, le nationalisme est une idéologie rétrograde et passéiste. Ces syndicalistes ont encore frais en mémoire le vieux nationalisme de repli sur soi et de préservation des valeurs traditionnelles véhiculées par le clergé. Ils évoquent les dérives désastreuses du nationalisme fasciste et nazi en Europe. L'idée même d'un nationalisme progressiste leur paraît inconcevable. Ces antinationalistes fédéralistes voient la plupart de leurs idées soutenues par *Cité libre,* qu'animent entre autres Pierre Elliott Trudeau et Gérard Pelletier.

Nationalisme et socialisme

Fernand ne partage pas cette vision des choses. Pour lui, nationalisme et socialisme ne s'excluent pas mutuellement. Sa passion pour le syndicalisme

---

1. *Ibid.,* p. 75.
2. Thérèse Casgrain a été nommée sénatrice par le premier ministre libéral Pierre Elliott Trudeau et a été l'une des porte-parole, en 1980, du clan du « Non » pendant la première campagne référendaire sur la souveraineté-association.

et les idées de gauche n'a altéré en rien ses convictions de jeunesse. Il faut dire que, contrairement à d'autres, à l'époque où il milite dans les Jeunes Laurentiens, il fait bien peu de cas du prêchi-prêcha bondieusard, qui accompagne souvent le discours officiel des chefs nationalistes. Il retient surtout l'idée forte de l'affirmation de l'identité culturelle et de la lutte politique qu'elle entraîne. Il ne sombre jamais dans le nationalisme passéiste de l'Église que Duplessis s'efforce de perpétuer. Il est conforté dans ses idées nationalistes laïques par des journalistes comme André Laurendeau, rédacteur de *L'Action nationale,* devenu éditorialiste au journal *Le Devoir.* D'abord disciple de Lionel Groulx au début des années 1930, Laurendeau a étudié en France, où il a été influencé par la pensée de chrétiens progressistes. Il a peu à peu modernisé et laïcisé son nationalisme.

Pour Fernand, le nationalisme n'a rien d'un repli défensif ou d'une nostalgie du passé et des valeurs traditionnelles. Né à Montréal, dans une famille monoparentale, avec une mère ouvrière, le modèle familial longtemps prêché par l'Église du Québec ne correspond à rien pour lui. En effet, il ne connaît rien de ces familles rurales, fourmillant d'enfants, assorties d'une « reine du foyer ». Instinctivement, il considère que la défense et la promotion de son identité culturelle font partie de la lutte pour la justice sociale. Tout au long de sa vie militante, le lien entre les deux s'impose comme une évidence. De ses nombreuses expériences de travail d'été, il avait conservé le souvenir vif de l'humiliation quotidienne des travailleurs et des travailleuses, qui devaient se cacher pour parler leur langue. Pour lui, jeune syndicaliste, l'émancipation des travailleuses et des travailleurs doit inclure la reconnaissance de leur droit à travailler en français. On en est cependant bien loin au début des années 1950. Ses expériences concrètes de négociations vont le lui confirmer.

Chapitre 9

Le syndicalisme malgré Duplessis (1950-1957)

A U COURS de ses premières années dans la famille des unions industrielles, Fernand va découvrir la réalité d'un syndicalisme qui se développe
dans un contexte hostile. Un syndicalisme qui doit s'imposer avec acharnement contre la volonté d'employeurs qui se croient tout permis. Ils n'ont pas
tort puisque le régime Duplessis les soutient avec sa police et ses tribunaux.

En septembre 1951, peu de temps après l'arrivée de Fernand au CCT,
Vaillancourt, Chaloult et Devlin partent en train pour le congrès de la centrale à Vancouver. Puisque Thibaudeau est retenu à l'extérieur par des négociations ou une campagne de syndicalisation, c'est Fernand qui tient le fort.
Les journées sont longues, ponctuées d'appels périodiques de Vaillancourt
qui profite des arrêts du train (le voyage dure trois jours et quatre nuits)
pour s'enquérir de la situation à Montréal.

Le lutteur recruteur

Un jour, un visiteur inusité se présente. Il s'agit d'un grand gaillard, distingué, bien mis, qui, à peine entré, s'adresse à Fernand comme à un vendeur de chaussures : « Bonjour monsieur, on aimerait avoir un syndicat[1]. »

Amusé, Fernand a envie de lui demander quelle pointure, quelle couleur ? Il se ressaisit et lui demande plutôt où il travaille. À quoi répond simplement le bonhomme :

– Chez *Coke*. J'ai un chum à *General Electric* qui m'a montré son contrat
  de travail. Y paraît que c'est vous autres qui avez signé ça. Nous autres,
  on en veut un pareil.

---

1. Toute la conversation qui va suivre est reconstituée à partir des souvenirs de Fernand Daoust.

Fernand, habitué aux longues et ardues campagnes de syndicalisation, entreprend de lui expliquer les difficultés prévisibles, les réticences des travailleurs, les embûches patronales, les mesures disciplinaires qu'ils risquent de subir...

— Quoi? Vous voulez pas nous prendre?
— Non... oui... au contraire, on peut vous syndiquer, mais je voulais vous expliquer la complexité de la chose. Il faut agir avec la plus grande prudence. Il faut aborder d'abord ceux dont vous êtes le plus sûr...
— Ah! c'est juste çà! Donnez-moi des cartes, j'm'arrange avec ça.

Fernand est pris au dépourvu. Si une campagne doit avoir lieu, il faut qu'une charte soit émise par le CCT, qu'un numéro de section locale soit attribué avant que la signature des cartes ne soit entreprise. Heureusement, Vaillancourt, qui fait une halte, l'appelle justement. Il lui explique sur le champ la requête de son visiteur. Manifestement incrédule, Vaillancourt l'interroge :

— Qu'est-ce que vous dites? *Coke*? Vous voulez dire *Coca-Cola*? Savez-vous que c'est l'une des plus grandes multinationales et qu'aucun syndicat n'a jamais réussi à y mettre les pieds? Ni aux États-Unis, ni ailleurs dans le monde? Vous rendez-vous compte que ce serait une première mondiale?
— Je savais pas... Mais le gars qui est devant moi a l'air bien décidé. Il dit qu'il peut tout faire tout seul.
  Pressé d'attraper son train, Vaillancourt dit que c'est complètement fou, mais qu'on n'a rien à perdre.
— Donnez-lui des cartes, on verra bien ce qu'il pourra faire.

Après quelques explications techniques de Fernand que son interlocuteur écoute distraitement, il empoche les cartes et s'apprête à partir. Fernand l'arrête et lui demande :

— Vous ne m'avez pas dit votre nom.
— Ah oui! c'est vrai! J'm'appelle Johnny Rougeau[1].

---

1. Issu d'un milieu populaire, Jean Rougeau est né dans le quartier Villeray, à Montréal, le 9 juin 1929. Son père, Armand, est un ouvrier et un ancien boxeur qui enseigne son art à la Palestre nationale de la rue Cherrier. Embauché chez *Coca-Cola*, il pratique la lutte à titre d'amateur. Peu de temps après sa rencontre avec Fernand, « Johnny » amorce sa carrière professionnelle à Détroit. Il s'est également distingué dans plusieurs autres secteurs d'activités. Propriétaire de cabaret, il s'offre aussi comme garde du corps à René Lévesque, candidat libéral lors des élections provinciales de 1960. Rôle qu'il joue occa-

– Il me semble que ça me dit quelque chose…
– Ben oui, c'est moi, le lutteur. Mais j'fais pas juste ça. Il faut bien que je gagne ma vie. J'suis camionneur-vendeur chez *Coke*.

Sur ce, il sort. Deux jours plus tard, il revient avec une enveloppe qu'il tend à Fernand. « Tiens, c'est signé, puis l'argent est dedans. 150 cartes, c'est-tu assez? »

Fernand n'en revient pas. Dès le samedi suivant, il convoque tous les employés en assemblée générale pour procéder à la fondation de la section locale 263 de l'Union industrielle des ouvriers en eaux gazeuses[1]. La réunion a lieu au Café Saint-Jacques, un cabaret populaire de la rue Sainte-Catherine, adossé à l'église Saint-Jacques[2] à l'angle de la rue Saint-Denis. Plusieurs travailleurs présents à l'assemblée signent une carte, donnant au syndicat une majorité confortable. Seul incident, des travailleurs énervés entrent dans la salle en signalant que deux gars prennent des photos, devant l'entrée, dans la rue. La salle s'échauffe, quatre ou cinq gaillards se portent volontaires pour aller leur « parler dans "l'kodack" ». Roméo Gauthier, le président d'assemblée, les calme : « Laissez-les faire, les gars, c'est des hommes du chien à Payette[3]. Y peuvent rien faire contre nous autres. C'est légal ce qu'on fait. »

Dès le lundi, Fernand va déposer une requête en accréditation à la Commission des relations ouvrières. En rentrant au bureau, son lutteur recruteur l'attend, impassible. Sans émotion apparente, il lui apprend qu'il a été congédié. Fernand, ébranlé, tente de le rassurer : une plainte va être déposée, on va le défendre. C'est Johnny Rougeau qui le rassure : « C'est pas grave. Moi, j'vais m'arranger, j'ai ma lutte. Les gars lâcheront pas, on va l'avoir notre contrat. »

Le congédiement de Johnny Rougeau n'est que le premier geste d'agression de la compagnie contre le syndicat. D'autres militants sont congédiés, certains sont rétrogradés et plusieurs sont menacés de diverses représailles. Mais les adhésions au syndicat lui assurent une majorité confortable de 85 % et la Commission des relations ouvrières accorde une accréditation dès novembre 1951. La compagnie entreprend alors une longue série de procédures juridiques, d'abord pour contester l'accréditation, puis pour empêcher un tribunal d'arbitrage de siéger. Au bout de longs mois, la compagnie étant

---

sionnellement par la suite. Après une carrière de vingt-trois ans et plus de 5 000 combats, Jean Rougeau se retire de la lutte à l'âge de quarante-deux ans. Il meurt en 1983.
1. Ce syndicat n'a d'international que le nom puisqu'il s'agit bel et bien d'un local chartré du CTC.
2. Espace maintenant occupé par l'Université du Québec à Montréal.
3. Le patron de l'usine d'embouteillage de *Coca-Cola* à Montréal.

déboutée en Cour supérieure, elle propose à la Commission d'ordonner un vote d'allégeance syndicale en échange de l'abandon des procédures et de sa participation à des négociations si le syndicat est maintenu.

Toutes ces mesures dilatoires et tactiques d'intimidation n'ébranlent en rien la détermination des syndiqués. Même s'ils n'y sont pas tenus, ils acceptent de se soumettre à un vote. Le vote est tenu et une majorité se dégage à nouveau. L'accréditation est maintenue et la compagnie, qui s'y est engagée, doit maintenant négocier.

L'arrogance des compagnies

Requinqué et confiant, Fernand annonce au syndicat : « Enfin, on va pouvoir négocier! » Un comité de négociation est formé où siège le président de la section locale, Roméo Gauthier. Fernand et les membres du comité préparent ensemble un beau projet de convention collective. Ils écrivent à la compagnie pour convenir d'une date de rencontre de négociation. Quelques jours passent, puis arrive une lettre en anglais commençant par des mots secs et hostiles : « *Your unsolicited letter, dated...* » La compagnie ne répond pas à leur demande de négociation, mais les convoque tel jour, telle heure « *Eastern Standard Time* », dans telle salle du *Mount-Royal Hotel.*

Fernand et les membres de son comité encaissent la gifle. Mais ils se disent qu'après tout, ce qui compte c'est d'avoir une première rencontre, de commencer à négocier. Le jour dit, dix-huit mois après l'obtention de l'accréditation, tout le monde est sur son trente-six lorsqu'ils s'amènent, une demi-heure à l'avance, ne sachant trop à quoi s'attendre, au lieu de la réunion. Cette entreprise n'a jamais traité avec un syndicat. « Une première mondiale », comme l'a dit Vaillancourt. La salle est vide. Ils s'installent de chaque côté de la grande table qui, jointe à une autre table, forme un T. Pour les patrons, ils laissent libre la table qui chapeaute le T.

À l'heure prévue se pointe un petit groupe d'hommes, costumes sombres, mine sévère. Fernand se lève, enthousiaste, s'avance vers eux la main tendue. Ils passent un à un devant lui, ignorant sa main. Ils vont s'asseoir en face. L'un d'eux se présente sèchement, en anglais, c'est Mᵉ Delamere. Puis, silence.

Fernand s'éclaircit la voix et entame dans son meilleur anglais la présentation du projet syndical de convention collective, dont il a remis une copie préalablement à l'avocat patronal. Soudain, celui-ci l'interrompt d'un geste de la main et dit en anglais : « Tout ça n'est pas nécessaire. (Il soulève le document qu'il laisse tomber sur la table.) Je connais tous vos arguments. C'est mon métier. (Il se lève) Nous vous remettrons notre contre-proposition dans deux semaines. »

Il quitte la salle sans les saluer, suivi des trois autres qui n'ont jamais ouvert la bouche[1].

Deux semaines plus tard, au même endroit, à l'heure convenue, la même équipe patronale se présente avec la même morgue. Le porte-parole de *Coca-Cola* déclare dans un anglais glacial :

— Voici notre document. C'est notre contre-proposition. À moins d'erreurs dans le texte, mais j'en doute, rien ne peut y être changé. Vous pouvez faire appel à l'arbitrage, à la conciliation, aller en grève. C'est notre offre finale. D'ailleurs, votre décision nous importe peu, puisque ces conditions sont applicables dès maintenant.

Il quitte la salle comme il est venu. Fernand et ses confrères n'ont pas eu l'occasion d'ouvrir la bouche. Ils viennent de se faire imposer une brutale leçon de *boulwarism*. Il sait ce que c'est pour en avoir entendu une définition dans ses cours du père Bouvier en relations industrielles : le nom de cette technique patronale de négociation vient de Lemuel Boulwall, grand patron continental de la *General Electric*. Il affirmait qu'une compagnie doit déterminer intégralement l'échéancier de la négociation et le contenu de la convention collective, puis les imposer sans discussion au moment qu'elle seule choisit.

Pour ces nouveaux syndiqués et leur jeune négociateur, c'est un coup dur. Le texte patronal ne répond pas aux demandes syndicales, mais les conditions de travail proposées sont convenables. En assemblée, les travailleurs s'en disent satisfaits. Après l'assemblée, piteux, Fernand avoue son humiliation aux membres du comité. Le cas de Johnny Rougeau n'est même pas réglé. Pourtant, ce dernier n'a pas du tout la mine basse. Jovial, il lui donne une tape dans le dos, aussi virile qu'amicale :

— Fais pas c't'air là, Fernand. Moé, j'ai aucun problème, la lutte marche de plus en plus fort. J'aurais été obligé de laisser la compagnie de toute façon. Pis les gars sont contents. On a un syndicat, on a un contrat de travail. C'est une première mondiale chez *Coke*!

Cette expérience de négociation contre une multinationale arrogante n'allait pas être unique. Au cours de ses années passées au CCT, Fernand a vu plus d'une fois des négociations difficiles. La faiblesse de la loi québécoise des relations du travail, qui ne contraint pas les employeurs à négocier, et la façon arbitraire dont elle est appliquée ouvrent la voie à tous les abus

---

1. Ces propos et tous ceux qui sont tenus pendant les séances de négociation sont reconstitués à partir des souvenirs de Fernand. Évidemment, tout se déroule en anglais.

patronaux. De façon générale, l'à-plat-ventrisme du régime Duplessis et de sa police devant les grandes compagnies étrangères constitue un encouragement à poursuivre leur antisyndicalisme primaire.

Après *Coca-Cola*, il vit une autre expérience de *boulwarism* à la *Canada Wire and Cable,* une filiale de la puissante et brutale *Noranda*. Fernand sait que cette compagnie mène une lutte acharnée pour briser les Métallos en Ontario, dans le nord-ouest québécois et à Murdochville. Lorsqu'il se présente à l'usine avec son comité de négociation, il est accueilli par l'acolyte francophone de service, Laterreur. Un nom le prédestinant à travailler pour cette compagnie, se dit Fernand. Pourtant poli et courtois, il fait visiter l'usine à Fernand avant que ne débutent les négociations. Fernand apprécie toujours ce genre de visite. N'étant pas manuel pour deux sous, il est toujours impressionné par la maîtrise des ouvriers qui opèrent des machines et manipulent des outils complexes et puissants. Dans cette fabrique de câbles de cuivre, les travailleurs transbordent le métal en fusion avec une aisance déconcertante.

Tout au long de la visite, il constate que son guide n'inspire aucune terreur aux syndiqués. Arrivé à la table de négociation, il se rend compte qu'il en inspire encore moins au grand patron, qui le traite en valet. Le porte-parole de la compagnie, un anglophone de Toronto, s'appelle Hart. Il écoute de façon glaciale et condescendante les arguments de Fernand (exprimés en anglais) en faveur d'une clause de sécurité syndicale, la formule Rand en fait :

— Je crois que vous n'aurez pas de problème à entériner un tel article dans notre convention collective. Je me suis renseigné et je sais que votre compagnie a accepté une mesure semblable à votre usine de Leaside en Ontario au cours des dernières négociations[1].
— Ne perdez pas votre temps, Monsieur Daoust. Cet article a été malencontreusement accepté par l'un de mes collègues traumatisé par une menace de grève du syndicat. Ce collègue a d'ailleurs été congédié quelques jours plus tard. Comme je n'ai pas l'intention de perdre mon travail, je ne commettrai pas la même erreur. Quelque chose d'autre?

La traversée de telles épreuves fait rapidement de Fernand un négociateur syndical chevronné. Il fait un apprentissage accéléré sur les plans humain et technique. Comme il a souvent recruté lui-même les travailleurs et travailleuses qu'il représente à la table de négociation, il développe avec eux des liens étroits et solides. Curieux, il s'intéresse à tout : leurs conditions de travail, les difficultés physiques qui s'y rattachent, les relations d'autorité que subissent les salariéEs dans l'usine, l'air qu'on y respire, les rapports

1. Propos reconstitués à partir des souvenirs de Fernand.

humains entre travailleurs. Il est alors en mesure de voir ces groupes faire l'apprentissage de la solidarité, de la développer et de l'ériger comme une barrière à l'humiliation et à l'exploitation.

Il constate que, comme *Coca-Cola*, toutes les grandes compagnies états-uniennes, britanniques ou canadiennes-anglaises sont dirigées au Québec par des unilingues anglophones. Il y a souvent un adjoint ou un gérant du personnel francophone. Or, ces Oncles Tom canadiens-français prennent leur trou à la table de négociation et cèdent la parole aux vrais maîtres. Ces derniers, la plupart du temps hautains, distants, sinon arrogants, n'ont habituellement pas de temps à perdre. Leurs offres sont à prendre ou à laisser. D'entrée de jeu, ils imposent leur langue à tous les participants de la négociation, même lorsqu'ils sont les seuls anglophones. En conséquence, les membres des comités syndicaux de négociation sont souvent choisis en fonction de leur maîtrise de l'anglais. Lorsque certains ne comprennent pas suffisamment cette langue, Fernand leur traduit tout ce qui se dit.

Fernand s'indigne fréquemment du bannissement quasi généralisé de la langue française lors des négociations et sur les lieux de travail. En s'en ouvrant à son entourage, il constate que cet état de fait agace, choque et révolte de plus en plus les syndicalistes. Il en parle fréquemment avec Jean-Marie Bédard, Émile Boudreau et tous ceux de ses amis qui doivent faire face à des multinationales. Ils sont tous d'avis que cette situation est intenable et doit faire l'objet de débats dans les instances syndicales.

La FUIQ, une fédération à nous

En 1952, les présidents des deux grandes centrales syndicales nord-américaines, William Green (AFL) et Philip Murray (CIO), meurent. Georges Meany prend la tête de l'AFL, tandis que le leader des Travailleurs unis de l'automobile, Walter Reuther, est élu à la direction du CIO. Les deux hommes s'engagent à faire de la réunification du mouvement syndical nord-américain leur grande priorité[1].

Les militantEs du CCT au Québec savent que si une telle fusion se réalise, la famille syndicale canadienne, comme celle du Québec, devra suivre. Or, au Québec, seuls les syndicats de métiers du CMTC ont une véritable fédération provinciale qui les regroupe et les représente depuis 1937, la FPTQ. En cas de fusion, cette dernière aura tendance à prendre toute la place. Philippe Vaillancourt résume succinctement la situation : « Si nous

---

1. L'année suivante, une étude viendra confirmer l'inefficacité des luttes intersyndicales et les sommes colossales perdues lors des maraudages entre les deux centrales, soit 12 millions de dollars pour les deux pays durant la seule année 1951. Pour les détails, voir Boudreau, *Histoire de la FTQ, op. cit.*, p. 142-143.

n'avons pas une véritable organisation québécoise, qui chapeaute les syndicats du CCT, nous ne pourrons pas négocier d'égal à égal avec la FPTQ[1]. »

Fernand est bien conscient que le bureau du CCT à Montréal, c'est la coordination permanente des unions industrielles au Québec, mais ce n'est pas une instance politique. Les conseils du travail de Montréal et de Saint-Jean ont un caractère plus politique, mais ce sont des instances qui œuvrent sur le plan municipal.

Il est logique que les syndicalistes québécois comme Fernand, qui reprochent à la CCF et au CCT d'être trop centralisateurs, veuillent se donner une instance québécoise. Ils veulent une organisation dotée d'un mandat de représentation clair et de dirigeantEs éluEs par les syndicats d'ici. D'ailleurs, la tendance centralisatrice du CCT ne va pas en régressant. Pour ne rien arranger, l'emprise des directions syndicales états-uniennes sur la centrale canadienne se renforce. Il existe donc une double motivation en faveur de la construction d'une fédération syndicale bien québécoise. D'autant que les militantEs ont l'appui des dirigeants des principaux syndicats du CIO implantés au Québec, particulièrement les Métallos, les Travailleurs des salaisons et de ceux du vêtement.

La présence étouffante de Duplessis au pouvoir constitue aussi un facteur déterminant. Depuis son retour en 1944, il exerce une répression constante et brutale sur le mouvement syndical. Despote dans son parti, où il ne tolère aucune dissidence, le *Cheuf* a consolidé son pouvoir absolu en s'accaparant la fonction de procureur général. Les syndicalistes éprouvent donc l'urgence d'établir une plus grande cohésion pour lui faire face.

Depuis 1937, la CMTC a déjà sa fédération provinciale, la FPTQ. Quant à la CTCC, c'est une centrale syndicale à part entière. L'absence d'une instance politique québécoise du CCT nuit à sa visibilité au sein des coalitions syndicales auxquelles il se joint. D'autant plus que, par rapport au CMTC et même à la CTCC, le CCT est minoritaire au Québec. Les unions de métiers représentent en effet plus de 50 % des effectifs syndicaux au Québec,[2] les syndicats catholiques près de 30 % et les unions industrielles un peu moins de 20 %.

Pour former une fédération provinciale, les statuts du CCT prévoient qu'au moins trois conseils du travail doivent avoir été formés au Québec. Or, il n'en existe que deux, l'un à Montréal, l'autre à Saint-Jean[3]. Il faut en créer

1. Propos reconstitués à partir des souvenirs de Fernand.
2. Entre 1940 et 1955, 60 % des nouveaux syndicats créés au Québec sont rattachés au CMTC. Voir Rouillard, *Histoire du syndicalisme québécois, op. cit.,* p. 209.
3. Michel Grant, *L'action politique syndicale et la Fédération des unions industrielles du Québec,* Faculté des sciences sociales, Département des relations industrielles, Université de Montréal, Montréal, 1968, p. 52.

un troisième. On songe d'abord à Québec, où le CCT compte de plus en plus de membres. Mais Émile Boudreau, nouveau permanent des Métallos, suggère : « Pourquoi faire loin, quand on peut faire proche ? On a des membres à Joliette, c'est à 40 milles d'icitte. Qu'est-ce qu'on attend pour y aller[1] ? »

Pendant qu'on rédige la demande de charte de la nouvelle fédération au CCT, Vaillancourt et ses permanents, dont Fernand, partent en expédition éclair pour fonder le Conseil du travail de Joliette. Bien sûr, Émile Boudreau est de l'expédition, ayant préalablement mobilisé quelques sections locales des Métallos de la région.

— Ça va rassurer les membres que je sois là. C'est pas qu'y ont jamais vu d'intellectuels de gauche, mais on sait jamais... Pis ça prend du monde pour applaudir[2].

Au Conseil du travail de Montréal, un débat a lieu sur l'opportunité d'inviter le maire de Montréal, Camillien Houde, à l'ouverture du congrès de fondation de la nouvelle fédération qui se tiendra dans cette ville. C'est la tradition, paraît-il. Charles Devlin et Philippe Vaillancourt s'y opposent. Ils affirment qu'il est inopportun d'inviter un homme qui s'est révélé l'ennemi des unions ouvrières et en particulier du CCT. À ceux qui invoquent la politesse et la tradition pour justifier l'invitation, Vaillancourt répond : « Il ne faut jamais s'abaisser sous prétexte de tradition. Il faut rester dignes devant les ennemis de la classe ouvrière[3]. »

Quelques semaines après la fondation du Conseil de Joliette, a lieu à Montréal, les 6 et 7 décembre 1952, le congrès de fondation de la Fédération des unions industrielles du Québec (FUIQ). Durant ces deux jours de délibérations, les 152 congressistes en provenance de 141 sections locales et représentant 32 000 membres s'entendent pour définir les contours de la nouvelle centrale québécoise[4]. C'est la naissance d'un mouvement auquel s'identifient pendant quelques années les militantEs québécoisES les plus progressistes des unions industrielles.

C'est à Doc Lamoureux, le monsieur CIO de la première heure, que revient la présidence. Fernand, qui n'est pas très impressionné par Lamoureux, est un peu déçu. On lui explique que c'est un peu par reconnaissance pour son travail de pionnier qu'on décerne à Doc le titre

---

1. Propos reconstitués à partir des souvenirs de Fernand.
2. Propos reconstitués à partir des souvenirs d'Émile Boudreau, en entrevue en mars 2004.
3. *Les Nouvelles ouvrières*, octobre 1952.
4. Fernand Dansereau, « Le Congrès canadien du travail crée son organisme provincial », *Le Devoir*, 9 déc. 1952, p. 3. Boudreau, *Histoire de la FTQ, op. cit.*, p. 146.

de président. De plus, son syndicat, les Métallos, est le plus important syndicat industriel. Fernand est rassuré cependant de voir Roméo Mathieu choisi comme secrétaire. Il connaît ses idées, il sait qu'il favorisera une action dynamique, voire combative, et qu'il prônera l'engagement politique de la centrale.

Fernand est déjà acquis à la nécessité de l'action politique. Quelques semaines avant le congrès de la FUIQ, il signe dans le journal du CCT, *Les Nouvelles ouvrières*, un éditorial dans lequel il dénonce la neutralité politique des syndicats du CMTC, comme un « opportunisme et une inconséquence déplorables pour la classe ouvrière de notre pays. Qui veut l'émancipation de la classe ouvrière doit en prendre les moyens. Et l'un de ces moyens, peut-être le plus important, c'est la bataille sur le champ politique ». Il ne voit pas la solution du côté des vieux partis, parce que « leur politique est contrôlée par des intérêts privés qui garnissent abondamment leur caisse électorale[1] ».

Au congrès de fondation de la FUIQ, ce sont les amis de Fernand, les syndiqués de *Coca-Cola* qui, conseillés par lui, proposent la formation d'un comité d'action politique chargé de rédiger « un programme politique provincial, conforme aux besoins des ouvriers de cette province[2] ». On ne parle pas encore de parti, mais ça viendra.

La FUIQ ne peut payer la permanence de ses dirigeants élus. Lamoureux et Mathieu continuent donc d'occuper leurs fonctions respectives chez les Métallos et au Syndicat des salaisons. À la permanence, on embauche le secrétaire du Comité contre l'intolérance raciale et religieuse, Jacques-Victor Morin. C'est l'homme à tout faire, dévoué et dynamique. Il rédige le bulletin d'information de la nouvelle fédération qui, comme la FPTQ, regroupe les sections locales des unions sur une base volontaire. Comme la FPTQ, la FUIQ a du mal à faire le plein de ses effectifs, plusieurs syndicats négligeant de s'affilier. Elle recueille cependant une plus grande proportion d'adhésions que sa rivale.

La formation syndicale

Pendant que la FUIQ se développe et devient un acteur public reconnu, Fernand et André Thibaudeau continuent, au quotidien, d'assumer leurs fonctions de représentants du CCT au Québec. L'une des tâches qu'ils apprécient est celle de la formation syndicale. Chaloult et Devlin participent ponctuellement aux sessions de formation, mais ce sont les deux jeu-

1. *Les Nouvelles ouvrières*, octobre 1952.
2. Résolution présentée par le syndicat de *Coca-Cola*, la section locale 263 des Ouvriers en eaux gazeuses, qu'avait organisé Fernand l'année précédente. Voir *Procès-verbaux du premier congrès de la FUIQ*, résolution n° 5, Montréal, décembre 1952.

nes nouveaux, Fernand et André, qui donnent la majorité des cours, le plus souvent les fins de semaine, dans différentes régions du Québec. Ils ne s'en plaignent pas.

Toujours célibataire, Fernand fréquente Ghyslaine de façon non conventionnelle. Elle a quitté sa maison de pension pour un petit appartement sur la rue Lorne près de l'Université McGill. Parfois, pour profiter de la présence de son grand, comme elle l'appelle, elle l'accompagne dans un congrès ou une assemblée publique. André Thibaudeau va bientôt se marier, mais sa vie ne changera pas vraiment. Sa fiancée Laurette répète souvent à Ghyslaine : « Un syndicaliste n'a pas d'heure… »

Habituellement, Vaillancourt les accompagne dans ces tournées de formation. Il ouvre et clôture les sessions. Il intervient parfois pour souligner l'importance d'événements marquants dans l'histoire du mouvement ouvrier. Il adore aussi discourir sur la nécessité de compléter l'action syndicale par l'action politique. Bien articulé, il est toujours net dans ses exposés.

Ces cours sont organisés avec les dirigeants des conseils du travail, là où il en existe, à Montréal, à Québec, à Saint-Jean et à Joliette. Des responsables de syndicats affiliés sont aussi mis à contribution. La formation syndicale assurée par Fernand et André s'adresse surtout aux dirigeantEs et aux déléguéEs des sections locales. On y trouve aussi bien des militantEs des syndicats industriels affiliés que ceux des locaux chartrés. Fernand et André y enseignent les règles de procédure d'assemblées, des rudiments d'histoire syndicale, le rôle des déléguéEs, le recours aux griefs et la négociation collective. Fernand y va aussi de cours d'initiation à l'économie, son dada depuis l'université. Il y parle de la grande crise économique des années 1930, de la théorie monétaire et, surtout, des vertus de l'économie planifiée, ce qu'il a découvert dans les cours du professeur Dehem.

C'est pendant l'un de ses exposés que Fernand est rappelé à l'ordre par le président des cols bleus de Montréal, Léo Lebrun. Le vieux marxiste ne rate d'ailleurs jamais une occasion de lui rappeler les principes fondamentaux du socialisme scientifique. Fernand est en train d'expliquer les cycles économiques et affirme que l'État peut les contrer par la planification et des interventions directes. Léo Lebrun le réprimande : « Fernand, vous êtes "confusionniste". C'est de la bouillie pour les chats vos leçons d'économie. Vous ne parlez pas de la plus-value, des rapports de force et de la lutte des classes. […] C'est ça les vrais rapports économiques[1]. »

---

1. Répartie restée fraîche dans la mémoire de Fernand. Elle est aussi rapportée par Jacques-Victor Morin dans Denis, *Jacques-Victor Morin, syndicaliste et éducateur populaire, op. cit.*, p. 78.

Fernand ne se convertit pas pour autant au matérialisme dialectique, mais accepte de bon cœur les critiques de cet homme qu'il estime.

Fernand et André sont toujours partants pour aller prêcher la bonne nouvelle. Le vendredi soir, Fernand aide André à charger sa voiture de tout un barda pédagogique. Ensemble, ils vont louer un projecteur à la Bibliothèque municipale de la rue Sherbrooke et mettent le cap sur une ville plus ou moins éloignée de Montréal. Pour assurer la projection et faire face à tout bris mécanique, Fernand a suivi une formation de projectionniste à l'Office national du film (ONF). Cinquante ans plus tard, ses bras gardent le souvenir du poids du foutu projecteur qu'il a trimballé partout en province.

Les séances de type magistral sont très animées et beaucoup moins coincées qu'en milieu académique. On y projette des films de l'ONF qui portent sur les griefs, la négociation collective, la procédure d'assemblée ou le recours à la grève. Ces films ont été produits à la demande du CCT. On visionne aussi un film états-unien controversé, *Le Sel de la terre*[1]. Ces tournées les mettent en contact avec des travailleurs et des travailleuses de tous les secteurs industriels, de toutes les régions. Ils prennent des bouchées doubles, approfondissent rapidement leur connaissance des mentalités régionales et de la culture ouvrière. Ils en tirent des leçons durables sur le pragmatisme et le sens des réalités de ces hommes et de ces femmes qui peinent durement pour gagner la vie de leur famille. Ils admirent leur persévérance dans les luttes. Ils la constatent aussi bien lors de grands affrontements que dans les humbles batailles quotidiennes pour défendre des droits durement arrachés lors des négociations. Si Fernand et son ami accélèrent ainsi leur maturation de syndicalistes, ils deviennent également des personnages connus. Ils le constatent lors des congrès quand de nombreux déléguéEs viennent les saluer.

Une fois par année, on ajoute à ces cours de fin de semaine des sessions d'une semaine complète en résidence, l'école d'hiver. On tient alors quelques sessions simultanées au Manoir de Saint-Donat dans les Laurentides où se retrouve une soixantaine de dirigeantEs de la base. On y donne des cours sur les mêmes thèmes que lors des sessions régulières de fin de semaine, mais en les approfondissant. On y projette aussi plus de films suivis de discussions et on organise des soirées récréatives où les talents musicaux et théâtraux de chacunE sont mis à profit.

---

1. *Le Sel de la terre* (1954) est un drame social réalisé par Herbert J. Biberman. Il décrit les conditions de mineurs mexicano-américains de l'État du Nouveau-Mexique. Les mineurs se voient interdire par un tribunal, qui se conforme aux dispositions du *Taft-Hartley Act*, de poursuivre une grève. C'est alors que leurs épouses et leurs filles décident de tenir les piquets de grève à leur place.

Occasionnellement, on organise aussi des conférences et des colloques. Ces sessions plus avancées s'adressent aux permanentEs et dirigeantEs libéréEs[1]. Après 1952, c'est sous les auspices de la FUIQ que ces activités spéciales seront organisées. C'est le très actif Jacques-Victor Morin qui en est à la fois l'instigateur, l'organisateur et l'un des animateurs.

Ce sont des occasions uniques de souder les rangs de la famille syndicale entre les congrès. C'est souvent pendant et en marge de ces sessions que bouillonnent les idées politiques, les projets d'action et de mobilisation. Roméo Mathieu y invite Pierre Elliott Trudeau, à qui il voue une admiration sans bornes. Il y a aussi l'avocat Guy-Merrill Desaulniers[2], qui représente plusieurs syndicats du CCT au Québec depuis le début des années 1940. Gérard Pelletier, rédacteur du journal *Le Travail* de la CTCC, et l'abbé Gérard Dion, directeur de l'École des relations industrielles de l'Université Laval, sont aussi du nombre. Dion est l'un des rares prêtres catholiques à frayer ouvertement avec les unions non confessionnelles. Pour Fernand, son ouverture d'esprit tranche avec le parti-pris patronal et conservateur de son homologue de l'Université de Montréal, son ancien professeur, le jésuite Émile Bouvier.

Au cœur de toutes les discussions plane l'ombre de l'ennemi commun, Duplessis. On discute ferme des meilleurs moyens de contrer ce chef antisocial à qui on attribue tous les retards du Québec. Certains font une analyse plus nuancée et plus historique de l'état de sujétion dans lequel les CanadienNEs françaisES sont maintenuEs. Les Trudeau, Pelletier et leurs amis de *Cité libre* ne cessent de dénoncer le cadre idéologique et institutionnel qui a lourdement hypothéqué les progrès sociaux et économiques de leurs concitoyenNEs depuis le début du siècle. Ils pointent du doigt l'Église et les élites nationalistes traditionnelles. Ils leur reprochent d'avoir monopolisé l'espace de la pensée sociale et imposé une vision illusoire de la société à bâtir. Ils dénoncent aussi leur incompréhension des réalités que sont l'industrialisation, l'urbanisation et le développement du capitalisme. Pour ces intellectuels, les vieilles élites canadiennes-françaises n'ont pas su prendre en compte l'émergence d'une conscience et d'une culture authentiquement ouvrière[3].

1. Dans le jargon syndical québécois, les « dirigeantEs libéréEs » sont des responsables syndicaux éluEs dans des sections locales suffisamment grandes pour avoir les moyens de les libérer à plein temps de leur travail pour s'occuper des affaires syndicales.
2. Militant de longue date de la CCF-PSD, il en a été le président québécois de 1948 à 1950.
3. Dans le premier chapitre de l'ouvrage collectif sur la grève de l'amiante, Pierre Elliott Trudeau fait une synthèse magistrale de cette analyse. Voir Trudeau (dir.), *La grève de l'amiante, op. cit.*, p. 1-91. Ses amis et lui développent aussi ces thèses dans *Cité libre*, publiée à partir de 1950. Selon Suzanne Clavette, auteure du livre *Les dessous d'Asbestos. Une lutte idéologique contre la participation des travailleurs* (Sainte-Foy, PUL, 2005), Trudeau sous-estime le catholicisme social qui a donné naissance à plusieurs

En bout de ligne, ce sont toutes les manifestations du nationalisme qui deviennent suspectes aux yeux de Trudeau et de l'équipe de *Cité libre*.

Fernand éprouve parfois un malaise, sinon une réelle frustration, à entendre ainsi assimiler tout sentiment de fierté nationale à une idéologie stérile, sinon suicidaire. Il reconnaît, bien sûr, un fondement réel à la critique de ces intellectuels. Il se souvient que le nationalisme officiel, qu'il a connu à son adolescence, baignait dans des valeurs traditionnelles. Comme beaucoup de ses jeunes camarades, ce discours passéiste lui entrait par une oreille pour sortir par l'autre. C'est autre chose qui mobilisait alors les jeunes : le droit d'exister comme peuple et la nécessité d'agir pour imposer ce droit. Quelques années plus tard, maintenant qu'il est adulte et connaît la réalité du travail, en entendant le discours antinationaliste de Trudeau, il a la conviction que ce dernier passe à côté d'une dimension essentielle. Comment penser progresser collectivement en faisant abstraction de nos caractéristiques propres, de nos racines et de nos rêves spécifiques? Est-ce rétrograde de vouloir vivre dans sa langue sans être pénalisé ou traité en citoyenNE de seconde zone?

Un personnage marquant... et provocateur

Pierre Elliott Trudeau est un personnage particulièrement marquant. À moins de s'en démarquer! C'est ce que fait peu à peu Fernand. Comme plusieurs, il est d'abord fasciné par ce brillant intellectuel de sept ans son aîné. Lorsqu'il le rencontre, au début des années 1950, cet avocat vient tout juste de quitter un poste au Conseil privé à Ottawa. Parfait bilingue, comme on disait à l'époque, il donne l'impression d'être superbement à l'aise dans sa peau. Trop à l'aise, trop en contrôle pour qu'on s'identifie vraiment à lui. Émile Boudreau disait de lui : « Y a tellement l'air au-dessus de la mêlée... Y a pas de danger qu'y s'neye[1]! »

Fils de Grace Elliott, une anglophone d'origine écossaise, et de Charles-Émile Trudeau, un homme d'affaires canadien-français, Pierre Elliott Trudeau n'a pas de souci d'argent. Son père, qui a fait fortune en vendant les *Pétroles Champlain* à *Esso Imperial*, a aussi été l'un des propriétaires du parc Belmont et du Stade De Lorimier. À sa mort, en 1935, il laisse à sa femme et à ses trois enfants une grande maison bourgeoise et une fortune importante. Il est donc normal que son fils fréquente de grandes écoles : Harvard, la London School of Economics, l'École des sciences économiques de Paris. Indépendant de fortune, il peut se permettre de diriger la rédaction de *Cité libre* et d'effectuer de nombreux voyages en Europe et en Asie. Il consacre

---

mouvements sociaux et courants d'idées, le coopératisme, le syndicalisme catholique, l'action catholique spécialisée, le mouvement de la réforme de l'entreprise, qu'il assimile à tort au corporatisme.

1. « Qu'il se noie ». Propos reconstitués à partir des souvenirs de Fernand.

d'ailleurs davantage de temps à ces activités intellectuelles et à ces périples qu'au droit, qu'il ne pratique qu'occasionnellement.

Provocateur et excentrique, il est l'auteur de canulars célèbres : pendant la guerre, il fait des incursions à moto dans des villages québécois déguisé en officier allemand[1] ; il exige une réception royale dans un restaurant de l'ouest de la ville où il était arrivé avec sa suite, attifé en Maharajah[2] ; un jour, il débarque de sa luxueuse voiture sport, vêtu en curé, pour engueuler des grévistes sur une ligne de piquetage... sans doute dans l'intention de provoquer la révolte du prolétariat[3].

Dans le milieu syndical, on est amusé par ces frasques, mais c'est pour ses qualités intellectuelles qu'on l'apprécie le plus. En plus de l'inviter à des colloques ou des séminaires, Roméo Mathieu lui confie la rédaction du mémoire de la FUIQ à la Commission royale d'enquête sur les problèmes constitutionnels, la commission Tremblay, mise en place par le gouvernement Duplessis. À cette époque, Trudeau se présente même comme le conseiller juridique de la FUIQ. Dans ce mémoire de 1954, rédigé avec le concours de dirigeants de la fédération[4], d'Eugene Forsey du CCT et de Frank Scott de la CCF, Trudeau fait une démonstration magistrale de l'infériorité économique des travailleurs et des travailleuses québécoisEs par rapport à leurs voisinEs ontarienNEs. Les salaires y sont plus bas et le taux de chômage y est toujours plus élevé. En 1953, il est de 15 % au Québec, par rapport à 10 % en Ontario[5].

Dans le mémoire, on prône aussi l'accès de la Province à l'impôt direct, mais on s'oppose au retrait du gouvernement central dans ce champ de taxation. On y insiste fortement sur la nécessité de mesures de coopération fédérale-provinciale sur le plan fiscal. Cette coopération semble également essentielle en matière de droit du travail, où on souhaite une harmonisation des législations provinciale et fédérale. On y affirme même que si les provinces « s'avéraient incapables de veiller à ce que l'industrialisation procède sans injustice pour le travailleur, celui-ci se verrait obligé de recourir au gouvernement fédéral et de demander un code national du travail... » Sûrement influencé par Trudeau, on y prône un fédéralisme « ouvert et courageux ». La Constitution n'a pas besoin d'être réformée. Il suffit que s'instaure une coopération fédérale-provinciale et qu'on cesse « d'y voir une occasion voilée

---

1. Dorval Brunelle, *Les trois colombes,* Montréal, VLB Éditeur, 1985, p. 74.
2. Histoire qui circule lorsque Fernand fait la connaissance de Trudeau.
3. Rapporté par Émile Boudreau en entrevue, mars 2004.
4. Philippe Vaillancourt, Doc Lamoureux, Roméo Mathieu et Don Armstrong y auraient également participé. Mais ce serait Trudeau qui en aurait été le maître d'œuvre. Voir Brunelle, *op. cit.,* p. 109.
5. Ces données sont tirées du résumé qui est fait du mémoire dans Boudreau, *Histoire de la FTQ,* op. cit., p. 149-153.

d'accroître ses propres pouvoirs. » L'institution fédérale doit devenir le « bouclier contre les poussées irrationnelles[1] ».

Trudeau semble être fortement marqué par la pensée de Maurice Lamontagne, qui publie en 1954 un livre sur le fédéralisme canadien[2]. Trudeau est l'un des seuls intellectuels en vue à faire l'éloge de la thèse qui y est développée[3]. Il apprécie particulièrement la description qu'on y fait d'un gouvernement fédéral rationnel par opposition à un gouvernement provincial nationaliste et tourné vers le passé. Pour lui, tout ce qu'on peut attendre du nationalisme québécois de Duplessis, c'est le repli sur soi et la défense d'un monde qui n'existe plus[4].

Selon Émile Boudreau, certains militants de la FUIQ ont alors le sentiment que Trudeau leur en a « passé une petite vite » dans ce mémoire[5]. Il faut constater que, déjà, la philosophie fédéraliste de Trudeau semble bien définie, alors que le nationalisme en mutation n'est pas encore très branché sur un projet de société cohérent et mobilisateur. En tout cas, au moment de la rédaction de ce mémoire, personne à la FUIQ ne semble en mesure d'opposer au fédéralisme désincarné et utopique de Trudeau un modèle autonomiste articulé.

Fernand ne se reconnaît pas dans cette vision d'un Canada uniforme d'une mer à l'autre. Il est davantage en accord avec les éditoriaux d'André Laurendeau et de Gérard Filion dans *Le Devoir*. Ceux-ci, tout en partageant la critique des Trudeau et de *Cité libre* sur le vieux nationalisme passéiste et le conservatisme antisocial de Duplessis, ne renient pas l'identité nationale propre aux gens d'ici. Ils croient légitime et nécessaire de promouvoir des réformes dans une perspective de promotion collective des Québécois, qu'on nomme encore Canadiens français.

Les frères d'armes

Le mouvement syndical est alimenté par des idées qui émergent au cœur des luttes, des leçons qu'on tire de situations concrètes. Souvent, la théorie se construit dans l'action. Malgré leur origine commune, les unions nord-américaines industrielles ou de métier sont souvent distantes, sinon antagonistes. Au début des années 1950, ce n'est pas avec la FPTQ que la FUIQ entretient les rapports intersyndicaux les plus étroits. C'est plutôt avec

1. FUIQ, *Mémoire de la Fédération des unions industrielles du Québec à la Commission royale d'enquête sur les problèmes constitutionnels*, présenté à Montréal, le 10 mars 1954, 2ᵉ édition, février 1955, p. 24.
2. Maurice Lamontagne, *Le fédéralisme canadien. Évolution et problèmes*, Sainte-Foy, PUL, 1954.
3. *Cité libre*, n° 10, octobre 1954.
4. Voir Brunelle, *op. cit.*, p. 110-114.
5. Boudreau, *Histoire de la FTQ, op. cit.*, note 18, p. 153.

les militants de la CTCC qu'on passe à l'action et avec qui on fraternise. Pour les militants de la FUIQ, ce sont de véritables frères d'armes. Fréquemment, des grévistes des deux centrales se prêtent mutuellement main-forte. Le caractère confessionnel de la CTCC est de moins en moins présent. Les syndicalistes des deux organisations se reconnaissent un même militantisme et partagent le même mépris du régime Duplessis. Ils mobilisent ensemble, avec les mêmes slogans. Ils se retrouvent fréquemment sur les mêmes piquets de grève, unis et soudés dans l'action. C'est le cas pendant les grèves de *Dupuis Frères* et de *Simmons Bedding*, qui se déroulent à peu près au même moment.

Dupuis Frères[1], le grand magasin à rayons de l'est de Montréal est une institution canadienne-française privilégiée en particulier par les communautés religieuses. Ouvert en 1878, le magasin s'appuie sur la religion, la famille et le nationalisme pour fidéliser une clientèle tentée par les grands commerces anglophones de l'ouest de Montréal : *Eaton, Simpson's, Morgan… Dupuis Frères* se qualifie lui-même de magasin du peuple.

La CTCC y organise un syndicat au début des années 1950. La centrale syndicale doit alors faire face à un paternalisme imperméable à toute négociation collective. Les syndiquéEs, en majorité des femmes, travaillent de longues heures pour des salaires minables. Une fois de plus, c'est l'occasion de constater combien est utopique l'idéal bonententiste auquel le clergé invite à se conformer les syndicats catholiques depuis leur fondation. Les bons patrons catholiques ressemblent étrangement aux méchants patrons anglophones. Lorsqu'il y a confit de travail, ils font tout pour briser la grève en maintenant leur magasin ouvert et en offrant des réductions de 20% à la clientèle. Ils embauchent des *scabs*, font appel à la police. Une véritable guerre des nerfs s'enclenche entre les deux parties, donnant lieu à toutes sortes d'initiatives de la part des grévistes et de leurs partisanEs[2]. Régulièrement, des manifestations se tiennent devant le grand magasin de la rue Sainte-Catherine.

À l'appel du Conseil du travail de Montréal du CCT et du Conseil central de la CTCC, quelque 5 000 travailleurs et travailleuses se réunissent

---

1. Fondé par Nazaire Dupuis en 1868, le magasin est installé définitivement au coin des rues Sainte-Catherine et Saint-André en 1882. Il occupera progressivement tout le quadrilatère formé par les rues Sainte-Catherine, Saint-Hubert, De Montigny (aujourd'hui De Maisonneuve) et Saint-André. Ce grand magasin canadien-français a influencé de façon significative le développement du commerce dans la partie est de la ville. L'employeur y a déclenché un lockout en 1976 et a fermé ses portes en 1978. Le centre commercial *Place Dupuis*, une tour de bureaux ainsi qu'un hôtel (*Gouverneurs Place Dupuis*), occupe aujourd'hui l'espace. Josette Dupuis-Leman, *Dupuis Frères, le magasin du peuple*, Montréal, Stanké, 2001.
2. Voir Pierre Vadeboncoeur, « Histoire de la grève chez Dupuis Frères », dans J.-P. Lefebvre et coll., *En Grève!*, Montréal, Éditions du Jour, 1964, p. 99 à 128.

au Palais du commerce. Parmi les orateurs, outre les dirigeants de la centrale catholique, Gérard Picard et Jean Marchand, on compte Philippe Vaillancourt et Doc Lamoureux. Les supporters des grévistes envahissent ensuite la rue Sainte-Catherine devant le grand magasin. Les grévistes, en majorité des femmes, apprécient particulièrement le soutien des gars de *Simmons Bedding* venus faire du piquetage avec Fernand. La grève dure trois mois et donne lieu à 70 arrestations[1].

C'est une situation semblable que vivent les syndiquéEs du fabricant de matelas *Simmons Bedding*, dans le sud-ouest de Montréal, à l'angle des rues Saint-Ambroise et Notre-Dame. La compagnie, établie là depuis plus de cinquante ans, a toujours combattu fermement la syndicalisation. Les travailleurs et travailleuses sont membres d'un local chartré du CCT depuis un an. À cause de la présence de *scabs*, de nombreuses manifestations tournent à la violence. Vaillancourt lui-même dirige la négociation, pendant que Fernand coordonne les activités de grève. C'est un conflit très dur, qui marque Fernand.

Il se souvient que c'est dans ce quartier ouvrier de Saint-Henri que son grand-père Gobeil a travaillé lorsqu'il est arrivé en ville. Fernand y découvre des conditions de vie très précaires, un air pollué par la suie qui s'échappe des cheminées des usines et des locomotives à vapeur, nombreuses dans ce secteur de cours de triage. Partout dans les rues, dans les ruelles, on lit la misère sur le visage des enfants. Les grévistes lui décrivent le travail très pénible qu'ils doivent accomplir pour un salaire de famine. Ils lui parlent surtout du mépris patronal quotidien qu'ils doivent subir. Le syndicat à peine accrédité, l'employeur a congédié plusieurs employéEs dont le président du syndicat, Prime Lecavalier. Pourtant, cet employé a quarante-sept ans d'ancienneté à l'usine et a été le chauffeur privé de son patron pendant de nombreuses années.

Pour la première fois peut-être, pendant ce conflit, Fernand éprouve un fort sentiment de révolte et de mépris pour ces employeurs qui rejettent les hommes et les femmes comme on se débarrasse de vieilles machines. D'un naturel pacifique et réfléchi, il sent parfois monter en lui une violence qu'il ne se connaissait pas. Pendant son enfance, comme pendant son adolescence, il n'était pas batailleur. Il se contentait de se défendre si on l'attaquait. Mais un spectacle aussi cru de l'injustice fait monter en lui une colère irrépressible. La présence des *scabs* et des fier-à-bras de la compagnie, l'intervention brutale de la police, toujours du côté des *boss*, provoque chez lui une réaction quasi incontrôlable.

Fernand indigné

André Thibaudeau est témoin d'une scène étonnante impliquant son ami d'adolescence. Quelques mois avant cette grève de *Simmons Bedding*,

---

1. *Ibid.*, p. 118.

alors que Fernand et lui sortent d'une taverne, ils aperçoivent un policier qui tabasse un ivrogne affalé sur le trottoir. Fernand s'avance et demande au flic de se calmer. Celui-ci, qui semble stimulé par cette injonction, *varge*[1] à tour de bras en criant : « Mêlez-vous de vos affaires vous autres… Crissez-l'camp d'icitte[2] ! »

Indigné, Fernand pousse fermement le policier qui finit par lâcher prise. Il n'avait pas prévu la suite. Tout se passe en quelques secondes. Il voit le policier se ruer brusquement sur lui. Il est lui-même retourné comme une crêpe et prestement menotté. Abasourdi, il est paralysé et ne songe même pas à résister. D'ailleurs, l'autre l'en dissuade à l'avance :

– Tu vas me suivre au poste, mon grand « criss », pis essayes pas de t'échapper sinon je te matraque !

Fernand obtempère, suivi de loin par Thibaudeau, qui a assisté à la scène sans intervenir. Après, il dit à Fernand :

– Ça s'est passé tellement vite que j'ai pas su quoi faire… Une fois que tu as été menotté, je voulais pas aggraver ton cas.

Au poste, on l'interroge et on constate rapidement qu'il n'est pas un voyou. On lui fait signer une promesse de comparaître. Il est accusé d'assaut sur la personne d'un policier. Il sera condamné à « garder la paix ».

La grève de *Simmons Bedding* lui fournit une autre occasion de vivre une relation trouble avec la police. À quelques rues de l'usine de matelas, il y a plusieurs salaisons : *Canada Packers, Wilsil, Swift Canadian*. Embrigadés par Roméo Mathieu, des centaines d'ouvriers membres de l'Union des salaisons envahissent la rue pour venir prêter main-forte aux grévistes. L'arrivée de ces gaillards, vêtus de chiennes blanches[3] tachées de sang, produit un effet dramatique. Leur visite aux piquets de grève devant *Dupuis Frères* avait sensiblement eu le même effet quelques semaines auparavant. Les grévistes s'en trouvent requinqués. Ce jour-là, les gars des salaisons se lancent spontanément à la chasse aux *scabs*. Enflammé par ce mouvement vindicatif, Fernand part à la poursuite d'un des briseurs de grève. Ce dernier, qui n'habite pas loin, monte en vitesse les marches d'un escalier extérieur et se réfugie chez lui. Lorsque Fernand rebrousse chemin, il est cueilli par un policier qui l'a suivi et l'attend au pied de l'escalier.

---

1. Expression acadienne couramment employée au Québec. Littéralement, frapper avec une *varge* (*verge*), frapper à tour de bras; il l'a *vargé,* il l'a bien battu. Voir Pascal Poirier, *Le glossaire acadien*, édition critique établie par Pierre M. Gérin, Moncton, Éditions d'Acadie et Centre d'études acadiennes, 1993.
2. Propos reconstitués à partir des souvenirs de Fernand.
3. Sarreaux blancs semblables à ceux des infirmiers.

Arrêté, il est détenu au poste de police. Lorsqu'on apprend à Vaillancourt l'arrestation de son jeune permanent, le directeur québécois du CCT est à la taverne en train de refaire le monde, comme ça lui arrive souvent le vendredi en fin d'après-midi. Pince-sans-rire, mais ne ratant pas une occasion de dérider ses compagnons de table, il dit : « Qu'il reste là, ça va lui faire du bien de coucher en dedans[1]. Ça fait partie de son éducation politique. »

Il oublie que, après la soirée du vendredi, il n'y a plus de comparution possible en Cour avant le lundi. Les personnes interpellées sont alors obligées de passer la fin de semaine à l'ombre. Vaillancourt finit par prévenir Guy-Merrill Desaulniers, l'avocat du CCT. Celui-ci arrive à temps pour faire sortir Fernand après signature d'une promesse de comparaître. Fernand s'en tire à nouveau avec une condamnation à « garder la paix ».

Si le conflit dans le grand magasin à rayons *Dupuis Frères* connaît une issue heureuse, celui de *Simmons Bedding* se termine mal, le syndicat perdant même son accréditation. Les salariéEs de cette entreprise devront attendre plusieurs années avant d'avoir à nouveau un syndicat[2].

Au cours de cette période, de nombreux conflits très durs éclatent un peu partout au Québec. Ils sont souvent menés par des syndicats de la FUIQ et de la CTCC. Presque tous les conflits se déroulent selon le même schéma : des compagnies intransigeantes, qui ne reconnaissent pas le syndicat ou remettent son existence en cause, des instances gouvernementales complaisantes, la présence de *scabs* et de fiers-à-bras pour briser les grèves, la brutalité de la police, qui vient à la rescousse des employeurs, des tribunaux répressifs… Ces grèves, aux enjeux pourtant conventionnels, prennent l'allure de batailles héroïques. Malgré des mobilisations importantes du mouvement syndical, elles se terminent souvent dans l'amertume. En 1953, à Louiseville, humiliéEs et abattuEs, les 700 grévistes de l'*Associated Textiles* membres de la CTCC rentrent au travail après onze mois de grève. Dans le Nord-ouest québécois, après plus de six mois de lutte contre la *Noranda*,

---

1. En prison.
2. Les salariéEs adhèrent à l'Union internationale des rembourreurs à la fin des années 1960. La section québécoise de l'Union est dirigée par Donat Thériault, un syndicaliste affairiste qui cache à peine sa connivence avec les employeurs. Les travailleurs et travailleuses de *Simmons Bedding* obtiennent le soutien de la FTQ pour se débarrasser de Thériault en mars 1978, alors que le Conseil général dénonce son comportement et invite les affiliés à accueillir les membres qui souhaitent quitter cette union internationale. Un certain nombre de sections locales adhèrent alors à la section 145 des typographes, qui devient la même année le Syndicat québécois de l'imprimerie et des communications (SQIC). En novembre 1992, le SQIC se désaffilie de l'Union internationale et fusionne avec le Syndicat des travailleurs en communication du Canada au moment où celui-ci fusionne avec le Syndicat canadien des travailleurs du papier et le Syndicat des travailleurs de l'énergie et de la chimie pour former le Syndicat canadien des communications, de l'énergie et du papier (SCEP).

2 000 grévistes membres du Syndicat des métallos doivent abdiquer. Malgré tout, ils s'estiment heureux de rentrer au travail en conservant leur syndicat, trop de grèves se terminant par une désyndicalisation.

Fernand participe à ces luttes, manifeste, mobilise ses troupes. Il souhaite être partout. C'est un habitué des réunions du Conseil du travail de Montréal où les débats sont plus politiques que dans les assemblées syndicales régulières[1]. Il y retrouve les militantEs les plus dynamiques du mouvement. Les débats sont l'occasion de faire le bilan des luttes, de constater que, pour surmonter le blocage total auquel les travailleurs et les travailleuses font face, il faut plus que de la combativité et de l'acharnement. Fernand et ses amis arrivent généralement à la conclusion que seule une action politique concertée de la classe ouvrière lui permettra de sortir de ce tunnel obscur et interminable, de cette Grande Noirceur que représente le régime Duplessis.

La taverne-école

Souvent décrite comme le lieu de défoulement des mâles aliénés, la taverne québécoise sera parfois une véritable école de formation politique... Lorsque le bureau du CCT emménage sur la rue Sainte-Catherine, la bande de Vaillancourt adopte la taverne *Le Sphinx*[2] comme annexe du bureau. On s'y retrouve fréquemment à la fin de l'après-midi. Avec l'équipe du CCT et le groupe de syndicalistes et militants politiques qui gravitent autour, les conversations animées s'y prolongent parfois jusqu'à la fermeture. Jacques Chaloult, marié et discipliné, boit modérément. Il est moins assidu à ces séances de taverne-école et s'en esquive tôt. Toujours célibataire, Fernand s'y retrouve fréquemment avec Vaillancourt, Devlin, André Thibaudeau et son frère Jacques, le nouveau secrétaire permanent du Comité contre l'intolérance raciale et religieuse. Il y rencontre aussi parfois Jean-Marie Bédard et Émile Boudreau et, bien sûr, Jacques-Victor Morin. Si la plupart arrosent généreusement leurs propos, ce dernier, pourtant intarissable, consomme peu.

On commente l'actualité sociale et politique. On refait le monde. On dénigre les syndicalistes conservateurs ou magouilleurs. On nourrit collectivement son ressentiment à l'égard du *Cheuf*. On rêve de le balayer de l'Histoire, englouti sous la vague irrésistible des masses populaires. Pour cela, on va rassembler ces dernières dans un parti politique progressiste, nationaliste et populaire. On suit en cela la trace de tous ces mouvements

---

1. Les conseils du travail sont des instances de représentation politique. Contrairement aux syndicats locaux, ils n'ont pas de mandat de négociation.
2. Située du côté nord de la rue Saint-Catherine, quelques portes à l'ouest de la rue Saint-Denis, *Le Sphinx* devient plus tard la *Taverne du trappeur*. Elle est démolie dans les années 1980 pour faire place à un pavillon de l'UQAM.

de libération qui luttent un peu partout pour décoloniser la planète de l'Indochine à Cuba en passant par l'Algérie. On va construire au Québec un espace de liberté affranchi du joug de l'Église. On donnera naissance à une société égalitaire qui mettra les privilégiés au pas et qui n'acceptera plus l'humiliation que subissent les Canadiens français, obligés de renier leur langue au travail.

À ce groupe d'idéalistes, d'autres forts en gueule s'ajoutent parfois. Fernand y croise entre autres son ancien compagnon de la lutte anticonscription, André Mathieu. Toujours fervent nationaliste, il a composé un hymne national à sa patrie rêvée, la Laurentie. Il est maintenant rongé par l'alcool. Fernand fait aussi la connaissance de Walter Patrick O'Leary qui, malgré son nom à consonance anglaise, se qualifie de séparatiste. Le premier qu'ait connu Fernand. O'Leary est le fondateur et le président de l'Union des Latins d'Amérique, une association qui veut faire contrepoids à l'hégémonie anglo-saxonne.

Malgré sa notoriété de nationaliste radical, O'Leary sème parfois une certaine confusion à cause de son nom. Ainsi, au début des années 1960, le président de la Fraternité internationale des travailleurs des pâtes et papiers, Henri Lorrain, un fédéraliste et anglophile notoire, cherche un rédacteur pour son journal syndical. Lorsque Fernand suggère de faire appel à O'Leary, il est emballé. Il le convoque et, avant de confirmer son embauche, il se contente de lui demander : « Évidemment, vous êtes bilingue? » O'Leary de répondre : « Évidemment! »

Il dit vrai. Il maîtrise parfaitement l'espagnol... mais pas l'anglais! Lorrain le découvre après quelques jours. O'Leary ne fait évidemment pas vieux os au Syndicat du papier. Lorrain se mord sûrement les doigts de ne pas être plus au fait des courants politiques qui agitent le petit monde nationaliste québécois.

Une parenthèse au Sud
Un jour où Devlin et lui s'attardent à la taverne, Vaillancourt leur fait une invitation inusitée :

— Est-ce que ça vous dirait de briser la routine et d'oublier le froid pour quelques jours?
Les deux compagnons de taverne du directeur québécois répondent en chœur :
— Évidemment!
— On devrait profiter du fait qu'on a pas de dossiers brûlants à régler pour faire un voyage au Sud.
Devlin, un peu sarcastique demande :

– Au sud de quoi ? Dans le Vieux-Montréal ou dans les Cantons de l'Est ?
– Voyons, pas ce sud-là. Le vrai, où il faut chaud. Au Mexique, par exemple.
Fernand excité par cette idée saugrenue, demande incrédule :
– On peut pas faire ça, c'est trop loin. Puis, moi, j'ai pas les moyens de me
payer un billet d'avion…
– Pas besoin d'avion. On y va par la terre ferme. On prend ma voiture, on
partage les frais. À trois conducteurs, on sera là en trois jours.

Avant même de dégriser, voilà nos trois compères qui partent se préparer.
Le lendemain matin, ils sont au rendez-vous et mettent le cap sur la frontière
états-unienne. Fernand a brièvement fait part de son projet à Ghyslaine.
Elle croit d'abord qu'il lui fait une blague. Mais constatant qu'il est sérieux
et qu'il brûle d'envie de partir, elle lui dit que c'est une bonne idée. De toute
façon, leurs fréquentations, quoique permanentes et solides, sont souvent
trouées d'absences plus ou moins prévisibles. La blonde de Fernand ne s'en
formalise pas.

Vaillancourt avait raison, en deux jours et demi, ils sont à la frontière
du Mexique. Ils ont traversé les états américains d'une traite, se relayant
au volant et s'arrêtant brièvement pour manger, une fois pour dormir. Ils
étaient d'accord là-dessus et cela rendait même le voyage plus attrayant : il
fallait se trouver au soleil le plus tôt possible. Fernand se dit qu'au retour, ils
prendront le temps de voir un peu les États-Unis.

Une fois la frontière franchie, le contraste n'est pas que climatique. C'est
un choc culturel pour Fernand. Il est soudain plongé dans un autre monde :
les couleurs, les sons, les odeurs, tout est différent. Fernand se prend d'affection pour ce pays bigarré et chaleureux où il lui semble que tout le monde
chante en parlant, où la musique habite l'espace comme l'air et le soleil.
Lui, toujours curieux de tout, ne sait plus où donner de la tête. Les images défilent sous ses yeux et il les emmagasine – les cortèges de paysanNEs
à dos d'âne, les enfants et les femmes chargéEs de lourds sacs de victuailles,
les marchés extérieurs, qui embaument de mille odeurs, la piété baroque et
expansive des Autochtones. Sont-ce des descendantEs olmèque, maya, tol-
tèque, aztèque ? Quel monde mystérieux portent ces gens ?

Des questions qui resteront sans réponse, mais que Fernand tente d'élu-
cider en visitant le Musée national d'anthropologie à México et les ruines de
Teotihuacan. Une fascination qui n'a d'égale que son intérêt pour la Révolution mexicaine sur laquelle il s'est documenté et dont il retrouve l'évocation percutante dans les fresques de Diego Rivera, Clemente Orozco et
Alfaro Siqueiros.

Ce voyage imprévu, Fernand le vit comme une flambée de découvertes
et d'émotions. Or, ce feu éblouissant est bientôt attiédi par la mauvaise

humeur de Charles Devlin, qui fait vite une overdose de musées et de visites des vestiges du passé. Il leur fausse de plus en plus souvent compagnie et se consacre davantage à la découverte des boissons locales qu'à l'histoire du pays. Après deux semaines bien remplies, ils reprennent donc la route. Fernand espère pouvoir découvrir un peu les États-Unis traversés en marathoniens à l'aller. C'est sans compter l'impatience de Devlin qui boude son collègue et son directeur toutes les fois que ces derniers veulent s'arrêter pour prendre le temps de voir un coin de pays. Ils mettent à peine plus de temps pour revenir qu'ils n'en ont mis pour parvenir au Mexique. Frustré, Fernand se dit que ce n'est que partie remise.

Le grand-père maternel de
Fernand, Albert Gobeil,
devant sa propriété
(4005 de la rue Des Érables).

La grand-mère maternelle de Fernand,
Adeline Gobeil, née Larose.

La jeune Éva Gobeil
devant l'appartement de ses parents
sur la rue Champlain.

Éva Gobeil, le jour de son mariage.

Fernand (à gauche) et ses deux frères,
Paul-Émile et André (vers 1927-1928).

Le père de Fernand, René Daoust, entouré de
sa belle-mère, Adeline Gobeil, à sa gauche, et
de sa jeune épouse, Éva, à sa droite.
Assises au premier rang, les deux sœurs
d'Éva, Yvonne à gauche et Alice à droite.
Une amie non identifiée au centre.

Fernand, 9 ans, en 1935 (photo
Anth. St-Jacques).

Photo de graduation de Fernand,
à la fin de son cours scientifique,
à l'école du Plateau, en 1945.

Éva Daoust et son père, Albert Gobeil (vers 1946).

Avec son frère André
sur Terrasse Saint-Denis (vers 1947).

Fernand en compagnie de Lucille Gélinas
et sa mère, Éva (Terrasse Saint-Denis vers
1949). C'est la famille Gélinas qui acquiert
le piano à queue fêlé de Fernand.

Carte professionnelle de Fernand, « organisateur » de l'Union des ouvriers de la sacoche en 1950.

Carte professionnelle de Fernand, représentant du Congrès du travail du Canada en 1957-1959.

Jeune permanent syndical en 1950 (photo, La Photographie Larose).

Avec André Thibaudeau, au Mont Washington (vers 1952).

Avec son amoureuse, Ghyslaine, en 1954.

Malgré le syndicalisme à plein temps,
un moment de détente avec Ghyslaine
en 1954.

Au Parc Lafontaine en 1955.

À la FUIQ. Assis, de gauche à droite, Armand Tremblay, Léo Lebrun, Willie Fortin,
Jean Phillip et Fernand. Jacques-Victor Morin est la deuxième personne debout à partir de
la gauche (Fédéral photo).

Congrès de fondation de la FTQ en 1957. Au micro, le premier président de la nouvelle centrale, Roger Provost. À sa gauche, le trésorier, Roméo Mathieu, et le président de la FUIQ, Romuald Doc Lamoureux, à droite (Fédéral photo).

Jacques Thibaudeau, premier secrétaire exécutif de la FTQ, le trésorier, Roméo Mathieu, et un invité au congrès de fondation de la FTQ, Pierre Elliott Trudeau (Fédéral photo, 1957).

Fernand Daoust, son ami Jacques Thibaudeau et Jean Phillip, de l'Union des travailleurs du textile, au congrès de la FTQ (Fédéral photo, 1957).

Signature d'une convention collective chez *Building Products* à Ville Saint-Pierre avec les dirigeants locaux du syndicat que Fernand a lui-même recruté au CCT. Au centre, à l'avant, le président du syndicat Norman Barrett.

Conférence bilingue au Manor House de Saint-Agathe, vers 1959. À la droite de Fernand, Jean-Marie Bédard, à sa gauche André Thibaudeau, et à l'avant à droite, Philippe Vaillancourt (Fédéral photo).

Fernand, Ghyslaine et Josée pendant la campagne électorale fédérale de 1962, alors que Fernand est candidat du NPD dans la circonscription de Maisonneuve-Rosemont.

Fernand fait campagne pour la deuxième fois comme candidat du NPD dans Maisonneuve-Rosemont en 1963.

Chapitre 10

L'action politique

Insatisfait de sa Commission des relations ouvrières, malgré son penchant propatronal, Duplessis en rajoute. Il n'oublie pas qu'en 1949, la création d'un cartel regroupant toutes les organisations syndicales contre son projet répressif de loi, le *Bill* 5, l'avait forcé à reculer. En 1953, les rênes du pouvoir absolu bien en mains, il dépose deux projets de lois massue : les *Bills* 19 et 20.

Le premier projet de loi reprend l'esprit et la lettre du *Bill* 5 pour obliger les syndicats à se débarrasser de toutE dirigeantE communiste. Comme dans la Loi du cadenas, on ne définit pas ce qu'est un communiste. On laisse grande ouverte la porte aux amalgames et aux condamnations sommaires. ToutE militantE un peu coriace pourra être étiquetéE et banniE du mouvement syndical. Dans le journal du CCT, on écrit qu'une « telle loi ne combattra pas le communisme, mais bien le syndicalisme[1] ».

La revanche de Duplessis

L'autre projet de loi vise les syndiquéEs du secteur public et plus particulièrement les membres de l'Alliance des professeurs catholiques de Montréal. On le surnomme le *Bill* Guindon, du nom du président de l'Alliance, Léo Guindon. La Loi des relations du travail de 1944 ne reconnaît pas le droit de grève aux salariéEs des services publics. Or, l'Alliance avait fait la grève en 1949. Elle a alors reçu le soutien du CCT, de la FPTQ et de la CTCC[2].

Duplessis avait tenté sans succès de faire retirer le certificat d'accréditation de l'Alliance à la suite de la grève. Les tribunaux et même le Conseil

---

1. *Les Nouvelles ouvrières*, septembre 1953.
2. Rouillard, *Histoire du syndicalisme québécois, op. cit.*, p. 276 ; Boudreau, *Histoire de la FTQ, op. cit.*, p. 134.

privé de Londres l'avaient débouté. Léo Guindon a été congédié par la Commission scolaire qui refusait de négocier avec l'Alliance, mais la majorité des membres continuaient de l'appuyer. Le clergé avait d'abord montré de la sympathie aux grévistes par la voix de Mgr Joseph Charbonneau, évêque de Montréal. Mais il a été limogé et remplacé par Mgr Paul-Émile Léger, lequel a tenté sans succès de convaincre l'Alliance de se saborder au profit d'un syndicat de boutique minoritaire[1].

Le *Bill* 20 constitue donc une revanche de Duplessis. Il prévoit que toute organisation syndicale des services publics qui recourt à la grève peut perdre son accréditation, et ce, de manière rétroactive! Devant ces menaces législatives, le mouvement syndical québécois se mobilise. Très vite la FUIQ et la CTCC se joignent à l'Alliance pour demander le retrait des projets de loi. De son côté, la FPTQ tergiverse. À la FUIQ, on ne comprend pas ces hésitations. Finalement, Roger Provost annonce que sa centrale ne réclame pas le retrait des projets de loi, mais propose plutôt des amendements. De mauvaises langues ont tôt fait de dire que de telles lois plaisent au président de la FPTQ, lequel s'est hissé à la direction des OUTA à la suite d'une purge anticommuniste.

Les représentations de la FPTQ auprès de Duplessis ne donnent lieu à aucun amendement majeur aux deux projets de loi[2]. Au congrès suivant de la FUIQ, le secrétaire de la centrale, Roméo Mathieu, parle de la « trahison odieuse » des dirigeants de la FPTQ. C'est dire la froideur des relations entre les deux centrales, seulement quatre ans avant leur fusion.

C'est donc sans l'appui de la plus grande organisation syndicale du Québec que s'amorce la mobilisation. Fernand participe à cette campagne. Il fait le tour des syndicats du CCT pour sensibiliser les troupes. La Coalition décide d'organiser une grande marche sur le Parlement de Québec. Au Conseil du travail de Montréal, où Fernand milite, c'est un sujet majeur de débat. On a vraiment le sentiment que la survie du mouvement syndical est en jeu. Le CTM s'entend avec le Conseil central de la CTCC et l'Alliance des professeurs pour louer un train complet pour transporter les manifestantEs à Québec.

Dès l'aube, le matin du 24 janvier, des centaines de syndiquéEs de la région métropolitaine envahissent la gare Centrale. On monte joyeusement à bord des wagons et, très vite, on entonne des chants qui expriment la

---

1   Rouillard, *op. cit.*, p. 229-235 et 275-278.
2. Selon Roch Denis, « ces amendements (réclamés par la FPTQ) ne modifiaient en rien l'essentiel des projets de loi. Ils élargissaient même les prérogatives du Procureur général en lui réservant le droit d'introduire la cause de "décertification" [*sic*] devant la Commission des relations ouvrières. » Roch Denis, *Lutte de classes et question nationale (1948-1968),* Montréal, Presses socialistes internationales, 1979, note p. 123.

colère collective à l'endroit de Duplessis. Arrivé dans la vieille capitale, on se joint aux militantEs de la région et aux autres qui proviennent de partout au Québec, par autobus ou par voiture. Il fait un froid humide, pénétrant, mais les syndicalistes sont gonfléEs à bloc en se retrouvant en si grand nombre. On forme un cortège qui monte vers le Parlement. On défile pendant plus d'une heure en scandant des slogans percutants devant une meute de policiers provinciaux casqués et munis de lourdes matraques.

On se dirige ensuite vers le Palais Montcalm, à la Place d'Youville ; l'amphithéâtre est rempli à pleine capacité. En outre, une foule de plus de 3 000 personnes se masse devant les portes et écoute les discours grâce à des haut-parleurs installés à l'extérieur. Il s'agit d'une mobilisation syndicale sans précédent. Les orateurs, Doc Lamoureux, président de la FUIQ, Gérard Picard, président de la CTCC et Léo Guindon de l'Alliance des professeurs de Montréal, dénoncent d'une même voix ces projets de loi antisyndicaux.

Sans opposition politique significative, soutenu par la hiérarchie catholique conservatrice et rassuré par la modération des unions de métiers, Duplessis fait adopter les deux lois sans tenir compte de la colère syndicale. Malgré le fait qu'ils étaient majoritaires au Conseil législatif[1], les libéraux ne s'opposent pas à ces lois, suscitant la méfiance des dirigeants syndicaux à l'égard de ce parti. Philippe Vaillancourt aura des mots très durs : « Le Parti libéral n'a pas les mains libres. Comme l'autre, il doit se rendre aux demandes des *trusts*, qui sont archipuissants dans la province de Québec[2]. »

L'Alliance perd son accréditation, mais les enseignantEs de Montréal lui conservent un appui majoritaire jusqu'à ce qu'elle soit à nouveau accréditée en 1959.

L'urgence de l'action politique

L'échec du mouvement syndical renforce la conviction de Fernand et des militants qui l'entourent : il est urgent de s'engager plus à fond dans l'action politique. Fernand ne milite pas personnellement à la CCF, qu'il juge trop centralisatrice et anglophone, sans enracinement véritable au Québec. Plusieurs de ses amis syndicalistes adhèrent à ce parti de gauche canadien, mais admettent qu'il n'arrive pas à s'implanter réellement chez nous. Avec Vaillancourt, Devlin, Bédard, Mathieu, Morin, Thibaudeau, Boudreau et bien d'autres, ils en discutent fréquemment. Dans les conversations courantes au bureau ou à la taverne, comme lors de colloques ou de réunions des permanents des syndicats affiliés, ils se convainquent de la nécessité de bâtir une organisation de gauche bien québécoise pour affronter Duplessis.

1. La chambre haute du Parlement du Québec, équivalent d'un sénat, a été aboli en 1968.
2. FUIQ, « Vers plus d'unité syndicale », *Les Nouvelles ouvrières*, mars 1954.

Au Conseil du travail de Montréal, Fernand défend passionnément ses idées :

> Les protestations publiques et les grandes manifestations comme celle de Québec ne suffisent pas. Il faut une action politique organisée pour déloger le dictateur de Québec. Il nous faut un parti à nous, un parti contrôlé par le peuple, pour le peuple[1] !

Fernand est secrétaire du comité d'action politique de la FUIQ où il défend les mêmes idées. Avec le président du comité, Raymond Lapointe, il présente le rapport du comité au congrès de la Fédération tenu en juin 1954, à Champigny, dans la région de Québec. Dans ce rapport, ils rappellent que « la campagne de protestation contre les *Bills* 19 et 20 a été l'occasion de mettre en lumière la nécessité, plus urgente que jamais, de faire de l'action politique ». Ensuite, ils reprennent une idée formulée par Philippe Vaillancourt lors de l'une des assemblées préparatoires à la marche sur Québec : la formation « d'un comité conjoint d'action politique[2] » dans lequel participerait l'ensemble des centrales syndicales. Il recommande que ce comité soit chargé de rédiger « un manifeste qui énoncerait les droits fondamentaux que nous revendiquons en tant que citoyens de la province de Québec et en tant que syndicalistes[3] ».

Fernand participe avec ferveur au débat lors du congrès. Roméo Mathieu et Émile Boudreau se font les ardents partisans de cette recommandation. Dans la résolution adoptée par le congrès, la création d'un nouveau parti n'est pas mentionnée. Pourtant, pendant les débats, Roméo Mathieu affirme : « Il y a une possibilité de lancer dans le Québec un parti politique qui aura un programme probablement très parent de celui du parti CCF, mais qui aura un caractère distinct québécois. C'est la seule solution à nos problèmes[4]. »

L'idée est tellement dans l'air que les journaux du lendemain en font largement écho : « On envisagerait la fondation d'un parti politique québécois d'origine syndicale », titre *Le Canada Nouveau*[5].

Fernand est étonné que la plupart des dirigeants semblent se rallier à l'idée de la création d'un parti politique indépendant de la CCF. Même Doc Lamoureux, souvent identifié à l'aile conservatrice de la centrale, ne semble pas s'y opposer.

---

1. Propos reconstitués à partir des souvenirs de Fernand.
2. Rapporté dans « Vers l'unité syndicale », *Les Nouvelles ouvrières*, mars 1954.
3. FUIQ, *Rapport du comité d'action politique,* 2ᵉ congrès, 5-6 juin 1954.
4. *Le Devoir,* 7 juin 1954.
5. *Le Canada Nouveau,* 7 juin 1954.

Le *Manifeste au peuple du Québec*

Le comité chargé de rédiger le manifeste est formé de Philippe Vaillancourt, Roméo Mathieu, Charles Devlin, Jacques-Victor Morin et Bill Dodge de la Fraternité des cheminots. Largement rédigé par Morin, le document est intitulé *Manifeste au peuple du Québec*. Comme il va être déposé pour débat au congrès suivant à Joliette en 1955, il est vite surnommé *le Manifeste de Joliette*.

D'entrée de jeu, le manifeste stigmatise le « honteux spectacle d'un gouvernement asservi aux intérêts égoïstes du capitalisme domestique et étranger » à « nier à nos travailleurs leurs droits fondamentaux », ainsi qu'à « faire fi de nos libertés civiles et démocratiques ». Visant directement le régime Duplessis, qualifié de « tyrannie sans précédent dans les annales de notre province », on s'offusque aussi de « l'apathie complice de la députation dite d'opposition[1] ».

Au nom des droits fondamentaux énoncés dans la Charte des droits des Nations unies, on dénonce notamment la Loi du cadenas, les lois anti-syndicales de Duplessis, les abus de sa police, les téléphones « tapés[2] », les arrestations « sans mandat » et le « tabassage ». On réclame que « le droit réel d'association et le droit de grève pour tous les salariés » soit reconnu dans un code du travail. On veut que cessent de pulluler les syndicats de boutique[3] et qu'on mette fin aux menaces de retrait du certificat d'accréditation des syndicats combatifs. Enfin, on revendique une réforme de la controversée Commission de relations ouvrières.

On se réclame la social-démocratie, c'est-à-dire du socialisme démocratique. On soutient que c'est de la responsabilité du gouvernement provincial d'instaurer « un programme complet de sécurité sociale » de même qu'un plan « d'assurance-santé ». Dans le domaine de l'éducation, on demande de « doubler » le nombre d'écoles et d'instaurer la gratuité scolaire « jusqu'à l'âge de seize ans ». Le manifeste préconise même l'enseignement universitaire gratuit « pour toute personne qui sera en mesure de démontrer ses aptitudes ». On préconise aussi la nationalisation des services publics.

On réclame avec force que les ressources naturelles ne soient plus cédées « pour une bouchée de pain », qu'elles soient exploitées au profit du bien commun. La seule « solution réaliste » est une « socialisation de toutes nos ressources naturelles », après « compensation aux actionnaires ».

---

1. Les textes entre guillemets dans ce paragraphe et dans ceux qui suivent sont des extraits du projet de *Manifeste au peuple du Québec* soumis au congrès de la FUIQ à Joliette en 1955.
2. Lignes téléphoniques mises sous écoute.
3. Syndicats dominés par l'employeur.

Fruit d'un compromis entre les éléments fédéralistes et nationalistes, une section du manifeste porte sur la Confédération canadienne. Au départ, on veut que le Québec demeure au sein du Canada « avec l'intention bien définie d'en rapatrier la constitution[1] ». Un tel rapatriement devra se faire à la condition « qu'on y inclue un mode d'amendement donnant voix au chapitre aux provinces ». Si on ne prône pas l'autonomie du Québec, on revendique la pleine reconnaissance des compétences provinciales.

Par ailleurs, le comité se prononce en faveur de la création d'un parti politique québécois « contrôlé par ses membres, comme le sont déjà les associations syndicales et coopératives ». Ce parti aurait « un programme très parent de celui du parti CCF, mais aura un caractère distinctement québécois », donc indépendant du parti fédéral.

La création d'un parti divise

Au moment de déposer le projet de manifeste au congrès de Joliette, l'unanimité n'existe déjà plus. Bill Dodge, un anglophone bilingue de Montréal, ne voit pas l'utilité de cette action politique purement québécoise, indépendante du CCT et de la CCF. Il faut dire qu'il milite activement dans ce parti, occupant même un poste à l'exécutif provincial. Il fait donc un rapport minoritaire et propose plutôt un appui à la CCF, dont les candidats « s'engageront à appuyer le programme ci-dessus[2] ».

Le comité arrive donc divisé au congrès de Joliette. Le contenu du manifeste et ses grandes orientations politiques ne font pas problème. C'est la question du parti qui divise les congressistes. Des débats orageux ont lieu. Les militantEs de la CCF, qui pour la plupart sont d'ardentEs fédéralistes, font alliance avec les apolitiques qui préfèrent se confiner à l'action syndicale. Le président Doc Lamoureux est des leurs. Ensemble, ces éléments progressistes et conservateurs font amputer la partie du manifeste qui fait allusion à la création d'un parti. C'est par 108 voix contre 69 que les déléguéEs tuent dans l'œuf le projet de parti ouvrier québécois[3].

Pour Fernand et ses amis – Morin, Vaillancourt, Bédard, Gérin-Lajoie, Boudreau, Mathieu et bien d'autres –, en biffant toute référence à un parti, on enlève tous ses moyens à l'action politique. Ils sont profondément déçus. Pour eux, les militantEs de la FUIQ ressortent du congrès avec un recueil de vœux pieux dans les mains. On se contente, dans l'introduction du manifeste, d'exprimer l'espoir qu'il va susciter « de fructueuses discussions d'où

---

1. La Constitution du Canada.
2. *Rapport minoritaire de William Dodge*, 3e congrès de la FUIQ, tenu à Joliette, en mai 1955.
3. Michel Grant, *L'action politique syndicale et la Fédération des unions industrielles du Québec*, MA en relations industrielles, Université de Montréal, 1968, p. 135.

sortiront d'heureuses solutions aux problèmes politiques de la population du Québec[1] ».

Si ce manifeste ne répond pas à toutes les attentes, il se situe dans la ligne idéologique défendue par les syndicats nord-américains depuis le début du siècle. Il n'en est pas moins annonciateur des grands changements de la Révolution tranquille québécoise. En effet, après sa prise du pouvoir en juin 1960, le gouvernement libéral de Jean Lesage instaure une série de mesures sociales, réforme l'éducation, établit un nouveau Code du travail et, bien qu'il ne procède pas à une « socialisation de toutes nos ressources naturelles », il nationalise l'une de nos plus importantes richesses, l'hydroélectricité. Comme les plates-formes du Parti ouvrier et du CMTC au début du siècle et comme le programme de l'Action démocratique en 1939, le *Manifeste de Joliette* dessine en grande partie les contours de l'État-providence québécois.

La Ligue d'action socialiste et le Rassemblement

Quelques semaines plus tard, Fernand participe avec Morin, Vaillancourt et quelques autres à la création de la Ligue d'action socialiste (LAS). Ce petit mouvement d'éducation et de sensibilisation populaires ne prend pas vraiment son envol. Ses adhérents se limitent à un cercle minuscule[2]. Assez vite, ses responsables, dont Jacques-Victor Morin, adhérèrent au Rassemblement, un nouveau mouvement politique qui se veut un large front d'opposition au duplessisme.

Le Rassemblement est fondé en 1956 par Pierre Elliott Trudeau et Pierre Dansereau[3], doyen de la Faculté des sciences de l'Université de Montréal, qui en devient le premier président. Fernand a le sentiment que la présence de cet intellectuel universitaire, peu identifié à l'action militante, cadre mal dans cet amalgame de syndicalistes, de socialistes et de jeunes militantEs, qui piaffent d'impatience à l'idée de déloger Duplessis. Dansereau, qui adhère surtout au Rassemblement pour faire la promotion de la démocratie, ne se reconnaît bientôt pas dans les luttes entre les différentes tendances

---

1. Texte final du *Manifeste au peuple du Québec*, tel qu'adopté au congrès de la FUIQ, à Joliette en 1955.
2. Dans son témoignage, Jacques-Victor Morin rappelle quelques actions de la LAS. Denis, *Jacques-Victor Morin, syndicaliste et éducateur populaire, op. cit.*, p. 123-125. Quant à lui, Fernand Daoust accorde moins d'importance à ce petit groupe, qui a connu une existence éphémère.
3. Pierre Dansereau (1911-2011) est un scientifique de réputation internationale. Alors qu'il enseigne la botanique à l'Université de Montréal, il fonde le service de biogéographie du Québec, jetant les bases d'une science méconnue à l'époque, l'écologie. Son apport personnel au développement de cette science sera mondialement reconnu après la publication de *Biogeography. An Ecological Perspective*, New York, Ronald Press, 1957.

socialistes. Plus tard, il va expliquer sa démission à la présidence en ces termes :

> Il [*sic*] me rappelle d'assemblées que j'ai présidées où j'ai eu énormément de mal parce que les artistes, les enseignants, les ménagères, ces gens-là parlaient chacun pour soi, alors que les syndiqués faisaient bloc. Moi qui suis si peu doctrinaire, j'avais du mal à accepter qu'une discipline aussi cohérente s'impose dans un mouvement pluraliste. [...] J'ai quitté la présidence[1].

La FUIQ donne un appui officiel au Rassemblement. La CTCC est empêchée de le faire par ses statuts, mais des personnalités en vue de la centrale donnent également leur appui, dont Jean Marchand, Jean-Paul Lefebvre, Amédée Daigle[2], Marcel Pepin, Pierre Vadeboncoeur et Jean-Paul Geoffroy[3]. Comme tous ses amis de la FUIQ, Fernand fonde beaucoup d'espoir dans ce Rassemblement. Il participe aux rencontres du groupe avec Philippe Vaillancourt, Jacques-Victor Morin et André Thibaudeau. Les militants de la CCF, Michael Oliver et Jack Weldon, et des intellectuels renommés comme André Laurendeau, Marcel Rioux, Léon Dion, Jean-Claude Lebel et Jacques Hébert[4], se joignent aux syndicalistes.

Enfin, pense-t-on dans l'entourage de Fernand, on aura une grande organisation progressiste, bien enracinée au Québec, qui ratissera plus large que la CCF. Les réunions se multiplient et les adhésions commencent à affluer. Quelques syndicalistes progressistes des unions de métiers y viennent aussi. Ils se joignent aux intellectuels progressistes, libéraux ou simplement humanistes, qui veulent en finir avec le conservatisme stérile où s'enlise le Québec.

Pendant cette période fébrile, Vaillancourt invite Fernand à une rencontre officieuse et un peu mystérieuse. Y participe un groupe restreint de l'entourage du directeur québécois du CCT : Thibaudeau et Devlin et un invité-surprise, le populaire animateur de l'émission de télévision *Point de Mire*, René Lévesque. Le but : le convaincre de s'engager publiquement et

---

1. Thérèse Dumesnil, *Pierre Dansereau, l'écologiste aux pieds nus,* Montréal, Nouvelle Optique, 1981, p. 69.
2. Daigle est l'un des trois dirigeants dissidents de la CSN qui crée la Centrale des syndicats démocratiques (CSD) en 1972, les deux autres étant Paul-Émile Dalpé et Jacques Dion. On les surnommait les trois « D ».
3. Ami de Pierre Vadeboncoeur, Jean-Paul Geoffroy a été conseiller à la CSN et l'un des dirigeants de la grève d'Asbestos en 1949. Il s'illustre également comme négociateur du Syndicat des réalisateurs de Radio-Canada en 1959. Il devient juge en chef du Tribunal du travail en 1969 et occupe ce poste jusqu'en 1991. Michel Rioux, *Perspectives CSN*, octobre 2009, p. 26.
4. Compte-rendu confidentiel de la réunion tenue le samedi 4 février 1957 au bureau de la Fraternité canadienne des cheminots à Montréal.

de prendre la tête du parti que veut créer le Rassemblement. La rencontre est franche et cordiale. Lévesque n'a surtout pas la langue de bois. Mais il fait comprendre à ses amis que, s'il partage leurs aspirations politiques progressistes et démocratiques, il se croit humblement plus utile en continuant à faire l'éducation politique des QuébécoisES par ses émissions.

Malheureusement, le grand amalgame de courants d'opposition à Duplessis que constitue le Rassemblement a tôt fait d'être le lieu de divisions et d'affrontements multiples. Faut-il bâtir un large mouvement ouvert à toutes les forces d'opposition, y compris aux membres du Parti libéral du Québec ? Doit-on plutôt se donner dès le départ des objectifs et un programme nettement socialistes, en rupture avec la pensée opportuniste des vieux partis, y compris le PLQ ? C'est cette deuxième option que défendent la plupart des syndicalistes. C'est aussi ce que soutiennent les militantEs de la CCF[1]. Il y a aussi des discussions sur la place à réserver aux revendications plus nationalistes. À l'énoncé de ce seul mot, plusieurs intellectuels de gauche regimbent.

Trudeau s'éloigne

Alors que ce débat se prolonge, Trudeau prend ses distances et voyage. Plusieurs mettent ses absences sur le compte de son dilettantisme bourgeois. De fait, il s'éloigne bien plus idéologiquement que géographiquement de ses amis syndicalistes. Oubliant avec une facilité déconcertante le Rassemblement, il signe un nouveau manifeste intitulé l'*Union des forces démocratiques*[2], qui est nettement axé sur l'objectif consensuel de la démocratisation :

> Démocratie d'abord! voilà qui devrait être le cri de ralliement de toutes les forces réformistes dans la Province. Que les uns militent dans les chambres de commerce et les autres dans les syndicats, que certains croient encore à la gloire de la libre entreprise alors que d'autres répandent des idées socialistes, il n'y a pas de mal à cela, à condition qu'ils s'entendent tous pour réaliser la démocratie : ce sera au peuple souverain d'opter ensuite pour les tendances qu'il préfère[3].

Ce repli sur une position aussi floue et minimaliste ne convient pas à Fernand et à ses amis qui rêvent de changer la société en profondeur. Même s'il n'est pas membre de la CCF, Fernand se reconnaît dans la critique du manifeste turdeauiste que formule ce parti. Dans un document intitulé *Projet de rapport de stratégie*, l'exécutif du parti dénonce l'esprit même de

---

1. À partir de 1956, la CCF s'est donné le nom de Parti social-démocratique (PSD) au Québec, mais nous continuerons d'utiliser le sigle anglais par souci de clarté.
2. Pierre Elliott Trudeau, « Un manifeste démocratique », *Cité libre*, n° 22, octobre 1958, p. 1-31.
3. *Ibid.* p. 21.

cette « union démocratique » qui prétend rallier tout autant les militants du mouvement ouvrier et les sociaux-démocrates que des dirigeants de chambres de commerce. Un appel à la démocratie qui fait abstraction de la démocratie sociale et économique. La position de l'exécutif est adoptée par les militantEs en congrès, qui préfèrent travailler avec le mouvement syndical à la construction du Nouveau Parti démocratique[1].

D'ailleurs, la nouvelle dynamique créée par la grande fusion du mouvement syndical nord-américain accélère l'évolution des positions politiques du mouvement syndical, reléguant le projet d'union des forces dites démocratiques au second plan.

---

1. Denis, *Lutte de classes et question nationale, op. cit.*, p. 166-172.

E N 1954, Fernand est élu secrétaire-trésorier du Conseil du travail de Montréal (CTM), en même temps que Raymond Lapointe, un représentant des Métallos nommé président, avec qui il forme une équipe. À titre de simple salarié du CCT, il ne pourrait pas être délégué et intervenir dans les instances, sauf si, comme plusieurs permanents le font, il se fait déléguer au congrès de la FUIQ et au CTM par l'une des sections locales qu'il dessert[1]. C'est ainsi qu'il est également devenu secrétaire du comité d'action politique de la FUIQ.

Le CTM, qui compte plusieurs militantEs progressistes, lui fournit l'occasion d'intensifier son engagement politique. Peu attiré par la CCF, il préfère une action politique plus proche de la réalité montréalaise. Or, contrairement à ses concurrents, le Conseil des métiers et du travail de Montréal de la FPTQ et le Conseil central de Montréal de la CTCC, le CTM n'est pas représenté à l'hôtel de ville[2]. À maintes reprises, ses dirigeants ont réclamé en vain de Duplessis qu'il amende la Charte de la Ville pour lui faire la place qui lui revient. Pour le *Cheuf*, les unions industrielles sont du même acabit que les communistes. Depuis la grève d'Asbestos, il aurait aussi tendance

---

1. Pratique courante jusqu'à ce jour dans les instances de la FTQ.
2. Louis Laberge, secrétaire du CMTM depuis 1951, entre au Conseil municipal en 1954. Il·y siège aux côtés de Roger Provost et du président du CMTM, Claude Jodoin. En vertu de la Charte de la Ville de Montréal, un tiers des conseillers municipaux sont élus par des propriétaires (classe A), un tiers par les propriétaires et les locataires (classe B) et un tiers par des organisations de la société civile, dont deux du monde syndical, le CMTM et le Conseil central de Montréal la CTCC. Ce régime a prévalu de 1940 à 1960, alors que la Charte est amendée pour donner un droit de vote égal à touTEs les citoyenNEs, éliminant ainsi les classes de conseillers et les sièges réservés à des catégories de citoyenNEs.

à mettre la CTCC dans le même panier, mais la hiérarchie catholique l'en empêche. Donc, sans prise directe sur le pouvoir municipal, le CTM intervient par voie de déclarations de presse, par la présentation de mémoires et en organisant des manifestations.

Montréal vit alors un examen de conscience. Le chef de police, Pacifique Plante, et l'avocat Jean Drapeau mènent une enquête dévastatrice sur la moralité publique. Celle-ci met à jour un système de corruption qui éclabousse politiciens, fonctionnaires, policiers et juges. Tous semblent s'être vautrés joyeusement dans cette mare de prostitution, de commerces et de jeux illégaux où sévit au grand jour une pègre apparemment invincible. Le maire Camillien Houde, ce personnage coloré qui a tellement marqué l'enfance de Fernand, règne sur l'Hôtel de Ville de façon ininterrompue depuis son retour triomphal à Montréal en 1944[1]. Même s'il n'est pas mêlé personnellement à une quelconque fraude, on lui reproche son laxisme et il démissionne sans gloire.

Appui à Jean Drapeau et querelles internes

Le Conseil décide de s'impliquer directement dans la campagne en vue des élections municipales d'octobre 1954. Avec le Conseil central de la CTCC, le CTM a déjà présenté des mémoires conjoints à l'Hôtel de Ville de Montréal. Ils y réclamaient des interventions urgentes pour favoriser le logement social, des mesures contre le chômage, des politiques de transport en commun, etc. Dans la foulée de ces mémoires, les deux conseils rédigent un manifeste et demandent à tous les candidats à la mairie de se prononcer sur leurs revendications. La plupart endossent le programme syndical, mais les deux conseils jugent que le candidat Jean Drapeau « offre le plus de garanties pour la réalisation des objectifs exposés dans le manifeste conjoint[2] ».

Fernand est très heureux de cette décision. Il conserve une grande admiration pour Jean Drapeau pour qui il a milité lors de l'élection fédérale partielle d'octobre 1942, quelques mois après le plébiscite sur la conscription. Son admiration s'est raffermie en voyant la détermination et le courage du futur maire à dénoncer la corruption municipale. Il est donc satisfait de voir les militantEs des deux conseils lui accorder leur soutien.

Cet engagement provoque toutefois des dissensions spectaculaires au sein de la FUIQ. Le président Doc Lamoureux reproche à Drapeau « de solliciter l'appui des ouvriers dans la présente campagne alors qu'il n'a dans son groupe aucun représentant ouvrier[3] ». Gaston Bélisle et René Constant, présidents des deux principaux syndicats d'employéEs municipaux, les cols

---

1. Après son incarcération à Petawawa en vertu de la Loi des mesures de guerre.
2. *Le Devoir*, 22 octobre 1954.
3. *Le Devoir,* 23 octobre 1954.

bleus (un local chartré du CCT) et les cols blancs (affiliés à la CTCC) déplorent aussi cet appui à Jean Drapeau, qu'ils jugent « préjudiciable » à l'égard des syndiquéEs de la Ville de Montréal.

Ces déclarations du président de la FUIQ et du président du syndicat des cols bleus provoquent un vif débat à l'exécutif du CTM, mais aussi à celui de la FUIQ. Roméo Mathieu y fait même voter une motion de blâme contre le président et la rend publique. C'est le début d'une série d'hostilités ouvertes entre Mathieu et Lamoureux.

Quelques semaines plus tard, au congrès de la FUIQ à Joliette, Mathieu tente de déloger Lamoureux de la présidence en appuyant la candidature de Raymond Lapointe, du Syndicat des métallos. Contre Mathieu au poste de secrétaire, Lamoureux appuie Eucher Corbeil, un cheminot que Fernand considère comme un conservateur. Lamoureux et Mathieu sont tous les deux réélus, mais leur lutte à finir n'est que partie remise.

La lune de miel du mouvement syndical avec Jean Drapeau ne dure pas longtemps. Autoritaire et peu porté au dialogue et à la consultation, le maire s'est adjoint Pierre Desmarais comme président du comité exécutif. Ce dernier est un homme d'affaires prospère, propriétaire d'une imprimerie sur la rue Roy, où il s'est toujours démené pour empêcher toute implantation syndicale. Arrivé à l'Hôtel de Ville et découvrant les conventions collectives qui lient l'administration municipale à ses employéEs, il s'empresse d'affirmer que ces contrats constituent des « camisoles de force » ; il trouve inacceptable que « des chefs ouvriers soient payés par la ville pour la combattre ».

Les affrontements ne tardent pas. Le CTM et le reste du mouvement syndical doivent défendre avec force le projet de logements sociaux que Drapeau semble vouloir mettre au rancart. Ce vaste projet de destruction des taudis du centre-ville et d'aménagement de logements à loyers modiques rencontre l'opposition du parti du maire, la Ligue d'action civique. Les Habitations Jeanne-Mance verront finalement le jour à la suite d'une intervention spéciale du gouvernement du Québec.

Au sein du cartel intersyndical de Montréal, le CTM monte encore aux barricades pour s'opposer à l'augmentation des tarifs de tramways et d'autobus. On innove dans les tactiques de boycott : un vendredi de décembre, on invite les automobilistes à prendre à leur bord les usagers réguliers des tramways et des autobus.

Toutefois, la rupture définitive avec Drapeau survient lorsque la Ville met sauvagement à pied, le 19 décembre 1955, 230 cols bleus. Un cadeau de Noël cynique qui révolte tout le mouvement syndical. Déjà, avant ce licenciement collectif, le CTM fait des représentations à la Ville. Il déplore entre autres les conditions précaires des employéEs des entreprises sous-traitantes de la cueillette des ordures. Les cols bleus se plaignent du fait que, sous l'administration Drapeau-Desmarais, les entrepreneurs privés sont rois. La Ville réduit son personnel permanent pendant qu'elle donne des travaux en sous-traitance : elle maintient aussi en poste des employéEs auxiliaires et embauche même d'autres employéEs temporaires.

Convaincu que ce geste brutal viole les dispositions de la convention collective, le syndicat dépose un grief. Les rencontres patronales-syndicales, les protestations de l'ensemble du mouvement syndical, le battage médiatique, les moyens de pression divers, rien n'infléchit l'intransigeance de l'administration. Le grief aboutit finalement devant un tribunal d'arbitrage. Ces tribunaux sont composés d'un représentant de chacune des deux parties et d'un arbitre dit impartial. Le Syndicat des cols bleus étant toujours un local chartré du CCT, Fernand est nommé arbitre syndical[1]. L'arbitre impartial est un juge de la Cour municipale qui ignore manifestement la question des relations du travail. Le grief est rejeté.

C'en est assez. Le mouvement syndical, qui a eu au début un préjugé favorable à l'égard de cette administration, la lâche aux élections municipales suivantes. On supporte quelques candidats ouvriers indépendants. Les cols bleus, eux, font carrément campagne pour l'opposant à Drapeau, le sénateur Sarto Fournier. Ils lui ont arraché auparavant la promesse que les 230 employéEs misEs à pied réintégreraient leur emploi. Fournier devenu maire, les syndiquéEs licenciéEs sont peu à peu rappeléEs au travail.

Les francophones incapables?

Au congrès du CCT tenu à Toronto en octobre 1955, la querelle entre Roméo Mathieu et Doc Lamoureux refait surface. Déjà membre du comité exécutif de la centrale canadienne, Mathieu est à nouveau candidat. Il a l'appui du CTM, mais pas celui de la FUIQ. Et pour cause : au caucus québécois[2], Lamoureux annonce qu'il s'oppose à Mathieu.

Fernand est délégué du CTM lors de ce congrès. Outre le malaise provoqué par la querelle ouverte des deux dirigeants de la FUIQ, un débat qui aurait pu être secondaire met le feu aux poudres. Une résolution présentée par la FUIQ demande au CCT de nommer des délégués de langue française aux conférences de la Confédération internationale des syndicats libres (CISL) et de l'OIT. Le comité des résolutions recommande le rejet de cette résolution et justifie sa position en affirmant que « la sélection des can-

---

1. On nommait couramment (mais incorrectement) arbitre syndical et arbitre patronal les assesseurs de chacune des parties d'un tribunal d'arbitrage ; on nommait arbitre impartial le président du tribunal d'arbitrage.

2. Regroupement des déléguéEs du Québec participant au congrès du CCT. Ces « caucus » sont les lieux de concertation des déléguéEs en prévision des votes pris en congrès.

didats doit être faite sur la base de leur capacité à représenter le congrès et non sur leurs connaissances linguistiques[1] ». Plusieurs déléguéEs du Québec sont choquéEs par cette formulation. Fernand intervient avec ferveur pour appuyer la résolution originale. Il est suivi au micro par Roméo Mathieu. Lorsque Mathieu prend la parole, le ton monte :

> La remarque du président du comité selon laquelle les délégués du CCT sont choisis en fonction de leur capacité est insultante pour nous. […] L'insinuation est trop évidente que les Canadiens français sont ici pour écouter et non pour accéder à une position de leadership. […] Nous, de la Province de Québec, nous devons participer pleinement à toutes les activités du CCT, ainsi nous serons en mesure de faire le meilleur travail au profit de nos camarades canadiens[2].

Son intervention soulève l'indignation des déléguéEs anglophones. Les attaques fusent. Hors micro, certainEs le traitent de nationaliste et de démagogue. Le secrétaire-trésorier, Donald MacDonald, rappelle qu'il y a déjà eu des délégués francophones à l'OIT et que le CCT paie très cher le service de traduction simultanée aux présentes assises. Pour lui, si la résolution était acceptée, cela équivaudrait à reconnaître des privilèges aux membres du Canada français.

La résolution est finalement battue. Plusieurs déléguéEs du Québec se sentent humiliéEs. Mathieu s'est aliéné plusieurs appuis importants au Canada anglais. Avec une délégation québécoise divisée, il est battu par Lamoureux et perd son poste à l'exécutif du CCT.

De retour à Montréal, un douloureux post-mortem de la défaite de Mathieu est tiré lors d'une assemblée du CTM. Le président du syndicat de *Coca-Cola*, Gérard Labelle, dont Fernand apprécie beaucoup l'humour et l'engagement indéfectible, fait un rapport sur le congrès auquel il a participé. Les délégués du CTM qui appuyaient Mathieu sont très amers. Certains imputent sa défaite aux partisans de la CCF. D'autres, comme le métallo Gérard Poirier, reprochent à la délégation québécoise d'avoir « lavé son linge sale au nez des étrangers[3] ».

Fernand se désole de constater « la curieuse union des éléments les plus réactionnaires et les plus progressistes » contre Mathieu[4]. Bien sûr, il fait allusion d'une part aux apolitiques alliéEs de Lamoureux, mais aussi aux militantEs de la CCF et même à son ami Jean Gérin-Lajoie, qui a contribué à la défaite cuisante de Mathieu. Quelques jours plus tard, Mathieu et Labelle

---

1. Traduction d'un extrait du *Procès-verbal* du 15e congrès annuel du CCT tenu à Toronto en octobre 1955, p. 35.
2. *Ibid.*
3. *Le Devoir*, 21 octobre 1955.
4. *Le Devoir*, 21 octobre 1955.

annoncent officiellement qu'ils quittent les rangs de la CCF[1]. Cet épisode conforte Fernand dans sa conviction que le parti social-démocrate n'a aucune sensibilité envers le Québec.

La CCF hostile au Québec

Quelques mois plus tôt, c'est à une démonstration d'hostilité de la CCF qu'on avait assisté. Au début de 1955, la bataille fiscale menée depuis un certain temps par le premier ministre Maurice Duplessis[2] est sur le point de connaître un dénouement heureux : un accord est maintenant à portée de main puisque le fédéral s'apprête à formuler une proposition d'entente. S'élèvent alors des voix discordantes au Canada anglais : des députés de la CCF reprochent au Québec de menacer l'unité canadienne avec ses revendications fiscales.

L'un d'entre eux, Erhart Regier, de la Colombie-Britannique, est particulièrement virulent. Devant les tractations récentes entre les premiers ministres Louis Saint-Laurent et Maurice Duplessis, il déclare que le « premier ministre du Canada a humilié toute la nation en prenant le train pour rencontrer le maître de cette autre nation dans une chambre d'hôtel de Montréal ». Il s'en prend même aux « socialistes québécois » qui partageraient « consciemment ou non, la philosophie politique de M. Duplessis ». Il qualifie le Québec de « plaie pour l'unité canadienne [...] et de pays arriéré, opprimé, où les gens, en plus de payer une double taxe, ne peuvent recevoir l'instruction à laquelle ils ont droit et sont privés des services de santé dont ils auraient besoin ». Regier conclut en déclarant craindre « que le peuple du Québec finisse par se soulever et passer au communisme[3] ». Les députés de la CCF de la Colombie-Britannique s'en prennent aussi aux Canadiens français de leur province qui réclament des écoles françaises.

Au Québec, les réactions sont nombreuses. Le directeur du journal *Le Devoir*, Gérard Filion, consacre un éditorial à la déclaration du député Regier, affirmant que, dans cette attitude, « il n'y a pas seulement du fanatisme » mais également « une forte dose d'ignorance[4] ».

---

1. *Le Devoir*, 24 octobre 1955.
2. Le gouvernement québécois revendique le droit de prélever un impôt sur le revenu, jusque-là réservé au gouvernement fédéral. Un accord intervient finalement, « fixant la part du Québec à 10 % de l'impôt fédéral, lequel sera déduit d'autant pour les contribuables québécois ». Linteau, Durocher, Robert et Ricard, *Histoire du Québec contemporain, op. cit.*, Montréal, p. 360.
3. Pierre Vigeant, « L'hostilité des socialistes contre la province de Québec », *Le Devoir*, 13 janvier 1955, p. 1.
4. Gérard Filion, « La voix du préjugé », *Le Devoir*, 15 janvier 1955, p. 4. Voir aussi André Laurendeau, « Bloc-notes », *Le Devoir*, 7 février 1955, p. 4.

Même s'ils livrent un combat sans merci à Duplessis, le CTM et la FUIQ reconnaissent le bien-fondé de ses revendications fiscales.

Au moment où Ottawa et Québec concluent l'entente, Hazen Hargue de la Saskatchewan, membre influent de la CCF, affirme qu'il s'agit d'une « capitulation totale » et d'un « mauvais service à rendre au Canada ». Le chef de la CCF aux Communes, James William Coldwell, déclare à Radio-Canada que le plan adopté « portera un dur coup à l'unité nationale ». Il y voit un « dangereux » écart de principe qui ne satisfaisait qu'une seule province, le Québec. Il affirme que cela risque de compromettre le « pouvoir du fédéral de légiférer pour assurer le plein emploi et des prix agricoles adéquats[1] ». Il ne s'agit plus de simples déclarations de quelques députés CCF qui ont des préjugés à l'égard du Québec, mais d'une position de parti.

Au sein de l'aile québécoise du parti, les réactions ne se font pas attendre. Le 29 janvier, Thérèse Casgrain, Frank Scott et Bill Dodge menacent de démissionner[2]. Dans une nette volonté de calmer le jeu, la direction fédérale de la CCF se rend à Montréal rencontrer les dirigeantEs de l'aile québécoise au début de février. David Lewis, le président du Conseil national, dit regretter « profondément que de récents discours prononcés par quelques députés aient à juste titre offensé les Canadiens de langue française ». Il réitère « la politique et l'attitude du parti CCF à l'égard des droits fondamentaux et des garanties constitutionnelles des deux groupes ethniques ». Suit une déclaration sur l'égalité des langues reconnue par la constitution canadienne et le bilinguisme : toute personne qui s'en prend à ce principe « met en danger l'unité nationale ». On conclut en affirmant que le peuple québécois saura régler « les problèmes qui lui sont propres […] de la façon qui lui conviendra, à la lumière de ses traditions[3] ».

La déclaration de David Lewis satisfait les dirigeantEs du Québec. Thérèse Casgrain reconnaît qu'il y a eu « mécontentement » mais se refuse de confirmer qu'il a été « question de démission ». Cependant, bien des militantEs demeurent insatisfaitEs[4]. Des membres influents de la FUIQ, dont Roméo Mathieu, secrétaire général, Philippe Vaillancourt, directeur

---

1. « M. Coldwell n'est pas satisfait du plan de réduction de l'impôt fédéral », *Le Devoir*, 22 janvier 1955, p. 1.
2. Cet épisode est raconté par André Lamoureux, *Le NPD et le Québec*, Montréal, Éditions du Parc, 1985, p. 55-56.
3. Loris Racine, « Réconciliation au sein du parti CCF. Plus question de sécession de l'aile provinciale du parti », *Le Devoir*, 2 février 1955, p. 1.
4. Pour sa part, Michel Chartrand refuse de remettre sa démission, déclarant « On ne sortira pas du parti parce qu'il y a des gars qui ne font pas notre affaire ». Tiré de David Sherwood, *The NDP and French Canada, 1961-1965, vol. 2, Entrevues*, thèse de MA, Université McGill, 1966, p. 9.

québécois du CCT, Huguette Plamondon, présidente du CTM, Fernand Daoust, secrétaire du CTM, et Jean Philip[1] exigent en plus d'une répudiation publique et immédiate des députés de la CCF en cause, des mises au point de leur part ou, à défaut, leur expulsion du parti. Comme cette dernière demande n'est pas satisfaite, les signataires quittent le parti[2].

Malgré les assurances ultérieures du premier ministre social-démocrate de la Saskatchewan, Tommy Douglas, et de Thérèse Casgrain[3], les députés en question ne font jamais les mises au point nécessaires et les démissionnaires ne peuvent réintégrer les rangs du parti. Stanley Knowles, un dirigeant du CCT et de la CCF parle alors du « dommage quasiment irréparable [...] fait à notre cause par quelques déclarations insensées et totalement inutiles[4] » à la CCF au Québec. Pas étonnant que, quelques mois plus tard, au congrès de Joliette, plusieurs militantEs de la FUIQ défendent l'idée de créer un parti ouvrier québécois indépendant de la CCF.

Huguette Plamondon présidente

Quelques mois après son élection à la présidence du CTM, Raymond Lapointe démissionne de son poste. Il est remplacé par intérim par Gérard Poirier, un autre métallo, président du syndicat de l'usine *Crane*. Aux élections suivantes, en février 1955, Fernand, secrétaire du conseil, convainc son ami du CCT, Charles Devlin, de se présenter à la présidence. Huguette Plamondon[5], maintenant permanente au Syndicat des salaisons, surprend tout le monde en briguant également les suffrages. Elle est déjà très présente au conseil et est de toutes les batailles. Son dynamisme et sa combativité sont généralement reconnus. Elle est élue par une forte majorité.

Déçu par la défaite de son ami, Fernand est tout de même heureux de voir arriver cette militante avec qui il partage les mêmes idéaux politiques. L'élection d'une femme à la présidence d'un conseil du travail est une première au Québec. Fernand et Huguette font équipe au CTM jusqu'à la

1. Permanent de l'Union des ouvriers du textile (CIO). Il est le fils d'une figure marquante du socialisme français, André Philip. Voir Denis, *Jacques-Victor Morin, syndicaliste et éducateur populaire*, op. cit., p. 242-243.
2. David Sherwood, *The NDP and French Canada, 1961-1965*, vol. 1, Étude de la *Commission sur le bilinguisme et le biculturalisme*, thèse de MA, Université McGill 1966, p. 17. Fernand a probablement appuyé la déclaration, mais n'a pu quitter le parti puisqu'il n'a jamais adhéré formellement à la CCF.
3. Voir Lamoureux, *Le NPD et le Québec, op. cit.*, p. 55-56.
4. « Lettre de Stanley Knowles à Frank Scott du 8 février 1955 », citée par Lamoureux, *ibid.*, p. 56.
5. Huguette Plamondon (1926-2010) a été une dirigeante du Syndicat des travailleurs unis des salaisons et la première femme élue vice-présidente au Congrès du travail du Canada. De 1961 à 1966, elle est la seule femme à siéger au Conseil de planification économique du Québec. En 1973, elle siège au Conseil économique du Canada.

fusion forcée de ce dernier avec le CMTM en 1958. L'un de leurs premiers gestes est de lancer aux autres organisations métropolitaines un appel à l'action unitaire contre le chômage. Ce fléau atteint des proportions jamais égalées depuis la guerre. En ce début de 1955, le nombre de chômeurs et de chômeuses dépasse les 200 000 au Québec ; à Montréal, il est de près 70 000 et, de ce nombre, quelque 20 000 n'ont droit à aucune prestation de chômage ni à l'aide sociale.

L'appel est entendu. On assiste à un nouveau regroupement des forces dans la région de Montréal. Le dernier cartel intersyndical réunissant les trois organisations datait de la lutte contre le *Bill* 5 en 1949. Les trois instances montréalaises des centrales syndicales réunies à la salle des Charpentiers-menuisiers, boulevard Saint-Laurent, décident de s'adresser à tous les paliers de gouvernement pour combattre le chômage. L'assemblée est présidée par les trois présidentes, Huguette Plamondon (CTM), Léo Côté (CMTM) et Horace Laverdure (Conseil central de la CTCC). Les principaux orateurs sont Michel Chartrand, Roméo Mathieu et Roger Provost. Fernand est étonné d'entendre son ancien patron syndical tenir des propos radicaux :

> Monsieur C. D. Howe[1] nous disait que le seul moyen d'améliorer notre situation était d'augmenter la productivité. La productivité a augmenté de 4 % en un an. Qu'est-ce qui est arrivé ? L'indice de l'emploi a baissé de 5 %, le coût de la vie a monté. [...] Pendant ce temps, les dividendes augmentaient de 30 %. Alors on se pose la question : est-ce que l'entreprise libre est le régime du bien commun ? Et les chiffres nous répondent : non. D'ailleurs les gouvernements n'y croient pas plus que nous. Lorsqu'ils ont besoin du plein emploi en temps de guerre, par exemple, ils s'empressent d'imposer le dirigisme économique. [...] Mais c'est extraordinaire de voir comme ils deviennent vaches[2] en temps de paix[3] !

Fernand ne reconnaît plus Provost. Il l'entend même mettre en garde les dirigeants politiques contre le rejet probable du libéralisme économique par les travailleurs et les travailleuses, si leur condition continue de se détériorer. Provost tempère cependant ses propos en terminant par un appel à l'éducation politique avant toute démarche politique. Fernand en déduit que ce fin politicien se prépare aux grands changements qui transformeront sous peu le mouvement syndical nord-américain. La fusion de l'AFL et du CIO est amorcée aux États-Unis, celle du CMTC et du CCT va suivre au Canada

---

1. Ministre fédéral du commerce qui a facilité par ses politiques le passage de l'économie de guerre à l'économie de paix. Sa décision de confier la construction du pipeline de gaz naturel à *Trans-Canada Pipeline*, une compagnie états-unienne grassement subventionnée par le Canada, a largement contribué à la défaite des libéraux fédéraux en 1957, après vingt-deux ans de pouvoir ininterrompu.
2. Lâches, insouciants.
3. *Le Devoir*, 23 octobre 1954.

et, inévitablement, la FPTQ et la FUIQ devront faire de même au Québec. S'il veut tirer son épingle du jeu, Provost doit s'affirmer comme un leader ferme et combatif. Après avoir cultivé l'art du compromis, il met désormais ses talents d'orateur à mobiliser les forces du changement.

Conflit au journal *Le Devoir*

Depuis qu'il s'intéresse à la politique et à la vie publique, Fernand est un lecteur assidu du quotidien *Le Devoir*. Pendant la crise de la conscription, le journal défendait avec ardeur et passion les positions de la *Ligue pour la défense du Canada*. Fernand distribuait même ce journal comme outil de propagande pour le Bloc populaire pendant l'élection fédérale de 1943. Deux figures de proue de cette lutte contre la conscription, André Laurendeau et Gérard Filion, sont désormais rédacteur en chef et directeur du journal. *Le Devoir* a soutenu sans ambiguïté les grévistes d'Asbestos et, dans la quasi-totalité des conflits de travail, il manifeste une sympathie ouverte pour les salariéEs. Il mène aussi une lutte constante et acharnée contre le régime Duplessis qu'il critique sans ménagement.

Secrétaire du CTM, Fernand participe avec enthousiasme aux campagnes de financement des *Amis du Devoir*. À l'assemblée du Conseil, en février 1955, une résolution souligne le caractère indépendant du journal et son préjugé favorable au mouvement syndical; en conséquence, elle encourage les affiliés à soutenir financièrement la campagne[1]. La FUIQ fait de même dans un message publicitaire[2] signé par son secrétaire Roméo Mathieu, lui-même vice-président des *Amis du Devoir*.

En mai suivant, rien ne va plus. Dans un geste brutal, le directeur du *Devoir*, Gérard Filion, décrète un lockout contre ses typographes, membres de l'Union typographique Jacques-Cartier. Ces derniers sont remplacés par des briseurs de grève et la direction invite ses autres salariéEs à franchir les piquets de grève. Cette crise provoque des déchirements dans les milieux syndicaux et intellectuels. Tous savent, bien sûr, que le journal est en difficultés financières permanentes. Sans ses campagnes de souscription périodiques, il ne peut survivre. Mais ce lockout, que la direction admet elle-même radical, est-il justifiable? Certains tentent de diaboliser la « méchante union américaine » qui serait téléguidée par Duplessis, l'ennemi juré du journal. Dans les faits, il s'agit d'un différend classique. Ce vieux syndicat de métier a montré une fermeté que Filion a pris pour de l'intransigeance menant à coup sûr à la mort du journal.

Plusieurs ne partagent pas la vision du directeur du journal et le lui font savoir. À commencer par le président de la CTCC, Gérard Picard,

---

1. *Le Devoir*, 15 février 1955.
2. *Le Devoir*, 19 février 1955.

qui démissionne du conseil d'administration de l'*Imprimerie populaire*, la société éditrice du journal. Des journalistes refusent également de franchir les piquets de grève ; cinq sont congédiés, dont le chroniqueur syndical Fernand Dansereau[1] et Gilles Marcotte, qui deviendra par la suite un réputé critique littéraire. D'autres groupes de syndiquéEs du journal déclenchent une grève au cours de cet été de 1955. Par la suite, *Le Devoir* se départira de son imprimerie et donc de la plupart de ses linotypistes. Ce conflit laisse un goût amer aux syndicalistes qui ne retrouveront jamais le même enthousiasme à soutenir le journal.

Syndicalisme et vie de couple

À trente ans, Fernand est en passe de devenir un vieux garçon. Bien qu'il travaille depuis six ans, il habite toujours chez sa mère. Bien sûr, il y a Ghyslaine Coallier, son amoureuse, mais l'emploi du temps surchargé de Fernand laisse peu de place à une vie de couple traditionnelle. Son engagement syndical envahit tout. Il est syndicaliste vingt-quatre heures sur vingt-quatre, au bureau, dans les assemblées, sur les piquets de grève, au restaurant, à la taverne, aussi bien dans les rencontres familiales que dans sa vie amoureuse.

Ghyslaine aimerait le voir plus souvent, être à ses côtés, partager ses combats, mais ne souhaite pas qu'il réduise ses activités pour se couler dans une relation conformiste. Celui qu'elle aime, c'est ce grand jeune homme plongé dans un combat total qui ne compartimente pas sa vie. Comme ses amis de la bande, elle prend l'habitude de l'appeler « le grand ».

Entre les sessions de formation, les périodes intenses de négociation et les campagnes de recrutement, Fernand, Gyslaine, André Thibaudeau et Laurette font des sorties en couples. Après leur mariage, André et Laurette invitent de temps à autre Fernand et Ghyslaine à manger. Laurette, qui est musicienne, se met au piano pour de longs et délicieux moments. Bientôt, Jacques Thibodeau, avec qui ils sont fréquemment en contact, se marie et les trois couples partagent souvent des soirées. Ils voient aussi parfois les anciens de la bande, Gilbert Picard, Antoine et Louis-Philippe Taschereau, Jean-Guy Benoît, André Fortier…

---

1. Fernand Dansereau a été journaliste à *La Tribune* de Sherbrooke avant de passer au *Devoir*. Après son congédiement, il est embauché à l'ONF où il sera scénariste, réalisateur et producteur. À ce titre, on lui doit des classiques du cinéma québécois, comme *Pour la suite du monde* de Pierre Perreault. Il est le réalisateur de *Saint-Jérôme*, un documentaire tourné sur une période de trois ans, qui porte une réflexion sociale et politique sur cette région durement frappée par la désindustrialisation et le chômage. Fernand Dansereau est aussi le cousin de l'écologiste Pierre Dansereau ; il lui a consacré un documentaire : *Quelques raisons d'espérer* (ONF, 2001, 84 minutes).

Un été, Fernand et André profitent de leurs courtes vacances pour voyager avec Ghyslaine et Laurette. Fernand, qui n'a toujours pas de voiture, convainc André de partir visiter la Gaspésie qu'il affectionne depuis qu'il l'a découverte en faisant du pouce[1]. Une autre fois, c'est avec son ami Jean-Guy Benoît et sa femme que Ghyslaine et Fernand partent au bord de la mer dans le Maine. Philippe Vaillancourt et sa conjointe Marguerite les accompagnent. Un soir, après un repas bien arrosé, Vaillancourt, prétendant connaître la région comme le fond de sa poche, les égare totalement. Ils doivent passer une partie de la nuit à chercher l'hôtel où ils logent.

Tous ces voyages en groupe, avec des amiEs mariéEs, donnent sans doute des idées aux deux tourtereaux toujours célibataires. Même en n'étant pas des catholiques pratiquantEs, Fernand et Ghyslaine se conforment aux convenances du temps et font chambre à part.

En 1955, après sept ans de fréquentations assidues, Ghyslaine et Fernand décident de se marier. Ils pourront enfin vivre ensemble et avoir des enfants. Ils n'ont pas de projet précis et n'envisagent pas de changer leur mode de vie. Tous deux savent que le travail syndical de Fernand continuera d'accaparer la majeure partie de sa vie. Ghyslaine, autonome, continuera de travailler et de s'adonner à ses activités préférées, les études et la lecture.

Donc pas de grands bouleversements en perspective. Ils sont donc étonnés de constater comment la nouvelle est perçue dans leur entourage. Éva, la mère de Fernand, ne cache pas sa satisfaction. Très amie avec Ghyslaine, elle espère sans doute depuis longtemps qu'ils officialisent leur relation. Même réaction de la part d'Aldora, la mère de Ghyslaine, qu'ils visitent ensemble périodiquement à l'hôpital. Même André, le frère de Fernand, marié depuis quelques années, les amis de la bande, les frères et sœurs de Ghyslaine expriment leur approbation. Le couple mesure alors le poids des convenances. Fernand et Ghyslaine sont surtout étonnéEs de découvrir le sentiment d'insécurité que leur longue relation non conventionnelle semble avoir créé parmi leurs proches.

Le mariage intime a lieu le 15 décembre 1956, en la petite église de la paroisse qu'habite Ghyslaine[2]. Y assistent la mère de Fernand, son frère André et les frères et sœurs de Gyslaine[3]. Il est célébré par son cousin, Ivanohé Poirier[4]. Après le mariage, une courte réception a lieu chez Maurice, le frère de Ghyslaine. Les jeunes mariéEs partent tôt pour visiter Adora à l'hô-

---

1. Auto-stop.
2. Église Notre-Dame-de-la-Salette, 3535, avenue du Parc.
3. Maurice, Jacques, Jeanine, Michel, Thérèse et Jean. Est absente Pierrette qui vit en Nouvelle-Zélande.
4. Prêtre Sulpicien, Ivanohé Poirier a été professeur de philosophie avant de devenir supérieur au Grand Séminaire de Montréal (1965) et curé de la Paroisse Notre-Dame de Montréal (1992). Il est décédé en 2006.

pital. Cette dernière n'a évidemment pas pu être des leurs à la cérémonie ni à la petite réception qui a suivi. Elle leur dit combien elle est heureuse de leur décision et leur demande de ne pas s'attarder, puisqu'ils partent en voyage de noces le jour même.

Ce voyage, ils le font au Mexique. Fernand tient beaucoup à faire découvrir ce pays à Ghyslaine. Il lui en a beaucoup parlé depuis son voyage effectué deux ans plus tôt avec Philippe Vaillancourt et Charles Devlin. C'est tout un périple qu'ils entreprennent à bord de la vieille Vauxhall, dont il vient de faire l'acquisition. Fernand se souvient de la façon expéditive et frustrante dont lui et ses deux collègues avaient traversé les États-Unis à l'aller comme au retour. Cette fois, Ghyslaine et lui prennent le temps de voir et de découvrir.

Les deux jeunes gens, qui sont curieux de tout, passionnés par l'histoire, par la diversité des mentalités, des modes de vie, vivent ce voyage comme une lecture condensée des États-Unis. Les sites et les musées de Washington leur rappellent l'époque exaltante de l'indépendance du pays, mais révèlent aussi les plaies mal refermées de la guerre civile. À mesure qu'ils descendent vers le sud, les disparités économiques leur sautent brutalement aux yeux. La discrimination raciale, toujours érigée en système, cruellement et crûment affichée dans les lieux publics, les choque et les révolte. Ils sont bouleversés de voir la pauvreté humiliante dans laquelle vivent les familles noires. Ils sont émus par le regard triste des enfants en guenilles qui jouent dans des cours en terre battue.

Après ces visions déprimantes, l'entrée au Mexique, où règne pourtant aussi une grande pauvreté, prend l'allure d'une fête. Fernand retrouve intact le sentiment de détente qu'il avait éprouvé lors de son premier voyage. Il est heureux de partager cette joie avec Ghyslaine. Surtout qu'il n'est pas question de passer en coup de vent dans les villes, villages, musées ou sites archéologiques. Ils ne peuvent pas tout voir, ils n'ont que trois semaines, mais ils prennent le temps de ressentir les choses. Tellement qu'ils sont imprudents et refusent les services d'un gardien qui leur propose de surveiller leur auto près de leur hôtel à México. Ils la découvrent, le lendemain matin, le pare-brise en éclats; elle est vidée des vêtements d'hiver et des souvenirs qu'ils y avaient laissés.

Une petite frousse

À une autre occasion, ils partent sans guide vers le site du Paricutín, à l'ouest de México. Fernand sait, pour l'avoir lu, que ce volcan est entré en éruption en 1943 et a englouti un village entier, ne laissant émerger que le clocher de la cathédrale. Pour y parvenir, ils empruntent une route de terre isolée et doivent traverser de petits villages indiens. Ils se sentent en sécurité et éprouvent une sympathie spontanée pour les paysanNEs qui semblent vivre en harmonie avec ce lieu aride, mais calme et paisible. Arrivés à proximité du Paricutín, ils découvrent un site lunaire où il n'y a pas âme qui vive.

Ils décident d'aller voir de plus près le fameux clocher. Ils croient l'apercevoir au loin, mais l'image qu'ils voient bouge et, peu à peu, se précise. Ce sont des hommes à cheval qui viennent vers eux. À mesure qu'ils se rapprochent, Fernand et Ghyslaine découvrent leurs silhouettes surmontées de larges sombreros et enveloppées dans des ponchos multicolores. Les cavaliers baragouinent quelques mots d'anglais et offrent de les amener à cheval voir le clocher de la cathédrale miraculeusement préservé par la Madone.

Fernand flaire l'attrape-touristes et dit qu'ils n'ont pas besoin d'aide, qu'ils iront avec leur auto. Il prend place au volant, tandis que Ghyslaine, un peu inquiète, ferme sa portière et la verrouille. Mais l'auto ne démarre pas. Fernand, qui cache mal sa nervosité, insiste et noie le moteur. Le caquet bas, il descend et fait mine de vérifier certaines pièces du moteur dont, en fait, il ignore même le nom et la fonction. Pendant ce temps, les cavaliers qui entourent la voiture continuent de leur offrir de visiter les lieux à cheval. Ils leur proposent aussi de remorquer et de réparer la voiture. Fernand fait des gestes de refus qu'il veut polis. Il prend le volant et dit à Ghyslaine :

– Qu'est-ce qu'on fait maintenant ? Penses-tu qu'on peut leur faire confiance ?
Mi-amusée, mi-inquiète, elle balbutie :
– Tu n'y penses pas ? On ne sait pas où ils vont nous amener… ils ressemblent aux méchants dans les films de cowboys !

Fernand tourne à nouveau la clé dans le contact. Miracle ! Le moteur se met à toussoter et démarre. Rassérénés, ils font lentement demi-tour pour ne pas provoquer les membres du comité d'accueil équestre, dont les regards semblent de plus en plus hostiles. Ils ne verront jamais l'appendice de cathédrale planté dans la pierre volcanique. N'ayant somme toute éprouvé qu'une frousse passagère, ils rentrent à leur hôtel. Les membres du personnel à qui ils racontent leur aventure les réprimandent avec fermeté : ils ne doivent plus jamais aller dans des endroits semblables sans guide. Ils ont de la chance de revenir vivants d'une telle aventure !

Un nid sur Pie-IX

À leur retour à Montréal, Fernand quitte l'appartement de sa mère pour emménager avec Ghyslaine dans leur premier nid d'amoureux, un appartement du boulevard Pie-IX. Seule dans ce grand appartement, qu'elle trouve de plus en plus épuisant à entretenir, Éva partagera désormais un logement avec son frère Aimé, dans la maison paternelle de l'avenue Des Érables.

Leur petit logement est situé au deuxième étage au 5292, boulevard Pie-IX. Il se limite à deux chambres, une cuisine et un salon. Il y a aussi un balcon à l'arrière qui donne sur une ruelle. Fernand va au bureau dans sa brinquebalante Vauxhall. Ghyslaine, qui continue de travailler à l'atelier de couture *Tepner* dans le centre-ville, fait chaque jour de longs trajets en autobus. Pas très longtemps, cependant, puisqu'au mois d'avril son médecin lui confirme qu'elle est enceinte. Elle cesse de travailler à l'été et, le 13 décembre 1957, elle accouche d'une vigoureuse petite fille, qu'ils prénomment Josée.

Cette naissance accueillie avec joie par le couple transforme surtout la vie de Ghyslaine. Non seulement elle ne travaille plus à l'extérieur, mais développe tous les talents d'une maîtresse de maison. Déjà habile couturière, elle devient une cuisinière raffinée que son entourage apprécie. Fernand continue d'être littéralement happé par son travail syndical, mais dès qu'un répit se présente, Ghyslaine et lui invitent des amiEs à la maison.

Les plus lointains souvenirs d'enfance de Josée sont illuminés par ces soirées bruyantes dans le logement, dont elle partage généralement le calme avec sa mère. Lors de ces soirées, ses parents accueillent un ou plusieurs couples formés par les anciens de la bande : Thibaudeau, Taschereau, Benoît, Fortier... On déplace alors la table de cuisine dans le milieu du salon, on s'y attable à plusieurs, lève les verres et chante en chœur. On fait aussi tourner à répétition un disque de musique mexicaine sans doute rapporté du voyage de noces par les Daoust[1].

Fernand rentre le plus souvent tard à la maison et sa fille est déjà au lit. C'est Ghyslaine qui occupe pratiquement tout l'espace quotidien de Josée. Les présences de Fernand sont liées à la fête et aux sorties exceptionnelles. Il l'amène glisser en « traîne sauvage[2] » au lac aux Castors, sur le Mont-Royal ou patiner au Jardin botanique, juste en face de la maison. Puis il disparaît pour de longues journées de travail[3].

Enfant unique, Josée profite de l'affection de ses deux grand-mères. Ghyslaine l'amène parfois visiter sa mère à l'hôpital. La maman de son père, Éva, vient parfois à la maison ou l'emmène chez elle, sur l'avenue Des Érables. Cette femme enjouée et active lui raconte des histoires, l'emmenant parfois au sous-sol où sont conservés au frais des légumes. Elle l'épate et la fait rire lorsqu'elle épluche des pommes de terre, dont elle jette la pelure derrière son épaule sur la terre battue en lançant joyeusement : « Ça, c'est pour les rats ! »

---

1. Entrevue avec Josée Daoust. Elle croit se souvenir du fait que le disque tant entendu s'intitulait *Los Tres Compadres*. Ces échos latins de la petite enfance seraient-ils à la source de son engouement pour la langue espagnole, qu'elle étudiera pendant deux ans au Mexique ?
2. Luge.
3. Entrevue avec Josée Daoust.

Chapitre 12

La grande fusion (1957)

L'UNE DES RAISONS de la création de la FUIQ, en 1952, était la perspective d'une réunification des familles syndicales nord-américaines. Au Québec, les syndicats industriels de la famille CIO-CCT veulent disposer d'un organisme structuré pour négocier une éventuelle fusion avec la FPTQ.

Souhaitée depuis de nombreuses années, la réunification de l'AFL et du CIO est facilitée par la participation commune des deux organisations à la fondation de la Confédération internationale des syndicats libres (CISL) en 1949 et par l'arrivée des nouveaux présidents Georges Meany (AFL) et Walter Reuther (CIO) à la direction des deux centrales en 1952. Après la signature d'un pacte de non-maraudage, la voie est ouverte à la fusion. Elle se réalise en 1955 et donne naissance à l'AFL-CIO. Au Canada, le CCT et la CMTC créent le Congrès du travail du Canada (CTC) en 1956, tandis que la FUIQ et la FPTQ se réunissent dans la Fédération des travailleurs du Québec (FTQ) en 1957.

Risque de contagion?

Pour plusieurs militantEs de la FUIQ, la fusion annoncée n'a rien d'enthousiasmant. Le CMTC et ses unions de l'AFL ont beaucoup plus de membres au Québec que n'en a le CCT. Un peu partout en Amérique du Nord, les unions de métiers représentent deux fois plus de syndiquéEs que les unions industrielles. Même si ces dernières progressent de façon continue depuis la Deuxième Guerre mondiale, les syndicats de métiers ont créé 60 % des nouvelles unités syndicales entre 1940 et 1955[1].

Ce rapport de force inégal entre les deux organisations n'effraie pas tous les syndicalistes de la FUIQ de la même façon. Si certainEs, comme Jean

---

1. Rouillard, *Histoire du syndicalisme québécois, op. cit.*, p. 209-211.

Gérin-Lajoie[1], jugent que cette fusion est naturelle et nécessaire, d'autres, comme Jacques-Victor Morin, Jean-Marie Bédard, Roméo Mathieu et Huguette Plamondon, la voient comme une catastrophe. Fernand n'est pas loin de penser de la même façon.

Depuis quelques années en effet, tous ces syndicalistes progressistes consacrent beaucoup d'efforts à construire la FUIQ. Leur organisation, ils la veulent bien enracinée dans la réalité québécoise, nettement engagée politiquement, combative, radicale. Ils sont fiers de ses prises de position, de son *Manifeste*, de ses mobilisations. Ils savent que, dans leurs propres rangs, plusieurs syndicalistes modérés ou apolitiques les jugent trop politisés. Le maintien de Doc Lamoureux à la présidence de la FUIQ n'est-il pas la preuve de la force relative des éléments conservateurs? Fernand et ses amis prévoient que ces derniers auront tôt fait de s'allier aux réactionnaires des unions de métiers une fois la fusion complétée. Huguette Plamondon, la présidente du Conseil, met ses camarades en garde : « Vous verrez, on va être contaminés par toutes ces unions pourries[2] ! »

Fernand est très partagé. Il sait bien que l'unité la plus large doit être recherchée. Avec Duplessis au pouvoir, la conjoncture politique et économique du Québec est très défavorable au syndicalisme. L'échec de la lutte contre les Lois 19 et 20 a montré la force du despote Duplessis et la faiblesse d'un mouvement ouvrier divisé. Il faut à tout prix mettre fin aux divisions et concurrences intersyndicales et opposer un front sans faille à ce gouvernement vendu au patronat étranger. Or, comme ses amis, il craint que les nouvelles instances ne soient contrôlées dans leurs orientations et dans leurs pratiques par les vieilles barbes des unions de métiers.

Pourtant, ils sont conscients que la fusion se fera partout en Amérique du Nord et que le Québec n'y échappera pas. Mais, jugent-ils, s'ils grossissent leurs rangs de syndicalistes plus combatifs et plus politisés, ils auront une plus grande influence sur les nouvelles instances. C'est pourquoi ils font vite l'unanimité sur la nécessité d'entraîner la CTCC dans cette fusion. D'autant plus que, dans cette centrale en voie de transformation rapide, un fort courant se dessine en faveur d'un ralliement au mouvement d'unité qui balaye l'Amérique.

Les syndicalistes qui entourent Fernand se reconnaissent davantage dans la combativité que la CTCC déploie, depuis la fin de la guerre, que dans les compromis douteux que multiplient les responsables de la FPTQ et plusieurs dirigeantEs de ses syndicats affiliés. L'arrivée de Gérard Picard à la tête de la CTCC a en effet sonné le glas du syndicalisme de bonne entente et a ouvert la voie à une action revendicative plus authentique. En général, à la

---

1. Entrevue réalisée avec Jean Gérin-Lajoie.
2. Propos rapportés par Fernand, confirmés par Huguette Plamondon en entrevue.

FUIQ, on a la conviction que Duplessis, autrefois favorable aux syndicats catholiques dociles et bien tenus par l'Église, a de nouveaux alliéEs ; c'est du côté des unions de la FPTQ que le *Cheuf* trouve désormais « du monde parlable ».

La CTCC, une alliée naturelle

Depuis le début des années 1950 se sont multipliées les actions communes entre la FUIQ et la CTCC. On s'est appuyé mutuellement lors de grèves comme celles de *Dupuis Frères*, dans le textile à Louiseville, contre la *Noranda Mines* dans le Nord-Ouest et à la *Simmons Bedding*, à Saint-Henri. On a formé des cartels intersyndicaux de négociation, notamment dans l'industrie du vêtement ; on a tenu des colloques communs, comme celui sur les accidents du travail ; les conseils régionaux des deux centrales ont fait des représentations communes à l'Hôtel de Ville de Montréal ; enfin, on a publié ensemble des études sur les conditions des travailleurs et des travailleuses d'ici. Le travail conjoint et la solidarité entre les deux organisations sont maintenant des réflexes naturels.

Des résolutions réclamant la fusion avec la CTCC sont donc acheminées au nouveau Congrès du travail du Canada (CTC), en prévision de son congrès de fondation. Lors de ces assises tenues à Toronto, en avril 1956, Fernand voit Jean-Marie Bédard défendre ces résolutions avec la passion qu'il lui connait. Il l'entend appeler de sa voix forte les congressistes à l'unification de toutes les forces du progrès. D'autres orateurs, dont Roméo Mathieu, abondent dans le même sens.

Cependant, il n'y a pas unanimité. Des porte-parole des unions de métiers disent ne rien vouloir de la venue des catholiques. Les typographes, membres de l'une des plus vieilles organisations syndicales au Canada, sont parmi les plus farouches opposants à la venue des syndicats de la CTCC. Ils soutiennent que si ces syndicats veulent joindre les rangs de la seule vraie centrale syndicale, ils doivent le faire en s'intégrant dans les syndicats nord-américains de leur juridiction : les typographes avec les typographes, les menuisiers avec les menuisiers. En d'autres mots, la CTCC doit se saborder. La résolution amendée exige que toutes les unions ayant une juridiction professionnelle identique aux fédérations des syndicats catholiques donnent leur accord écrit avant toute affiliation[1].

Dans les faits, cela constitue un droit de véto. Un des orateurs québécois qui appuie cette position est le président du Conseil des métiers et du travail de Montréal, Louis Laberge. Il faut dire que les syndicats membres du Conseil, contrairement aux unions industrielles, subissent fréquemment le maraudage de la CTCC. Toujours à couteaux tirés sur les chantiers de

---

1. Rouillard, *Histoire du syndicalisme québécois, op. cit.,* p. 244-250.

construction, syndicats catholiques et syndicats de métiers se sont encore affrontés récemment à la *Canadian Vickers*[1].

Au congrès de fondation de la FTQ, l'année suivante, la question est de nouveau soulevée. Pas moins de onze résolutions – toutes proposées par des syndicats jusque-là membres de la FUIQ – prônent l'accueil de la CTCC dans la grande famille syndicale. Provost, élu président de la nouvelle centrale, y est ouvertement favorable. Louis Laberge continue d'émettre des réticences au nom du Conseil des métiers et du travail de Montréal.[2]

Le débat à la CTCC

À la CTCC, il y a également des difficultés, même si depuis un certain temps, Marchand et Picard disent souhaiter l'unification du mouvement syndical canadien. Voyant s'amorcer le grand mouvement de fusion nord-américain, ils jugent sans doute que leur centrale se trouvera de plus en plus marginalisée. Par ailleurs, le caractère confessionnel de leur mouvement s'estompant de plus en plus, le fossé doctrinal qui les sépare des unions dites neutres devient insignifiant[3].

Dès septembre 1955, les dirigeants de la CTCC réclament et obtiennent en congrès la création d'un comité chargé d'examiner « les meilleures méthodes pour réaliser l'unité ouvrière complète au Canada ». Ce comité accouche d'une recommandation d'affiliation en bloc de la CTCC au CTC. Pour cela, elle deviendrait l'équivalent d'une union nationale, comme la Fraternité canadienne des cheminots. Elle perdrait ainsi son caractère de centrale, mais préserverait tout de même son entité et ses structures internes. Cette proposition reçoit un faible appui au congrès de la CTCC en 1956. Un congrès spécial sur la question est prévu pour juin 1957, mais n'a finalement pas lieu à cause de graves dissensions de la vieille garde catholique et conservatrice[4].

Au congrès régulier la même année, une proposition d'affiliation est déposée. Les mêmes éléments conservateurs réussissent à la faire amender : on assujettit maintenant cette affiliation au maintien intégral de l'autonomie politique de la CTCC, à la préservation de ses conseils centraux, indépendants des conseils du travail, et à la non-intégration dans la structure québécoise du CTC, la FTQ. La CTCC continuerait de faire ses représentations politiques parallèlement et indépendamment de cette dernière. Malgré un assouplissement de ces conditions, en 1959, la participation de la

---

1. Boudreau, *Histoire de la FTQ, op. cit.*, p. 173-174.
2. *Ibid.*, p. 175.
3. Rouillard, *op. cit.*, p. 244-250.
4. *Ibid.*, p. 248-249.

CTCC à l'unification des forces syndicales canadiennes devient dès lors une illusion. On continue les pourparlers jusqu'en 1961 mais, de part et d'autre, plus personne n'y croit vraiment.

Un épisode farfelu de cette saga de fusion ratée est pratiquement passé inaperçu dans les manuels d'histoire syndicale. Michel Grant y fait allusion dans le mémoire qu'il a consacré à la FUIQ : « Une tentative de dernière heure fut amorcée lorsque Gérard Picard et Jean Marchand se rendirent à Chicago pour discuter de la possibilité d'affiliation avec une union international[1]. » L'union en question, c'est le Syndicat des travailleurs unis des salaisons et denrées alimentaires, le syndicat de Roméo Mathieu[2].

Mathieu, ami personnel de Marchand, a monté ce coup tordu. Puisque les unions de métiers s'opposent à l'affiliation en bloc d'une CTCC qui préserverait ses structures, pourquoi ne pas l'intégrer d'abord dans une union internationale déjà affiliée ? Si cette union accepte qu'elle constitue dans ses rangs une grande section autonome, un peu comme s'il s'agissait d'un gros local composé[3], la CTCC conserverait ainsi l'intégralité de ses structures internes. L'union internationale n'aura qu'à l'affilier ensuite au CTC, comme toutes ses sections locales canadiennes. Personne ne pourra s'opposer à cette affiliation. Comme l'explique Mathieu, toutes les embûches seront ainsi contournées :

> Les unions sont toutes indépendantes et leurs structures internes ne concernent pas le CTC. Si mon syndicat a dans ses rangs une grosse section locale composée de différentes sous-sections, ça le regarde. Il l'affilie au CTC comme toutes ses autres sections. Les vieilles unions de métiers auront beau chialer, elles ne pourront rien faire pour empêcher mon organisation d'affilier ses membres. On s'arrangera pour que votre cotisation demeure la même. Votre fonctionnement interne ne changera pas[4].

Jean Marchand et Gérard Picard prennent l'hypothèse suffisamment au sérieux pour accepter d'accompagner Roméo Mathieu et son directeur canadien, Fred Dawling, à Chicago. Ils y passent deux jours en compagnie

---

1. Grant, *L'action politique syndicale et la Fédération des unions industrielles du Québec*, *op. cit.*, p. 67.
2. Cet épisode est largement décrit par Roméo Mathieu au cours d'une entrevue accordée à Léo Roback le 1er août 1979. Cette bande sonore est conservée au centre de documentation de la FTQ.
3. Les syndicats internationaux regroupent fréquemment les petites unités syndicales dans de grandes sections locales, nommées en jargon syndical locaux composés. À l'interne, ces grandes sections peuvent se donner des structures qui correspondent aux besoins et aux spécificités des unités qui les composent.
4. Propos reconstitués à partir du récit de Roméo Mathieu en entrevue avec Léo Roback, en août 1979.

du président international, Ralph Elstein. Mathieu décrit cette rencontre informelle sans ordre du jour comme un exercice exploratoire.

On ne connaît pas la teneur des discussions de Chicago. La direction américaine a peut-être trouvé extravagant que l'une de ses sections locales puisse compter plus de membres que l'ensemble de ses sections affiliées au Canada. Pourtant, il semble que Elstein ait été prêt à favoriser l'accueil de la CTCC dans ses rangs[1]. Gérard Picard et Jean Marchand étaient-ils gagnés à cette idée audacieuse de Mathieu? Ou est-ce l'aile « catholicarde » de la CTCC qui a mis des bâtons dans ses roues? On sait seulement que le projet de Mathieu n'a jamais abouti.

La Fédération de la chimie dissidente

À la CTCC, certainEs n'acceptent pas que le projet de fusion soit tué dans l'œuf. Les dirigeants de la Fédération de la chimie, entre autres, jugent nécessaire l'unification des forces syndicales à l'échelle nord-américaine. Chaque jour, les syndicats de cette fédération sont confrontés à la puissance démesurée des multinationales. En dehors du Québec, le Syndicat international des travailleurs des industries pétrolières, chimiques et atomiques (SITIPCA), surnommé les *Oil Workers*, regroupe la majorité des salariéEs des multinationales que la Fédération de la chimie affronte isolément au Québec.

Dès 1957, lorsqu'il devient évident que l'unité ne se réalisera pas, les dirigeants de la Fédération, le président Fernand Lavergne en tête et les permanents Ivan A. Legault et Maurice Vassart, entreprennent des discussions directes avec le SITIPCA. Entre-temps, ils sabordent leur fédération et lancent une campagne en faveur du transfert de chacun des syndicats locaux au Syndicat international.

Ce coup de force provoque une levée de boucliers et une contre-attaque véhémente de la direction de la CTCC. Jean Marchand intervient lui-même dans les assemblées pour dénoncer ce geste qualifié de déloyal. Legault et Vassart sont traités de « vendus aux Américains ». Au terme de cette bataille très dure, un seul syndicat local se détache de la CTCC et passe au Syndicat international.

Maurice Vassart est embauché comme permanent par le SITIPCA. Quant à Ivan A. Legault, sans emploi pendant quelques mois, il se voit proposer le titre de secrétaire exécutif de la FTQ par Roger Provost, fraîchement élu à la présidence. Il remplace Jacques Thibaudeau, qui est embauché à Radio-Canada.

---

1. Dans l'enregistrement de l'entrevue accordée à Léo Roback, Mathieu relate l'événement. Malheureusement, la bande sonore coupe au moment où il décrit son retour à Montréal avec Marchand et Picard.

La méfiance de la FUIQ

Avec ou sans gaieté de cœur, la fusion de la FPTQ et de la FUIQ doit suivre celle du CMTC et du CCT. Du côté des militantEs de la FUIQ, outre la méfiance à l'égard des unions de métiers conservatrices, les motifs de dépit à leur égard sont très nombreux. Fréquemment, lors de batailles de syndicalisation ardues, les recruteurs des unions industrielles trouvent sur leur chemin un représentant du CMTC ou de l'une de ses unions affiliées. Manifestement appelé à la rescousse par la direction de la compagnie, le CMTC (ou l'un de ses syndicats affiliés) est ensuite accueilli à bras ouverts par la Commission des relations ouvrières. Cette dernière lui accorde fréquemment une accréditation sans entendre les arguments des représentants des unions industrielles[1].

Fernand a longuement entendu Émile Boudreau raconter ses tentatives épiques de syndicalisation des mineurs de Murdochville tout au long des années 1950. Tenus à distance par la compagnie et la police provinciale, les recruteurs des Métallos sont obligés de loger à Gaspé, à 100 kilomètres du village minier. Ils jouent à cache-cache, vivant sous la tente à dix kilomètres de la mine[2].

Pendant ce temps, les représentants du CMTC ont toutes les facilités de logement, de circulation et d'assemblée sur le site même de la compagnie. Bravant menaces, intimidations et représailles, les Métallos réussissent à présenter une requête en accréditation à la Commission des relations ouvrières (CRO). Mais le CMTC aussi. Déboutée en même temps que les Métallos une première fois, la centrale des unions de métiers présente une nouvelle requête quelques semaines plus tard. Les Métallos ont beau dénoncer, preuves à l'appui, les manigances illégales de la compagnie, la CRO ne daigne même pas les entendre en audience. Elle accorde l'accréditation au CMTC, qui forme à Murdochville une union fédérale, l'équivalent des locaux chartrés du CCT. Sa collaboration avec la compagnie lui permet même de signer une convention collective en quelques semaines[3].

Des frustrations semblables, les unions industrielles en ont vécu plusieurs. Lorsque l'Union internationale des ouvriers en électricité, l'UE, accusée par le procureur général Duplessis d'être dominée par les communistes, perd son accréditation à l'usine de la *RCA Victor* à Saint-Henri en 1952, les dirigeants locaux font appel à un autre syndicat du CIO affilié au CCT, le Syndicat international des ouvriers en électricité (SITE). Ce dernier obtient très vite une majorité d'adhésions – l'accréditation devrait donc aller de soi. C'est

---

1. C'est du moins le souvenir très vif qu'en conserve Fernand et que confirmait Émile Boudreau dans une entrevue en 2003.
2. Boudreau, *Histoire de la FTQ, op. cit.*, p. 209.
3. *Ibid.*, p. 212.

sans compter sur l'intervention de la Fraternité internationale des ouvriers en électricité (FIOE), membre de l'AFL et du CMTC. Après une campagne d'intimidation et de salissage, la Fraternité dépose également une requête en accréditation, nettement minoritaire. La CRO qui va refuser la tenue d'un vote d'allégeance syndicale aux Métallos à Murdochville l'accorde tout de suite à la Fraternité. Heureusement, le vote donne un appui écrasant au SITE.

Une veillée funèbre

Quelques semaines avant le congrès de fusion de la FUIQ et de la FPTQ, à l'occasion d'une réunion des dirigeantEs et des permanentEs des deux centrales dans les Laurentides, les militantEs, qui forment le noyau dur de la centrale, sentent le besoin de se réconforter mutuellement en vue de traverser cette épreuve[1].

Après la réunion, le soir, Fernand rejoint Jacques-Victor Morin, Roméo Mathieu, Huguette Plamondon, Émile Boudreau, Charles Devlin, Jacques et André Thibaudeau dans une chambre d'hôtel. Le directeur canadien de l'éducation politique du CTC, Howard Conquergood[2], se joint à eux. Dans ce qui prend l'allure d'une veillée funèbre, ils entendent faire le deuil de leur organisation. Ils ont apporté des disques de chansons engagées, dont l'un d'Yves Montand et un autre consacré à l'histoire du CIO, sur lequel on entend la chanson *Let's Call the Roll*. D'une voix fière, on y énumère tous les groupes fondateurs de l'héroïque organisation. En entendant ces appels, les amis réunis ont l'impression d'entendre claironner des hommages aux soldats tombés au combat! Au plus fort de la soirée, la bière aidant, certains fondent en larmes en évoquant la mort imminente de leur centrale[3].

Ils sont réconfortés tant bien que mal par quelques camarades progressistes de la FPTQ qui se sont joints à eux, dont Bernard Boulanger de l'Union internationale des travailleurs des produits chimiques[4]. Ces derniers ne sont pas tristes du tout, ils se réjouissent plutôt de cette fusion. Exactement pour les raisons inverses de celles qui affligent les militantEs de la FUIQ. Pour

---

1. Pour sa part, tout en partageant certaines des appréhensions de Fernand quant aux orientations futures de la FTQ, Philippe Vaillancourt s'efforce de voir le bon côté de la fusion. Voir citation de Julien Major dans Comby, *Philippe Vaillancourt, op. cit.*, p. 93.
2. Il avait mis sur pied le service d'éducation des Métallos dans les années 1940 avant de devenir le directeur pancanadien du service d'éducation du CCT. Francophile, il aimait fraterniser avec les militantEs québécoisEs. Il est décédé l'année suivante, en 1958.
3. Outre les souvenirs de Fernand, les témoignages d'Huguette Plamondon, Bernard Boulanger et Julien Major ont alimenté la reconstitution de cette veillée funèbre.
4. Syndicat affilié à l'AFL et rival du SITIPCA.

eux, la cohabitation prochaine dans les mêmes instances d'éléments plus combatifs, plus dynamiques et moins réfractaires au changement, ne peut qu'être bénéfique aux unions de métiers[1].

Ce soir là, à Huguette, qui évoque pour la énième fois le spectre de la contamination réactionnaire, Bernard Boulanger répète :

— C'est pas comme ça que ça va évoluer. Tu vas voir, les vieilles barbes et les pourris vont se faire tasser. Les fusions[2] vont se faire une à une. Dans chaque secteur, il va y avoir du sang neuf. On va bâtir un nouveau mouvement, plus fort, plus représentatif. Y a plein de militants dans les unions de métiers qui attendent juste ça depuis des années.
Hargneuse et désabusée, elle répond :
— Vous rêvez en couleur! On change pas des vieilles organisations mortes en vrais syndicats.

Dans l'épais brouillard de fumée de cigarette, qui remplit la chambre, comme une complainte incantatoire, on entend les mêmes arguments, mille fois répétés dans des termes semblables, tout au long de cette nuit sombre et triste. On fait son deuil comme on peut. Aux petites heures du matin, on frappe rageusement à la porte. Ce sont des déléguéEs incommodéEs par les chants et les oraisons de cette veillée funèbre. Dans l'entrebâillement de la porte, on reconnaît Bernard Shane, Max Swerdlow et Hyman Reeves. En anglais, ils les rappellent à l'ordre :

— C'est l'heure de dormir, demain est une journée historique.
Du fond de la chambre, quelqu'un répond en français :
— Vous avez raison, on s'en va à l'abattoir!

La FTQ est née
Le 16 février 1957, tout se passe rondement, comme prévu d'ailleurs dans l'entente de fusion méticuleusement négociée auparavant. Les postes à la direction sont répartis entre les deux organisations : la présidence et le secrétariat sont réservés à la FPTQ, la trésorerie à la FUIQ, et une vice-présidence à chacune des deux organisations. Sans surprise, Roger Provost

1. Même un Louis Laberge, alors jugé conservateur par les militantEs de la FUIQ, souhaite la fusion pour « régénérer» le mouvement. Fournier, *Louis Laberge, op. cit.*, p. 102.
2. Les projets de fusions de l'AFL et du CIO, du CMTC et du CCT, de la FPTQ et de la FUIQ prévoyaient à terme la fusion des diverses unions des deux camps qui recrutaient dans le même secteur d'activité. Dans les faits, très peu de ces fusions eurent lieu les premières années. Elles ne seront enclenchées pour la plupart qu'à partir des années 1970.

est choisi président et Roméo Mathieu secrétaire de la nouvelle centrale. Cette entente non amendable a d'abord été adoptée par chacun des deux congrès ; il devient l'acte fondateur de la nouvelle centrale, la Fédération des travailleurs du Québec (FTQ)[1].

L'accord prévoit aussi la distribution des sièges des directeurs au sein du Conseil exécutif. Ils sont désignés par des regroupements sectoriels de syndicats : mines et métallurgie, pâtes et papiers, aliments et breuvages, etc. Dans chaque secteur industriel, les deux familles syndicales comptent des organisations dont les juridictions se chevauchent. Pour ne rien simplifier, plusieurs de ces syndicats œuvrent dans plus d'un secteur. L'accord de fusion donne 9 des 15 sièges à des représentantEs des syndicats de la FPTQ. Comme le président et les autres dirigeants élus sont aussi membres du Conseil, l'équilibre du rapport FPTQ-FUIQ semble satisfaisant aux deux groupes.

Le congrès donne lieu à un débat passionné sur l'intégration de la CTCC au nouveau CTC. Tout comme Gérin-Lajoie, Bédard et Mathieu, Fernand soutient cette affiliation avec ferveur, mais son enthousiasme est tempéré par le peu de poids de la nouvelle FTQ sur la question. Comme le rappelle Provost, c'est au CTC et non à la FTQ que peut être décidée l'intégration de la CTCC. Rien de nouveau, on se conforme simplement au modèle de rapports qu'entretiennent les deux organisations fondatrices avec leur « maison-mère » canadienne respective. La FTQ, comme la FUIQ et la FPTQ avant elle, n'est que le *subordinate body* de la centrale canadienne. De son côté, la CTCC se considère comme une centrale à part entière et elle traite d'égal à égal avec le CTC.

Pour tous ceux qui, comme Fernand, ont voulu faire de la FUIQ un organisme de plus en plus autonome, cela constitue une gifle additionnelle. Même s'ils n'étaient pas encore parvenus à donner à la FUIQ le niveau d'autodétermination dont ils rêvaient, ils avaient la conviction qu'ils progressaient en ce sens. Ils construisaient et renforçaient un mouvement qui, tôt ou tard, allait être doté de pouvoirs réels. Fernand se demande si le mouvement de fusion sans la CTCC ne compromet pas à jamais la construction d'une vraie centrale québécoise ?

Murdochville

Dans l'histoire du mouvement ouvrier québécois, certaines grandes batailles qui ne se sont pas soldées par des victoires ont pourtant eu une

---

1. Le directeur des Métallos, Pat Burke est élu vice-président, alors que, du côté des syndicats de métier, c'est Édouard Larose de la Fraternité des charpentiers-menuisiers d'Amérique qui est élu vice-présent et Roméo Girard, de l'Union de la sacoche, est élu secrétaire.

influence déterminante sur l'évolution de la société. Cela a été le cas de la grève de l'amiante en 1949 et c'est le cas de la grève de Murdochville, en 1957. Comme quoi certains échecs sont aussi porteurs de progrès.

Moins d'un mois après le congrès de fondation de la FTQ, commence la grève à la mine de cuivre de la *Gaspé Cooper Mines* à Murdochville, propriété de la *Noranda Mines*[1], le 10 mars 1957. À l'origine, ce conflit n'a rien d'un événement historique. Le président du Syndicat local des métallos, Théo Gagné[2], a été congédié et les 900 travailleurs se sont mis spontanément en grève.

Émile Boudreau a présenté Théo à Fernand trois semaines plus tôt à Québec, pendant le congrès de la FTQ. Le leader des mineurs est grand et costaud, mais il a la voix douce et chantante d'un pêcheur gaspésien. Fernand, qui éprouve une grande affection pour les gens de ce coin de pays, croit voir la mer dans les yeux de Théo. Ce dernier n'a rien d'un batailleur colérique. Malgré ses trente ans, il donne plutôt l'impression d'être un sage, qui pèse chacune de ses paroles et leur donne souvent des couleurs poétiques.

Fernand connaît, pour l'avoir entendu raconter par Émile Boudreau, l'incroyable travail de syndicalisation de plus de cinq ans qu'a dû déployer le Syndicat des métallos pour syndiquer ces travailleurs. Il se croyait parvenu au bout de leurs peines depuis la fusion du CMTC et du CCT. En effet, l'année précédente, en 1956, en marge du congrès de fusion, le CMTC avait accepté de reconnaître la juridiction des Métallos sur le secteur minier et de favoriser le transfert des membres de son local chartré. Comme c'était le vœu clairement exprimé par les mineurs gaspésiens eux-mêmes, le changement d'allégeance aurait dû se faire rapidement et sans difficulté.

Quelques semaines après le congrès du CTC, la très grande majorité (95 %) des mineurs adhère au Syndicat des métallos. Tous les délais et formalités ont été méticuleusement respectés, conformément à la lettre de la loi. Les enquêteurs de la CRO jugent le tout satisfaisant et recommandent le changement d'allégeance. Mais c'est sans compter l'obstination de la compagnie qui, depuis le début des années 1950, livre une lutte sans merci aux Métallos partout où ils tentent de s'implanter.

La *Noranda* entreprend alors une guerre juridique qui paralyse tout le processus d'accréditation. Neuf mois après le dépôt de la requête, le syndicat n'est toujours pas reconnu. Bien entendu, pendant ce temps, la compagnie refuse de négocier avec le syndicat et multiplie les gestes arbitraires à l'encontre des principaux militants. Les travailleurs donnent un mandat de

---

1. Communément appelée *la Noranda*. Concernant la grève de Murdochville, voir Boudreau, *Histoire de la FTQ, op. cit.,* p. 195-242 et Roger Bédard, *La grève de Gaspé Copper au jour le jour, Murdochville, 1957,* Montréal, MRF, 2003.
2. Maître-plombier embauché à la *Gaspé Copper Mines* de Murdochville en 1954.

grève au syndicat dès septembre 1956, mais ne l'exercent pas. La dernière provocation, le congédiement de Théo Gagné, fait déborder le vase et les mineurs cessent le travail.

Ce conflit, un débrayage spontané de syndiqués excédés, prend rapidement l'allure d'un symbole. Une fois de plus, la complaisance scandaleuse du gouvernement Duplessis à l'endroit d'une grande compagnie s'affiche au grand jour. Peu de temps après le débrayage, des *scabs* affluent d'un peu partout en Gaspésie, du Cap-Breton, de Toronto et même d'Allemagne et de Hongrie. Ces briseurs de grève bénéficient de la diligente protection de la Police provinciale. Dès avril, 80 policiers sont sur les lieux. Ils prêtent mainforte à la quarantaine d'agents de sécurité privés embauchés par la compagnie. De son côté, devant les contestations judiciaires de la compagnie, la CRO se croise les bras. Le procureur général, c'est-à-dire Duplessis lui-même, laisse ses tribunaux bafouer le droit d'association des travailleurs et des travailleuses.

Les journaux, la radio, la télévision font largement état de cette situation et la dénoncent. Pierre Elliott Trudeau fait des interventions à la radio en Gaspésie où il prend fait et cause pour les grévistes. Thérèse Casgrain vient participer à des assemblées avec les femmes des grévistes. René Lévesque, le populaire animateur de *Point de mire*, fait une émission sur le conflit, à Murdochville même.

La grande mobilisation

Tous les appels à l'intervention du gouvernement pour dénouer la crise restent vains. Les autorités administratives, politiques ou judiciaires se drapent dans la légalité : le syndicat n'étant pas accrédité, la grève est illégale. Dans les circonstances, il ne saurait être question d'une quelconque médiation dans le conflit. On assiste alors à une grande mobilisation de toutes les forces syndicales. On envoie de l'argent et de la nourriture aux grévistes. Une fois de plus, au Québec, une grève dégénère en affrontement avec le régime. Tous durcissent le ton. Roger Provost n'est pas en reste : à la surprise de Fernand et de ses amis, il tient des propos très durs contre le régime de Duplessis.

Pendant l'été, certains grévistes rejoignent les rangs des *scabs*. Le blocage semble total. Une injonction limite le piquetage à six grévistes. Le 18 août 1957, les militantEs des unions de métiers, comme ceux des unions industrielles et des syndicats catholiques, répondent à un appel de la FTQ et convergent à Murdochville en une grande marche. À sa tête, le président du CTC, Claude Jodoin, le président et le trésorier de la FTQ, Roger Provost et Roméo Mathieu, ainsi que le président et le secrétaire général de la CTCC, Gérard Picard et Jean Marchand, accompagnés du responsable des communications, Gérard Pelletier. Le président du CMTM, Louis Laberge et la présidente du CTM, Huguette Plamondon, y sont aussi, accompagnées de forts contingents de militantes de Montréal[1].

Les rangs sont aussi grossis d'une forte délégation de grévistes de l'*Alcan* à Arvida, de travailleurs et de travailleuses de *Canadair*, de la construction et des salaisons, de débardeurs, et bien sûr, de plusieurs centaines de militants du Syndicat des métallos de tous les coins du Québec. Michel Chartrand, alors président provincial de la CCF, a été embauché temporairement par les Métallos. Il est déjà sur les lieux où il prête main-forte au permanent responsable de la grève, Roger Bédard. Pierre Elliott Trudeau, en *short*, brille comme toujours par son excentricité.

Cette journée paraît très longue à Fernand. Il a mobilisé des militantes des sections locales de *Coca-Cola*, de *Building Products* et d'*Atlas Asbestos*, qu'il sert alors. Il fait le voyage avec les syndiquées d'*Atlas*, dont leur solide président, Tony Pantaloni. Ce dernier, un bloc d'homme, est un militant peu bavard, mais déterminé. Un jour, lors d'une assemblée de son syndicat, perturbée par les partisans d'un syndicat de boutique, Fernand l'a vu quitter la tribune, se diriger calmement vers le plus gueulard et lui asséner un solide coup de poing sur la mâchoire. Le contestataire et ses partisans ont quitté la salle, humiliés.

Fernand et ses compagnons voyagent toute la nuit pour arriver à Murdochville au petit matin. Ensemble, ils vivent l'euphorie de se voir en si grand nombre, à l'aube, aux abords des installations minières. De longues files de voitures et d'autobus déversent sans arrêt des manifestantes pleines de vigueur et d'entrain. Une fois les troupes rassemblées, la cohorte s'ébranle pour faire barrage aux *scabs*, qui ne tarderont pas à arriver. Bientôt, un imposant cordon de policiers s'avance vers eux.

Fernand aperçoit alors les dirigeants syndicaux qui se regroupent autour de Claude Jodoin et partent parlementer avec les officiers de police. Leur intention est d'éviter tout affrontement. Jodoin s'adresse à l'officier responsable :

— Éloignez les *scabs* et il ne se passera rien ici. On va se contenter de manifester paisiblement.

Les pourparlers sont de courte durée. L'officier répond brutalement au président du CTC et à ceux qui l'accompagnent :

— Pas question ! C'est une grève illégale. Les mineurs ont le droit d'aller travailler. C'est vous autres qui devez partir !

La situation dégénère rapidement. Des *scabs* escortés par des policiers arrivent au travail. Ils sont alors bloqués et mis en déroute par les manifestantes. On

---

1. Les deux conseils ne sont toujours pas fusionnés au moment de la marche à Murdochville.

apprend plus tard que ce sont surtout les immigrants allemands et hongrois ; ils cohabitent avec la police dans des baraquements de la compagnie. Une fois repoussés, les *scabs* se regroupent sur les hauteurs avoisinantes et lapident les manifestantes avec des cailloux. Une dizaine de piqueteurs sont blessés. La police laisse faire et menace plutôt les piqueteurs de ses gaz lacrymogènes.

La situation se corse lorsque les manifestantes se regroupent et, suivant un camion conduit par nul autre que Pierre Elliott Trudeau, décident d'aller affronter les agresseurs. Finalement, avant que l'affrontement violent ne se produise, Claude Jodoin convainc la police de tenir les *scabs* à distance. Après les turbulences de l'avant-midi, le piquetage pacifique se poursuit jusque vers 16 heures.

Au terme d'une journée épuisante en événements et en émotions, les militantes rentrent à la maison, convaincues que ce n'est que le début d'une guerre. En route, Fernand apprend par la radio que les locaux du syndicat ont été saccagés par des fiers-à-bras à la solde de la compagnie. La caravane des manifestantes a à peine quitté la ville qu'un commando, armé de matraques, de bâtons et de couteaux sème la terreur dans la ville. Une trentaine de voitures sont endommagées. Un gréviste, Edgar Fortin, qui panique à la vue de fiers-à-bras qui s'approchent de sa maison, meurt subitement. Tous ces méfaits sont commis sous les yeux de la police qui ne porte aucune accusation.

La collusion scandaleuse

Au lendemain de cette grande manifestation, tous les leaders syndicaux, Jodoin en tête, dénoncent la collusion scandaleuse de la police de Duplessis avec la compagnie. Le 22 août, Roger Provost donne une conférence de presse où il « accuse la Police provinciale d'avoir préparé avec la compagnie et les voyous le massacre du 19 août. Cette attaque, renchérit Provost, ne peut avoir été faite à l'insu du procureur général », Duplessis lui-même[1]. Provost récidive dans des assemblées de solidarité organisées à Sorel et à Drummondville, puis devant l'Assemblée législative à Québec, lors d'une grande manifestation intersyndicale qui regroupe plus de 7 000 manifestantes, le 7 septembre. Bondé de policiers, le Parlement a été transformé en forteresse. Plusieurs s'attendent à un affrontement violent et à du saccage.

Professeur de philosophie et comédien connu pour son rôle du Père Gédéon dans le téléroman *La Famille Plouffe*, à la télévision[2], Doris Lussier présente l'animateur de la journée, Jean Duceppe, président de l'Union des artistes, un syndicat de la FTQ. Ce dernier détend un peu l'atmosphère en dosant d'humour ses présentations. Après Mathieu, qui décrit cette marche comme une journée historique et fait allusion à la nécessité d'un débrayage

---

1. *La Presse,* 22 août 1957.
2. Populaire téléroman de Roger Lemelin.

général, Provost prend la parole. Dans cette ambiance surchauffée, il
déclare :

> Il est inconcevable que, dans une province soi-disant démocratique, le droit le
> plus fondamental des travailleurs soit foulé aux pieds. Ou on accepte ce droit,
> ou on achemine toute une société vers une dictature infâme. Nous sommes
> actuellement devant le Parlement où travaillent les fonctionnaires pour des
> salaires de famine. L'exemple de l'exploitation de l'homme par l'homme, de
> l'individu par le Gouvernement, c'est dans cet édifice qu'il est le plus écœurant.
> [...] Il y a quinze ans que nous aurions dû venir ici[1].

Le président de la FTQ est longuement et chaudement applaudi. Louis
Laberge et Huguette Plamondon prennent aussi la parole, le premier pour
appeler le peuple à déloger ce gouvernement. Huguette, comme Roméo
Mathieu, fait allusion à la grève générale. Jean Gérin-Lajoie déclare que le
Québec est en train de devenir « un vaste camp de concentration[2] ». Vient
ensuite le secrétaire général de la CTCC, Jean Marchand, le plus flamboyant
et le plus applaudi. *Le Devoir* le décrit comme « le meilleur orateur populaire
de l'heure ». Répondant à Duplessis qui traite fréquemment les syndicalistes
de « fauteurs de troubles », il rétorque « avec chaleur et conviction » : « Ce
ne sont pas les syndicats ouvriers qui préparent la révolution, mais ceux qui
sabotent les institutions, mêlant les pouvoirs législatif, judiciaire et policier.
Les vrais fauteurs de troubles sont ceux qui prostituent la démocratie dans
cette province[3]. »

Duplessis, paraît-il, est très vexé des propos de Provost. Que Picard, Marchand, Mathieu, Chartrand ou les autres leaders, qu'il assimile à des communistes, le dénigrent, c'est dans l'ordre des choses. Mais Roger Provost, un
homme pondéré et conciliant, qui se met à l'injurier, c'est trop ! Malgré la
promesse faite à Claude Jodoin, le *Cheuf* n'ordonne pas une enquête sur les
événements. Le jour de la manifestation, il refuse de recevoir une délégation
syndicale qui veut lui remettre un mémoire sur le conflit et sur les relations
du travail. Dans une lettre au président du CTC, en guise d'excuse pour sa
non-intervention, il prétexte que les « esprits sont trop échauffés de tous les
côtés pour qu'il y ait des chances de coopération en ce moment entre les
parties intéressées[4] ».

Cette « neutralité » complice est très durement jugée par la presse. Pierre
Laporte, un futur ministre libéral dans le gouvernement Lesage, est alors

---

1. *Le Devoir*, 9 sept 1957.
2. *Histoire du mouvement ouvrier au Québec. 150 ans de luttes*, Montréal, CSN et
   CEQ, 1984, p. 195.
3. *Le Devoir*, 9 sept 1957.
4. Lettre du premier ministre Maurice Duplessis au président du CTC, Claude
   Jodoin, le 25 août 1957.

éditorialiste au journal *Le Devoir*. Il termine ainsi un texte sur le conflit :
« Il y a eu des morts et des blessés à Murdochville. Shylock Duplessis peut
maintenant régler la grève. Il a eu sa livre de chair[1] ! »

Malgré l'exceptionnelle mobilisation du mouvement syndical et de l'opinion publique, le conflit prend fin le 5 octobre 1957 par une défaite amère.
Le nombre de grévistes est maintenant amputé d'une centaine de *scabs* et de
quelque 200 travailleurs qui ont décidé de gagner leur vie ailleurs. La Cour
supérieure déboute la compagnie dans la procédure qu'elle avait entreprise
un an plus tôt pour empêcher la Commission des relations ouvrières d'accorder une accréditation au syndicat, ce qui laisse une lueur d'espoir au
syndicat. Normalement, la voie est libre à la reconnaissance syndicale…
Pourtant, après de longues auditions, la CRO rejette la demande d'accréditation du syndicat en février 1958, au mépris de ses propres dispositions.

Le Syndicat des métallos n'est pas au bout de ses peines. Il est condamné
par les tribunaux à verser 2,5 millions de dollars à la *Gaspé Cooper Mines* en
dommages et intérêts. On n'avait jamais vu une pareille sévérité judiciaire.
Il faut attendre jusqu'en 1965 pour que le Syndicat des métallos soit enfin
accrédité à Murdochville.

Cette grève perdue en 1957 se transforme peu à peu en un tournant historique. Elle est une démonstration exemplaire de l'impasse sociale inviva-
ble dans laquelle le régime Duplessis a entraîné le Québec. Elle contribue à
façonner un ras-le-bol collectif qui fera sauter les écluses et ouvrir les portes
du changement. L'arrivée de libéraux réformistes au pouvoir, deux ans plus
tard, peut être considérée comme une soupape qui épargne au Québec une
explosion sociale.

Pour Fernand et la plupart de ses amis syndicalistes, c'est la confirmation
qu'un point de non-retour est atteint dans l'engagement politique du
mouvement syndical. Ils sont convaincus que désormais, même les éléments
les plus conservateurs de la FTQ ne peuvent plus s'y opposer. Pessimistes
lors de la fondation de la centrale, ils reprennent espoir. Ils ne se font pas
trop d'illusions sur la conversion réelle d'un Provost et des vieilles barbes qui
l'entourent, mais constatent une nouvelle dynamique. Ils ont maintenant
tendance à donner raison aux collègues progressistes de la FPTQ qui misaient
sur la fusion pour dynamiser leurs vieilles unions de métiers. Fernand et
ses amis ont constaté à Murdochville que les syndicats de l'ancien CMTC
n'étaient pas en reste. Ils étaient sur la ligne de feu avec eux. Du coup, ils
se prennent à rêver d'une cohésion qui était inimaginable, voici à peine
quelques mois.

---

1. *Le Devoir*, 26 août 1957.

Chapitre 13

Un clivage persistant (1958-1960)

Même si la grève de Murdochville a insufflé à la FTQ naissante une dynamique encourageante, le clivage entre les deux anciennes familles syndicales est toujours là. Il persiste encore quelques années, mais connaît de plus en plus de fissures. De nouveaux alignements et de nouveaux groupements apparaissent. Des divisions voient le jour sur d'autres critères que l'appartenance historique à la FUIQ ou à la FPTQ. Pourtant, de temps à autre, apparaissent des manifestations du vieux clivage.

En novembre 1957, neuf mois après le congrès de fondation de la FTQ, s'ouvre le premier congrès régulier de la jeune centrale. On assiste alors à des querelles électorales révélatrices. Contrairement au déroulement bien huilé du congrès de fusion, qui avait donné lieu à une répartition équilibrée des sièges, certains fomentent des coups bas. En arrivant au congrès, Fernand apprend qu'une rumeur persistante se confirme : le président Roger Provost compte se débarrasser de son encombrant trésorier Roméo Mathieu. Il veut lui opposer un autre candidat issu de la FUIQ, Eucher Corbeil, du Syndicat des cheminots, un syndicaliste dont Mathieu se plaît souvent à dire qu'il aurait mieux cadré dans les vieilles unions de métiers. Corbeil a déjà été l'opposant de Mathieu en 1955 au congrès de la FUIQ à Joliette.

Les conciliabules se multiplient. Le soir de l'ouverture du congrès, Fernand rejoint Huguette Plamondon, Thibaudeau, Vaillancourt, Devlin, Morin, Willie Fortin, du Syndicat des salaisons, Noël Pérusse, le responsable des communications de la centrale, et quelques autres dans la chambre de Mathieu[1]. Ce dernier soutient que, la grève de Murdochville devenue chose

---

1. Le récit qui suit s'inspire des souvenirs de Fernand Daoust et de Huguette Plamondon, rencontréEs en entrevue. Voir aussi Noël Pérusse, *Mémoires d'un déraciné. Repenti de la Révolution tranquille*, Montréal, Varia, 2000, tome 2, p. 35-37.

du passé, Provost meurt d'impatience de renouer ses liens avec Duplessis. Or, le président de la FTQ sait bien que, tant que Mathieu est membre de l'exécutif de la centrale, il sera dénoncé s'il s'engage sur cette voie. Par contre, avec Corbeil, il n'y a pas le moindre obstacle sur sa route. Il peut alors transformer la FTQ naissante en un « grand club d'unions dociles ». Pour ce groupe de nostalgiques de la FUIQ, sans Mathieu à la direction de la FTQ, la contamination conservatrice appréhendée à la veille de la fusion prendra l'allure d'une pandémie.

Mathieu est très pessimiste sur l'issue probable de l'élection. Il a fait des calculs très rigoureux en examinant toutes les délégations et estime sa défaite certaine. La tension monte et, l'alcool aidant, les idées les plus farfelues fusent. On envisage même d'enlever et de séquestrer Eucher Corbeil pour l'empêcher d'accepter sa mise en candidature ! Il s'agit davantage d'une suggestion à mettre au compte du défoulement que d'une hypothèse sérieuse. Elle n'en témoigne pas moins du niveau d'échauffement des esprits.

Un candidat-surprise

Froid calculateur, Vaillancourt suggère d'envoyer un message fort à Provost en lui opposant un candidat-surprise à la présidence de la FTQ. Mathieu a tôt fait de convaincre ses camarades qu'on n'a aucune chance de renverser Provost. Il jouit du soutien indéfectible des vieux syndicats de métiers, plus nombreux que les syndicats industriels. Par ailleurs, plusieurs syndicats industriels influents ne veulent sans doute pas briser l'unité fragile en posant un geste de désaveu d'une telle ampleur. Vaillancourt en convient :

– Vous avez probablement raison. J'avais pourtant en tête un candidat, que Provost ne voit pas venir. Je pensais convaincre Jean-Louis Gagnon de se présenter. Ce serait une façon spectaculaire d'affirmer que le courant progressiste est bien vivant au sein de la FTQ.
Mathieu réfléchit, puis poursuit :
– Jean-Louis Gagnon ne pourrait pas battre Provost, mais il pourrait faire très mal à l'un de ses hommes, le secrétaire Roméo Girard, par exemple. Ça lui ferait comprendre qu'il n'est pas le maître absolu et qu'il doit composer avec nous.

Jean-Louis Gagnon est un journaliste de renom, proche de Vaillancourt depuis l'époque où il fréquentait sa librairie à Québec dans les années 1930. Les deux hommes ont même des liens de parenté puisque Vaillancourt a épousé la cousine de Gagnon. Il est devenu un commentateur respecté de l'actualité nationale et internationale à la télévision. Il sera plus tard le rédacteur en chef de *La Presse*. Au moment du congrès, il est éditorialiste à la station de radio CKAC. À ce titre, il est membre du syndicat local chartré du CTC, ce qui explique sa présence comme délégué au congrès.

Déjà engagé politiquement dans l'équipe des réformateurs du Parti libéral du Québec où il a lancé le journal *La Réforme*, il hésite à se mouiller de façon aussi officielle dans l'arène syndicale. À Vaillancourt, qui lui suggère de s'opposer à Provost, il répond :

— Jamais je n'arriverai à le battre.
— Bien sûr. Mais ta candidature devient un symbole. Chaque vote que tu reçois est un vote pour le front antiduplessiste. C'est comme ça que les journaux vont l'interpréter[1].

Finalement, à la suggestion de Mathieu, c'est contre le secrétaire Roméo Girard que Jean-Louis Gagnon se porte candidat. Il entreprend sa campagne en intervenant au micro aussi souvent qu'il le peut. Il a une voix graveleuse, quelque peu voilée, reconnaissable entre toutes. Sa diction et sa syntaxe plus que correctes, quasi puristes, en imposent à l'assemblée et donnent aussi de la hauteur à ses propos. Il sait faire vibrer les déléguéEs en invoquant de grands idéaux et de grands principes. Ses partisanEs sont un moment convaincuEs qu'il va battre son adversaire.

Engagement partisan ou apolitisme

Pendant ce congrès, deux débats importants donnent l'occasion de mesurer les clivages idéologiques qui séparent les déléguéEs issuEs des deux familles syndicales. L'un porte sur l'action politique, l'autre sur la grève générale. Au moment du congrès de fusion, neuf mois plus tôt, pour éviter toute confrontation, on a trouvé un compromis fragile sur la première question : l'article 3 de l'accord de fusion encourage les affiliés à « s'intéresser le plus possible aux questions politiques », mais les laisse libres de le faire selon les méthodes distinctes des deux anciennes organisations.

Cette fois, on ne peut échapper au débat. Mathieu défend vigoureusement l'engagement actif de la FTQ, qui devrait selon lui présenter des candidats dits « ouvriers populaires » aux élections provinciales. Provost s'oppose à cette ligne en mettant les déléguéEs en garde « de passer de l'abstention désastreuse à l'action échevelée » qui pourrait conduire « à la destruction du mouvement syndical ». Il s'oppose aussi à la création d'un nouveau parti politique provincial.[2]

---

1. Jean-Louis Gagnon, *Les apostasies. Les coqs du village*, Montréal, La Presse, 1995, tome 1, p. 403-404.
2. Boudreau, *Histoire de la FTQ, op. cit.*, p. 187-188.

Sur la question de l'action militante pouvant mener jusqu'à la grève générale, un débat très animé a lieu. La tendance modérée, défendue encore une fois par Provost, recueille trois voix sur cinq, ce qui reflète en gros la représentativité des deux familles syndicales d'avant la fusion. Mathieu et Gagnon, quant à eux, sont tous deux battus dans des proportions semblables[1].

Mathieu n'a pas seulement eu contre lui l'opposition prévisible des unions de métiers, il n'a pas fait le plein des voix de ses alliés naturels. Il a commis l'erreur, selon Jean Gérin-Lajoie, de s'identifier à la grève de Murdochville dans sa propagande, laissant entendre que ses adversaires n'y étaient pas. « Mathieu fit distribuer un feuillet qui allait jusqu'à dire qu'un vote contre lui était un vote contre Murdochville[2] ». Les Métallos, qui perçoivent ce conflit comme fondateur de l'unité de la FTQ, s'enorgueillissent d'avoir réuni sur leurs lignes de piquetage les « gars de *Canadair* » de Laberge et « les gars de *Canada Packers* » de Mathieu. Ils n'acceptent pas qu'on fasse ainsi de la politique partisane sur leur dos. Même s'ils avaient eu normalement tendance à voter pour lui, ils refusent leur appui officiel à Mathieu.

Cette défection a-t-elle un poids décisif sur l'issue de l'élection ? Mathieu, personnage parfois arrogant, n'a pas que des amiEs dans les unions industrielles. Il n'en reste pas moins qu'aux yeux de Fernand et de ses amis de l'ancienne FUIQ, cette défaite des progressistes, dès les premiers mois d'existence de la FTQ, n'augure rien de bon. À partir de ce moment, Mathieu semble peu à peu se désintéresser de l'évolution de la FTQ. De son côté, Fernand décide tout de même de s'y investir davantage pour faire évoluer la centrale dans le sens de son idéal syndical.

L'espoir d'un nouveau parti

Le recul des orientations progressistes dans la FTQ est loin d'être définitif. Quelques mois plus tard, des éléments extérieurs vont bientôt faire évoluer la position de la centrale sur l'action politique. Les conservateurs de John Diefenbaker, qui ont pris le pouvoir au fédéral, formant un gouvernement minoritaire en 1957, déclenchent des élections dès 1958 et en sortent très solidement majoritaires. Le plus grand perdant n'est pas le Parti libéral fédéral, mais la CCF, dont la représentation est dramatiquement réduite, passant de 25 à huit sièges. Le Québec, traditionnellement libéral au fédéral, élit 50 conservateurs contre 25 libéraux et, comme d'habitude, aucun candidat de la CCF. Une remise en question profonde au sein du parti

---

1. Eucher Corbeil l'emporte sur Mathieu avec 273 voix contre 179, tandis que Gagnon est défait par Girard qui recueille 284 voix contre 194. Comby, *Philippe Vaillancourt, op. cit.*, p. 95.
2. Gérin-Lajoie, *Les Métallos, op. cit.*, p. 110.

social-démocrate accélère les discussions déjà entreprises avec le CTC sur l'opportunité de créer un nouveau parti.

Fernand n'a pas beaucoup d'estime pour le vieux chef socialiste James Coldwell de la CCF, qui est unilingue anglais et fédéraliste centralisateur, car il a appuyé la conscription. Il s'opposait alors à son chef James Woodworth, fondateur comme Coldwell de la CCF. Battu sur cette question, Woodworth avait alors cédé la place à Coldwell. Heureusement, d'autres dirigeants plus dynamiques et plus ouverts favorisent un changement en profondeur du parti. Parmi ceux que Fernand admire, il y a le premier ministre de la Saskatchewan Tommy Douglas, premier socialiste à porter son parti au pouvoir en Amérique du Nord[1]. Fernand a aussi de l'estime pour l'avocat syndical David Lewis, ancien secrétaire général du parti. Russe d'origine, arrivé à Montréal à l'âge de neuf ans, cet homme chaleureux maîtrise bien le français. Son influence est déterminante au sein du CTC et de la CCF ; il y prône le rassemblement de toutes les forces politiques et syndicales du pays.

Dès la grande fusion syndicale en 1956, l'idée est dans l'air. Au congrès de fondation du CTC, le comité d'action politique en fait la suggestion. Les dirigeantEs de la nouvelle centrale canadienne ne veulent pas brusquer les éléments traditionnellement apolitiques du CMTC et évitent prudemment le débat sur le sujet. Mais dès le congrès de Winnipeg, au printemps 1958, le débat a lieu. Sans grand déchirement, les déléguéEs appuient une résolution qui appelle à la fondation d'un parti regroupant la CCF, le mouvement syndical, les organisations d'agriculteurs, les membres des professions libérales et toute autre personne « intéressée à une réforme et à une reconstruction sociale en profondeur ».

Quelques mois plus tard, grâce à sa capacité d'adaptation qui devient sa marque de commerce, Roger Provost appuie le projet. En septembre 1958, il annonce que, désormais, « ce qui relèvera notre niveau économique, ce n'est pas seulement nos négociations collectives, mais aussi notre action politique[2] ». Quelques semaines plus tard, au congrès de la FTQ, il fustige ceux qui craignent que le mouvement syndical ne « s'engage dans une ouverture qui détruira ses effectifs[3] ». C'est pourtant lui qui avait exprimé de telles craintes dans des mots identiques un an plus tôt. On le voit donc appuyer avec enthousiasme une résolution des Métallos qui prône la création d'une organisation politique québécoise dont le programme tiendrait compte « des

---

1. Il a été premier ministre de la Saskatchewan 1944 à 1961, puis a succédé à Coldwell à la tête du NPD.
2. Boudreau, *Histoire de la FTQ, op. cit.,* p. 190.
3. *Discours inaugural,* 3ᵉ Congrès de la Fédération des travailleurs du Québec, novembre 1958.

problèmes particuliers de la province de Québec ainsi que des légitimes aspirations de notre population ».

Même si la formulation de la résolution a une connotation autonomiste, on continue de se situer dans la logique du congrès du CTC. D'ailleurs, quelques semaines plus tard, on met sur pied un comité conjoint de la FTQ et de la section québécoise de la CCF[1], dans le but de fonder l'aile québécoise du nouveau parti. La CTCC accepte aussi de faire partie du comité. Comme ses statuts lui interdisent un engagement politique partisan, elle les amende pour permettre à ses affiliés de s'engager plus formellement. Le président Gérard Picard, lui-même membre du Conseil national de la CCF, propose cet amendement. Cependant, dans les faits, à part le Conseil central de Montréal, peu de syndicats de la CTCC se prévalent de cette nouvelle disposition.

Gérard Picard, Michel Chartrand, Pierre Vadeboncoeur et Jean-Robert Ouellette participent au mouvement, mais sans y engager la centrale. Le très médiatisé secrétaire général, Jean Marchand, n'est pas de l'aventure. Ceux qui le connaissent savent qu'il a de solides amitiés libérales. Même s'il s'amorce rapidement, le processus de construction d'un nouveau parti est lent et difficile. Les forces politiques de la gauche canadienne prennent encore trois ans avant d'aboutir à la fondation du Nouveau Parti démocratique. Ce qui va retarder d'autant l'accouchement de son aile québécoise.

La difficile fusion des conseils du travail

Pendant ce temps, le processus de fusion du mouvement syndical se poursuit à travers le Canada. Après la naissance du CTC et la création de la FTQ, il faut réaliser l'unité à l'échelle locale en fusionnant les conseils du travail. Un peu partout au Canada, ces fusions s'effectuent rapidement. Au Québec, et particulièrement à Montréal, tout ne se passe pas comme si c'était une simple formalité[2].

Huguette Plamondon avait pleuré la veille de la fusion des fédérations provinciales, mais elle n'y pouvait rien. La FUIQ devait disparaître au profit de la FTQ. Mais au Conseil du travail de Montréal (CTM), elle est présidente. Elle a donc son mot à dire et elle ne s'en prive pas. Première femme à occuper la présidence d'un conseil du travail dans une grande ville, elle a aussi été élue vice-présidente du CTC lors du congrès de fondation. Elle

---

1. Nous utilisons ce nom pour plus de clarté, mais à partir de 1956, le parti avait changé son nom au Québec : il était devenu le Parti social démocratique (PSD). Michel Chartrand a pris la présidence du parti à la suite de Thérèse Casgrain en 1957.
2. Sylvie Murray et Élyse Tremblay, *Cent ans de solidarité, Histoire du CTM, 1886-1986,* Montréal, VLB éditeur et CTM, 1987, p. 90-92.

décide donc de vendre très cher la peau de son CTM progressiste. Fernand est d'accord avec elle. Même s'il a une plus grande souplesse et qu'il est plus ouvert au compromis, il affirme : « Nous voulions qu'ils sachent qu'ils devaient compter avec nous. Ils avaient plus de membres, mais nous étions plus avant-gardistes. Nous ne voulions pas accepter d'être minorisés, d'être mangés[1]. »

Le CTM définit ses conditions de fusion. Elles concernent l'action politique, le maraudage entre syndicats affiliés, l'éducation syndicale, la représentation à l'Hôtel de Ville et la répartition des postes au comité exécutif du nouveau conseil. Il entend négocier serré sa disparition au profit du nouveau conseil unifié. Au cours de cette négociation, Fernand et Huguette font face au président du CMTM, Louis Laberge, au secrétaire, Roméo Girard, de l'Union de la sacoche et à Hector Marchand, le président du Syndicat des débardeurs.

Huguette et Fernand insistent pour discuter d'action politique, en particulier du contenu idéologique du *Manifeste* de Joliette. Les deux tentent d'obtenir des engagements fermes de leurs vis à vis. Laberge, habile, se dit prêt à suivre les orientations définies par le CTC et la FTQ. Un peu amère, Huguette rappelle les divergences concernant les Lois 19 et 20, le maraudage entre affiliés et tout ce qui peut démarquer idéologiquement le CTM du CMTM. Laberge reconnaît qu'il y a eu parfois un manque de combativité au sein de sa famille syndicale, mais se dit confiant que les choses vont changer.

Pendant ces longues discussions, ponctuées d'escarmouches entre Huguette et ses frères ennemis du CMTM, Fernand apprend à mieux connaître Louis Laberge. Huguette le voit toujours comme l'homme de main de Provost et le met dans le même sac que tous les syndicalistes conservateurs, compromis jusqu'à la moelle avec Duplessis. Fernand perçoit aussi Laberge comme le prototype des syndicalistes de métiers, qui rejettent l'engagement politique des syndicats au nom du pragmatisme. Il le sait capable de démagogie et enclin aux affrontements musclés. Il est convaincu que Laberge a tendance à assimiler les intellectuels à des rêveurs. Ces rencontres ne le convainquent pas du contraire. Mais il découvre que ce batailleur, qui défend férocement ses idées, est conscient des enjeux et souhaite que le mouvement soit plus dynamique. Il fait preuve d'une vivacité d'esprit et d'un humour peu communs.

Les véritables points d'achoppement ne sont pas idéologiques. Ils concernent la répartition des postes à l'exécutif du nouveau conseil du travail et la représentation au Conseil municipal de Montréal. Le CTM ne réclame rien

---

1. Fournier, *Louis Laberge, op. cit.,* p. 105.

de moins que la présidence du nouveau conseil et une représentation quasi égale au comité exécutif; il revendique aussi l'un des trois postes au Conseil municipal. Sur les deux questions, Laberge et ses amis sont intraitables. Le CMTM compte de beaucoup plus de membres que son rival (82 000 contre 23 000) et il n'est pas question de lui faire ce cadeau.

Les mois passent et Montréal est le seul endroit au Canada où la fusion des conseils locaux n'a pas encore été réalisée. Fernand, qui est maintenant un salarié du CTC[1], reçoit un appel du président Claude Jodoin, qui l'incite à assouplir ses positions. Il répond qu'en tant que secrétaire du conseil du travail, il est solidaire des décisions prises en assemblée générale. Il apprécie au passage que Jodoin n'utilise pas un argument d'autorité pour infléchir la position de son employé.

Cependant, le CMTM et le CTM sont informés officiellement qu'ils ne peuvent pas envoyer de déléguéEs au prochain congrès du CTC s'il n'y a pas fusion. Le CTM finit donc par céder. La fusion a lieu le 20 mars 1958, mais Huguette et Fernand ne participent pas à l'assemblée et n'occupent pas de poste dans le nouveau conseil. Jean Philip, de l'Union des travailleurs du textile, est le seul ancien militant du CTM à faire partie, à titre de secrétaire, du premier exécutif du nouveau conseil. Mince consolation pour les militantEs des unions industrielles, le nouvel organisme s'appelle désormais, le Conseil du travail de Montréal (CTM). Comme leur défunt conseil des unions industrielles!

L'éclaircie politique

L'horizon politique du Québec connaît une éclaircie imprévue avec la mort subite de Maurice Duplessis, en septembre 1959, dans les installations de la compagnie minière *Iron Ore* à Schefferville. « Il meurt chez ses maîtres », disent des militantEs aigriEs, qui se rappellent que, sous son règne, une partie des richesses naturelles du Québec a été donnée à des consortiums étrangers. Dans l'entourage de Fernand, on respire mieux parce qu'on sait que ça ne pourra plus jamais être pareil. Cet homme exerçait un pouvoir personnel sur un parti sans membres et sans structure démocratique. On s'attend à ce qu'un tel régime s'écroule de lui-même.

Contre toute attente, le successeur de Duplessis, Paul Sauvé, qui vivait pourtant dans l'ombre du Cheuf, s'empresse d'affirmer que « désormais » les choses vont changer. Étonnamment, cet homme a de la vision. Il entend transformer le rôle de l'État, le faire intervenir dans l'économie, opérer des réformes dans l'éducation et la santé. Très vite, il présente plusieurs nouvelles mesures : augmentation des salaires des fonctionnaires, subventions

---

1. Lors de la fusion, les équipes de permanents du CCT et du CMTC sont passées au CTC.

statutaires en éducation, projet d'assurance hospitalisation[1], etc. Il procède également à une première modification de la législation du travail : il rend plus difficiles les congédiements pour activités syndicales ; il modifie aussi la composition de la CRO, qui passe de trois à huit membres, et reconnaît aux parties patronale et syndicale le droit de choisir leurs représentants[2]. Mais, le nouveau premier ministre meurt trois mois plus tard, au début de janvier 1958.

C'est Antonio Barrette qui le remplace. Ce compagnon de la première heure et fidèle serviteur de Duplessis a été ministre du Travail pendant seize ans. Les syndicalistes le connaissent bien. Il était apprécié des plus conservateurs d'entre eux, qui le croyaient des leurs parce qu'il avait été autrefois employé de chemin de fer et membre du Syndicat des machinistes. Mais tout au long des années d'après-guerre, jamais il n'a paru infléchir le moindrement les orientations anti-ouvrières de son chef. De plus, c'est un homme public terne qui ne réussit certainement pas à redorer le blason de l'Union nationale.

Les syndicalistes et militants politiques qui entourent Fernand croient que ce serait le moment idéal pour opposer un nouveau parti provincial de gauche au vieux régime de l'Union nationale. Malheureusement, les conditions ne sont pas réunies. Ils sont toujours mobilisés dans la construction d'un nouveau parti fédéral. Lorsque des élections sont déclenchées au Québec en 1960, le NPD n'est pas encore fondé et, conséquemment, son aile québécoise n'est pas encore structurée. Fernand et ses amis doivent regarder passer le train.

Ils voient que l'Union nationale est ébranlée, mais n'attendent pas grand-chose de l'opposition officielle formée par le Parti libéral. En fait, ils les mettent dans le même sac. Ils se rappellent qu'au cours des quinze dernières années, ce parti n'a jamais fait véritablement obstacle aux lois anti-ouvrières de Duplessis. Comme l'Union nationale, sa caisse électorale est alimentée par les fonds occultes des grandes compagnies. Enfin, lors de l'élection de 1956, ce parti a fait alliance avec l'Union des électeurs[3], un

---

1. Pierre Godin, *La Révolution tranquille. La Fin de la Grande noirceur*, Montréal, Boréal, 1991, vol. 1, p. 139.
2. Jusque-là le gouvernement décidait seul de la composition des membres de la CRO. L'adoption rapide de ce projet de loi n'est pas étrangère à l'impact de la grève de Murdochville sur l'opinion publique. Voir Boudreau, *L'histoire de la FTQ, op. cit.*, p. 274.
3. L'Union des électeurs a été fondée en 1939 par Louis Even et Gilberte Côté-Mercier. Dès ses débuts, Réal Caouette en est un ardent militant. Il se fait même élire sous cette étiquette en 1946 lors d'une élection partielle au fédéral. Le 4 mai 1958, cependant, il rompt avec l'Union des électeurs et forme le Ralliement des créditistes en tant qu'aile québécoise du Parti du Crédit social du Canada. Comme on le verra plus loin, le Crédit social réussira une percée lors de l'élection fédérale de 1962, remportant 26 sièges au Québec, alors que seuls quatre députés créditistes sont alors élus dans le reste du Canada.

Parti créditiste réactionnaire, antisyndical et farouchement opposé à toute nationalisation.

– Libéraux ou duplessistes, c'est du pareil au même, ce sont tous des *patroneux* qui attendent leur tour pour se graisser la patte[1] !

Les jeunes loups de la gauche ne doutent pas que, le jour venu, les forces populaires enfin organisées balaieront de l'histoire ces « vieux partis réactionnaires » !

Le Parti libéral réformiste

Il s'agit pourtant d'une erreur d'évaluation. Le Parti libéral du Québec a tiré les leçons de ses défaites successives et humiliantes depuis la fin de la guerre. Sous la direction de Georges-Émile Lapalme, le parti a entrepris une réflexion qui l'a amené à se transformer. En fait, le parti un peu endormi dans l'opposition renoue avec un passé réformiste. Rappelons-nous que l'Alliance libérale nationale avait été créée en 1934 par des libéraux réformateurs. Leurs rêves s'étaient transformés en cauchemar lorsqu'ils s'étaient alliés à Duplessis, mais leurs idées sont restées.

Pendant la guerre, Adélard Godbout, successeur de Louis-Alexandre Taschereau à la tête du Parti libéral québécois, s'est inspiré de cet esprit rénovateur. Lorsqu'il a pris le pouvoir en 1940, il a véritablement donné un coup d'accélérateur au Québec. Durant ses cinq ans à la tête du gouvernement, il a effectué un rattrapage législatif exceptionnel, répondant à des revendications véhiculées depuis longtemps par le mouvement syndical : vote des femmes, instruction obligatoire jusqu'à quinze ans, première nationalisation de l'électricité, lois des relations ouvrières, etc.

Georges-Émile Lapalme manque de charisme, mais pas d'idées. Il met à contribution des intellectuels comme Jean-Marie Nadeau et Jean-Louis Gagnon. Ce dernier lance et dirige le journal *La Réforme*. Le Parti acquiert une autonomie réelle par rapport au Parti libéral du Canada. Il se donne des structures démocratiques dans les comtés, il crée des commissions chargées de la jeunesse et des femmes et révise de fond en comble son programme. Les libéraux entendent relancer la modernisation du Québec là où Godbout l'avait laissée. Leurs réformes concernent l'enseignement, la santé, la sécurité sociale, les richesses naturelles et la démocratie électorale. Enfin, dernier atout, ils se dotent d'un chef charismatique, Jean Lesage.

Fort de cette cure de rajeunissement, le Parti réussit à attirer des candidats de prestige comme Paul Gérin-Lajoie et nul autre que René Lévesque, celui-là même qui disait encore récemment préférer faire « l'éducation poli-

---

1. Propos remémorés par Fernand Daoust.

tique des Québécois » à la télévision plutôt que de se lancer dans la politique active. Même Jean Marchand, le secrétaire général de la CSN, a failli faire le saut dans « l'équipe du tonnerre[1] », comme la nomme la propagande du PLQ. L'engagement libéral de René Lévesque est une grande déception pour Fernand et tous ceux qui voyaient en lui un progressiste capable de rassembler la gauche québécoise. Ils se demandent en chœur : « Mais qu'est-ce que Lesage a bien pu lui promettre pour qu'il aille se prostituer comme ça dans le lit d'un vieux parti[2] ? »

Ils découvrent bientôt que le programme de réformes proposées par le Parti libéral n'est pas qu'un ramassis de slogans électoraux. Lévesque en avait d'ailleurs fait une condition claire de son engagement. Il avait obtenu des garanties de la part de Jean Lesage quant à la démocratisation et à l'assainissement du financement du parti. Forts de cette nouvelle image, les libéraux prennent le pouvoir avec 51,3 % du vote et 51 des 95 sièges. Ce n'est pas une victoire écrasante. Fernand et ses amis y assistent sans grand enthousiasme. Ils n'attendent rien de ce parti qu'ils croient incapable d'un véritable renouveau. Ils piaffent d'impatience de mettre sur pied le véritable instrument politique de l'émancipation des travailleurs et des travailleuses.

---

1. Brunelle, *Les trois colombes, op. cit.,* p.174-175. « Report says Liberals Want Jean Marchand », *The Gazette,* 22 septembre 1962, p. 1.
2. Propos reconstitués à partir des souvenirs de Fernand Daoust.

Chapitre 14

L'avenir est ailleurs

Depuis la fusion en 1956, Fernand est intégré à la nouvelle équipe du Congrès du travail du Canada (CTC), qui réunit les permanents du CCT et ceux du CMTC. Il se sent moins à l'aise dans l'équipe du CTC que dans celle du CCT. Bien sûr, il y a ses amis Thibaudeau, Devlin et Chaloult. Philippe Vaillancourt partage maintenant la direction québécoise avec son homologue du CMTC, Victor Trudeau. Trudeau porte le titre de directeur de l'organisation alors que Vaillancourt est directeur de la formation.

Fernand se rappelle l'implication de Victor Trudeau dans l'installation d'un syndicat de boutique à Murdochville en 1954 pour couper l'herbe sous le pied des Métallos[1]. Fernand ne se sent aucune affinité avec lui. C'est pourtant de lui qu'il relève dans l'exercice de la plupart de ses tâches. En effet, comme par le passé, il fait davantage du recrutement et de la négociation que de la formation. La direction canadienne du CTC, assumée par Claude Jodoin, ne l'emballe pas davantage. Un incident survenu un peu plus d'un an après la fondation de la grande centrale canadienne a confirmé à Fernand la faiblesse du président. À l'occasion de la fête du Travail, le dirigeant francophone remet à la presse un message unilingue anglais. Au journal *Le Devoir*, qui communique avec son bureau, on répond « qu'aucune traduction française n'avait été faite à l'intention des journaux francophones[2] ».

---

1. Permanent du CMTC, Victor Trudeau était responsable de la campagne de recrutement. Contrairement aux Métallos, il avait libre accès au territoire de la compagnie ainsi qu'aux mineurs. Accusé par *Le Devoir* de recruter ces salariés avec la bénédiction du gouvernement Duplessis, il a obtenu une accréditation en juin 1954. Voir Boudreau, *Histoire de la FTQ, op. cit.*, p. 211.
2. *Le Devoir*, 30 août 1957.

Par ailleurs, dès sa fondation, le CTC avait annoncé ses couleurs : les locaux chartrés devaient passer au syndicat international ou canadien de leur juridiction. Au congrès de 1958, on insiste davantage pour que la centrale canadienne accélère ce mouvement d'intégration. Les permanents du CTC comprennent qu'ils ont désormais plus d'avenir au sein des syndicats affiliés qu'à la centrale.

Charles Devlin est le premier à quitter le CTC pour devenir permanent du Syndicat des travailleurs unis de la brique, du verre et de la céramique. Il y entraîne avec lui les travailleurs de la *Dominion Glass*. Son ami André Thibaudeau est à la recherche d'un syndicat où il aurait plus de défis à affronter. Il parle souvent à Fernand du développement du syndicalisme dans le secteur public et parapublic, jusque-là très peu syndiqué. Fernand regarde aussi ailleurs, mais est plus naturellement enclin à lorgner du côté du secteur privé.

Homme de paille?

Son ancien patron et président de la FTQ, Roger Provost, lui téléphone et l'invite à son bureau[1].

– Charles Devlin a quitté le CTC et je suis convaincu que ton ami Thibaudeau est à la veille de faire le saut. Tu dois toi aussi songer à t'intégrer à un syndicat.
À l'aise avec Provost et un peu frondeur, Fernand répond :
– J'y pense, mais j'irai pas n'importe où.
– Bernard Shane cherche quelqu'un à l'Union de la robe[2]. Tu sais, depuis le départ de Jodoin pour le CTC, il n'y a plus de directeur au Conseil conjoint. C'est une grosse job…
– Bernard Shane, t'es pas sérieux ! Je me vois mal dans ce syndicat archiconservateur. Tu connais mes convictions.
– Shane n'est pas si réactionnaire que tu le crois, rappelle-toi la grève de 1937.
– Oui, je sais, il en parle tout le temps ! Mais il y a plein d'anciens héros syndicaux comme lui qui sont aujourd'hui assis sur leurs lauriers.
– OK, je comprends. Mais, peux-tu au moins le rencontrer, pour me rendre service ?

Fernand sait comment le nouveau président de la FTQ fonctionne. C'est un homme de relations, soucieux de l'image qu'il projette. Il rend des services à tous ceux qui lui en réclament. Une leçon que retiendra son dauphin, Louis Laberge. Fernand voit bien que Provost ne tient pas à ce qu'il accepte

---

1. La conversation qui suit, de même que l'échange entre Bernard Shane et Fernand Daoust, sont reconstitués à partir des souvenirs de Fernand.
2. L'Union internationale des ouvriers du vêtement pour dames (UIOVD).

le travail. Il veut simplement qu'il rencontre Shane. Provost envoie probablement deux ou trois autres candidats à Shane, lui montrant par le fait
même qu'il a des relations dans tous les milieux, au sein de toutes les tendances syndicales et politiques de la centrale. Fernand décide donc d'aller
rencontrer le leader de l'UIOVD.

Bernard Shane l'accueille avec politesse, mais sans chaleur. Lorsque Fernand lui demande en quoi consiste exactement la fonction qu'il cherche à
combler, Shane répond sans détour (en anglais) :

– Il s'agit d'être porte-parole du syndicat dans les médias, devant les politiciens, au Conseil du travail, dans les congrès de la FTQ.

Fernand fait mine d'être intéressé et demande sur un ton candide :

– Dans les négociations également, j'imagine.

– Non, non… ça, je m'en charge. T'auras pas à négocier. Ni à t'occuper de
la régie interne du syndicat. Ça, c'est notre affaire. Tu nous représente-
ras, nous te dirons quoi dire…

Fernand a du mal à retenir un sourire narquois. Shane confirme tous
ses préjugés : lui, un unilingue anglophone, cherche à installer une caution canadienne-française à sa direction, comme l'a été Claude Jodoin. Si
ce dernier a débordé de ces fonctions en devenant un personnage syndical
hors de l'UIOVD, d'abord au Conseil des métiers et du travail de Montréal
(CMTM), puis au CMTC et au CTC, le prochain Canadien français ne
sera rien de plus qu'un homme de paille.

Il lui dit qu'il va y réfléchir. Shane, qui doit bien savoir un peu qui il est
et ce qu'il pense, n'insiste pas. Ils n'en reparleront plus.

Le passage au SITIPCA

En 1959, Fernand est donc ouvert au changement lorsqu'il est appro-
ché par Neil Reimer, le directeur canadien du Syndicat international des
travailleurs des industries pétrolière, chimique et atomique (SITIPCA). Ce
syndicat regroupe surtout les travailleurs des puits de pétrole et des raffineries
dans l'Ouest canadien. Il compte très peu de membres au Québec, mais il a
bonne réputation. Fernand sait que c'est dans ce syndicat que les permanents
et dirigeants de la Fédération de la chimie de la CTCC avaient tenté d'entraîner leurs membres. Il accepte le défi, d'autant qu'il s'agit de l'un de ces syndicats industriels issus de la branche CIO, centrale pour laquelle il conserve un
attachement nostalgique. Il entre en fonction le 1er mai 1959.

Fernand identifie surtout ce syndicat à l'un de ses représentants ontariens, Alex McAuslane, un grand Écossais au passé mythique, qui a été vice-
président du CCT jusqu'en 1952. Fernand l'a déjà aperçu lors de congrès. Il

avait apprécié sa prestance et ses dons d'orateur. Un jour, Jean-Marie Bédard lui a appris que McAuslane avait milité au sein de la *One Big Union* (OBN)[1] et participé à la grève générale de Winnipeg en 1919. Sans sombrer dans un romantisme syndical excessif, Fernand est toujours fasciné par ces personnages hauts en couleur. À leur contact, il a le sentiment de s'inscrire dans un mouvement historique.

Neil Reimer est un homme au style quasi militaire. Grand, blond, « carré comme un Allemand », aux yeux de Fernand. En fait, c'est un Ukrainien qui s'est établi dans l'ouest du pays très jeune. Il a été militant du syndicat d'une raffinerie coopérative en Saskatchewan, la *Consumer's Cooperative Refineries*, où il avait été embauché en 1952. D'abord local chartré du CCT, ce syndicat avait joint les rangs des *Oil Workers* en 1948. Reimer avait gravi les échelons dans la hiérarchie syndicale locale, puis à la permanence des *Oil Workers*, dont il devenait représentant en 1951 et directeur canadien en 1954. Syndicaliste intègre, combatif, très sûr de lui, il a réponse à tout. Certains le jugent un brin prétentieux. Fernand sait qu'il est homme de gauche, mais il n'entretiendra pas de complicité ni même de camaraderie avec lui.

Lorsqu'il le rencontre, Reimer dit à Fernand que le syndicat souhaite recruter davantage de travailleurs dans les raffineries de Montréal. Il compte sur sa connaissance des travailleurs industriels de l'est de la ville pour effectuer des percées qui tardent à venir. Larry Packwood, un Gaspésien pure laine, jovial et à l'aise dans les deux langues, est le représentant du syndicat depuis quelques années. Fernand le connaît bien, il l'a croisé dans de nombreuses réunions au CTM, à la FUIQ ou au cours de rencontres de permanents syndicaux au CCT. Packwood a établi les bureaux du syndicat sur l'avenue Georges-V près de la rue Notre-Dame, au milieu des raffineries. Mais, après avoir recruté les travailleurs de *McCall-Frontenac*, une raffinerie plus tard rachetée par *Texaco*, il ne parvient pas à faire grossir les rangs du syndicat. Le recrutement est en panne. Reimer a décidé de l'affecter ailleurs au Canada et d'ouvrir son poste à Montréal.

---

1. Organisation créée à Calgary en 1919, par des militantEs insatisfaitEs de la mollesse du CMTC. Comme les Chevaliers du travail à la fin du siècle précédent, elle privilégie l'organisation des salariéEs sur une base industrielle plutôt que par métier. Elle progresse rapidement dans l'ouest du pays où elle compte près de 50 000 membres en 1920. Même si elle n'en est pas l'instigatrice, sa philosophie anarchisante inspire les organisateurs de la grève générale de Winnipeg de 1919. Elle ne réussit pas à s'implanter de façon significative au Québec et en Ontario. L'OBN dépérit dans la première moitié des années 1920. Une partie de ses effectifs rejoint le Congrès pancanadien du travail en 1927 et les unités toujours existantes se joignent au nouveau Congrès du travail du Canada à sa fondation en 1956. Voir Rouillard, *Histoire du syndicalisme québécois, op. cit.,* p. 132-134 ; Louis-Marie Tremblay, « L'influence extragène en matière de direction syndicale au Canada », dans Fernand Harvey, *Le mouvement ouvrier au Québec,* Montréal, Boréal, 1980, p. 217-219.

Depuis peu, le syndicat a deux permanents au Québec. Le deuxième, c'est Maurice Vassart, cet ancien conseiller de la Fédération des produits chimiques de la CTCC. Vassart avait été le seul transfuge à passer au SITIPCA avec les membres d'un petit syndicat local de Shawinigan, son unité syndicale d'origine. Bien installé à Shawinigan avec sa famille, il ne tient pas à déménager à Montréal. D'autant qu'il en a un peu assez des « gars des raffineries » qu'il juge trop peu combatifs. Il applaudit donc à l'arrivée de Fernand qui va lui éviter de déménager à Montréal. Il vient à l'occasion donner un coup de main dans le recrutement ou dans certaines négociations, mais sert surtout les sections locales en région.

Fernand s'installe donc sur Georges-V, au-dessus de la taverne du même nom. Packwood fait quelques mois à ses côtés pour assurer la transition avant d'aller occuper ses nouvelles fonctions dans l'Ouest canadien. Le bureau de Fernand est petit, miteux, mal équipé, les fenêtres ombragées par de grandes grilles de métal. Seul avantage, le syndicat dispose d'une grande salle de réunion. Un jour qu'il prend un verre de bière à la taverne avec les dirigeants du syndicat local de *Texaco*, il a la surprise d'entendre le *waiter* l'interpeller : « Fernand, ton téléphone sonne! Je te l'apporte… »

Il n'y comprend rien. Le serveur lui explique alors que son prédécesseur avait fait tirer un fil de sa ligne téléphonique à travers le plancher de son bureau dans un coin de la taverne. Il y passait la majeure partie de ses journées, y réunissant ses militants, expédiant ses affaires courantes et la plupart de ses appels téléphoniques. Il n'était pas pour autant un grand buveur. Il semble s'être toujours bien acquitté de sa tâche malgré ses maigres succès en recrutement. Il trouvait sûrement l'ambiance de la taverne moins déprimante que son minuscule et sombre bureau à l'étage.

Alex McAuslane et Maurice Vassart

Lorsqu'il avait embauché Fernand, Reimer lui avait dit qu'il aurait aussi à s'occuper des sections locales du Nouveau-Brunswick, où le syndicat représentait, entre autres, les travailleurs de la pétrolière *Irving*. Quelques mois après son arrivée, Fernand doit donc se rendre à Fredericton pour négocier. Il apprend avec plaisir de la part de Reimer que, vu l'importance de cette négociation, il lui envoie Alex McAuslane pour l'assister. Ce dernier arrive et le met tout de suite à l'aise. Le vieux syndicaliste lui dit qu'il considère que c'est le dossier de Fernand et qu'il n'a pas l'intention d'intervenir.

De fait, dès l'ouverture des négociations, il s'assoit à un bout de la table et adopte une attitude bizarre. Bien calé dans sa chaise, il demeure immobile, un coude sur la table, se couvrant la moitié du visage de sa grande main. À Fernand qui lui demande si tout va bien lors d'une pause, il explique son attitude :

T'es peut-être pas au courant, mais j'ai un œil de verre. Pendant que vous discutez, je cache mon œil valide dans ma main. Ça me permet de dormir, pendant que mon œil artificiel fixe le porte-parole patronal. Ça a un effet hypnotique. D'habitude, le gars perd tous ses moyens après une demi-journée de négociation.

Fernand n'a jamais été convaincu que ce stratagème était très efficace, mais la négociation évolue rondement et une bonne convention collective est signée après quelques semaines seulement.

Pendant qu'il négocie sous l'œil de McAuslane à Fredericton, Vassart remplace Fernand à la table de négociation d'*Atlas Asbestos*. Ce syndicat n'a pour ainsi dire jamais connu d'autre représentant que Fernand depuis qu'il en a recruté les membres en 1951. Ces syndiqués ont l'habitude des manières généralement pondérées de leur conseiller. De son côté, la direction de cette compagnie a toujours manifesté une attitude d'ouverture envers le syndicat. Conséquemment, toutes les négociations précédentes ont été conclues de façon satisfaisante, sans recours à la grève. Les travailleurs sont donc d'abord étonnés, puis conquis, par le ton ferme, voire intempestif de Vassart. En peu de temps, il les convainc qu'il faut se secouer les puces et devenir plus revendicateurs. Et arrive ce qui devait arriver : au bout de quelques séances de négociations, ils déclarent la grève.

Cette dernière est dans sa troisième semaine lorsque Fernand rentre du Nouveau-Brunswick. Dès son arrivée, le bouillant Vassart regagne ses terres. Fernand a la tâche délicate d'éteindre le feu et de reprendre la négociation sur un ton moins chargé d'invectives. Au lendemain de la signature de la convention collective, le président du syndicat prend Fernand à part : « Ton *chum* Vassart est bon en maudit pour chauffer une assemblée. Mais pour la négociation, on aimerait mieux que tu t'en charges la prochaine fois[1]. »

Négocier en français

Au cours de cette première année, Fernand réussit à implanter un syndicat chez *Pétro-Fina* et entreprend le recrutement chez *British Petroleum*. Il constate qu'il est impossible de percer chez *Imperial Oil (Esso)*, *Gulf* et *Shell*. Le syndicat fait des progrès dans d'autres secteurs d'activité : outre les travailleurs d'*Atlas Asbestos* et de *Building Products*, venus du CTC avec Fernand au SITIPCA, on recrute aussi les travailleurs du distributeur d'huile à chauffage *Tolhurst*. En 1962, cette entreprise acquise par *Texaco* est la scène d'une grève violente de trois semaines avant que n'y soit signée une première convention collective. L'un des enjeux est la place du français dans l'entreprise.

---

1. Propos reconstitués à partir des souvenirs de Fernand Daoust.

À la même époque, Fernand recrute aussi les employéEs de la *Cyanamid*, l'une des plus grandes multinationales de produits chimiques. Elle possède alors 57 usines dans le monde et, malgré des profits nets de 50 millions, elle refuse de consentir le salaire moyen de l'industrie manufacturière à ses employéEs montréalaisES. Tout comme *Tolhurst*, elle refuse de signer un texte de convention collective en français. Pour elles, seul le texte anglais a un caractère officiel. Ce que Vassart n'hésite pas à qualifier de « colonialisme économique ». Une sentence qu'endosse pleinement Fernand, qui la reprend à son compte. Chez *Tolhurst*, comme chez *Cyanamid*, le syndicat mène de très dures batailles pour la reconnaissance du français comme langue des négociations.

L'exception *British Petroleum*

Cette attitude de mépris à l'égard du français est généralisée dans la plupart des grandes entreprises, généralement de propriété états-unienne, britannique ou anglo-canadienne. Fernand a la surprise de connaître une exception : la *British Petroleum*. Paradoxalement, dans ce cas, ce sont les membres de son syndicat qui font problème. Dans cette raffinerie de pétrole toute neuve, qui démarre ses opérations à Montréal, comme dans toutes les entreprises concurrentes, la main-d'œuvre d'entretien (plombiers, électriciens, machinistes et autres hommes de métier) est composée d'ouvriers locaux, la plupart francophones. Or, les trois quarts des salariés de la raffinerie et de ses laboratoires sont majoritairement anglophones. En période de démarrage, la compagnie a besoin d'une main-d'œuvre expérimentée qu'elle importe d'Angleterre et de l'Ouest canadien. Elle va plus tard les remplacer peu à peu par de jeunes techniciens formés dans les écoles techniques de Montréal.

Quand Fernand arrive à l'assemblée syndicale dans la salle au-dessus de la taverne Georges-V pour présenter le premier projet de convention collective, la salle est bondée d'une majorité d'anglophones. Il explique donc dans les deux langues les principales demandes basées pour l'essentiel sur ce qu'a déjà négocié le syndicat ailleurs au Canada. Rien ne semble poser de problème à ces ouvriers qualifiés, qui connaissent les conditions de l'industrie. Sauf au moment où leur permanent syndical leur spécifie qu'évidemment la convention collective sera signée en français. Après un moment de silence, des dizaines de mains se lèvent. Les questions et objections fusent. Il apparaît alors que beaucoup n'ont pas la moindre notion de français et s'inquiètent de leur capacité de faire appliquer et respecter un tel contrat de travail.

Il y a bien dans la salle des Québécois francophones, mais la plupart ne participent pas au débat. À l'exception d'un nommé Métail, nationaliste radical, sympathisant avoué du Front de libération du Québec (FLQ), dont l'appui à Fernand est plutôt contre-productif. Les choses semblent se compliquer quand un jeune technicien de laboratoire prend la parole. Dans un anglais courant, où Fernand décèle tout de même un léger accent francophone, il demande :

– Confrère Daoust, est-ce qu'on ne pourrait pas négocier et signer deux textes, l'un en français, l'autre en anglais? Et les deux textes ne pourraient-ils pas avoir le même poids[1] ?
Fernand, jusque-là un peu empêtré dans ses explications, saute à pieds joints sur cette planche de salut :
– Bien sûr, confrère! Nous pouvons avoir deux textes reconnus comme deux versions officielles. Et l'une ou l'autre pourrait servir de base à l'interprétation de l'arbitre[2].

Le jeune technicien qui vient de le tirer d'affaire était Claude Ducharme[3]. Il deviendra un allié loyal et indéfectible de Fernand qu'il soutient tout au long de sa carrière. L'assemblée ayant approuvé le projet de convention collective, Fernand se présente donc devant l'employeur avec son comité.

Le directeur de l'usine, un chimiste de profession que tout le personnel appelle Dr Darch, le reçoit avec quelques collègues de la direction. Avec un accent british impressionnant, il invite Fernand à présenter son projet de convention collective. Ce que fait Fernand, en spécifiant tout au long de son exposé que les demandes du syndicat sont conformes à ce qui a été agréé un peu partout en Amérique du Nord dans l'industrie pétrochimique. Le patron semble en convenir. Puis vient la question la plus délicate, la langue de la convention collective. Arrivé à ce point, Fernand sent bien qu'une bonne partie de son comité de négociation ne le suit plus. Les membres anglophones sont sans doute convaincus que la compagnie va l'envoyer paître et n'ont surtout pas l'intention de monter aux barricades pour défendre ce point.

Lorsque le Dr Darch prend la parole, Fernand est plus ou moins résigné à retraiter sur cette question. Mais, après avoir commenté brièvement l'ensemble des dispositions du projet syndical de convention collective, Fernand a la surprise de l'entendre dire :

---

1. Propos reconstitués à partir des souvenirs de Fernand Daoust.
2. *Ibid.*
3. Claude Ducharme devient représentant permanent du SITIPCA en 1965 et suit Fernand Daoust au SCFP en 1968. Il passe chez les Travailleurs unis de l'automobile (TUA) en 1970 où il est l'adjoint de Bob Dean à la direction québécoise du syndicat avant de lui succéder en 1981. Il devient alors vice-président de la FTQ et décède subitement à Paris, en 1995, alors qu'il représente la centrale au congrès de la Confédération française démocratique du travail (CFDT).

Quant à la question de la langue du texte, je dois vous préciser ceci. *British Petro-leum* est une société de la couronne britannique. Elle a des installations sur tous les continents et, évidemment, nous avons la tradition de respecter la langue et la culture des peuples avec qui nous transigeons. Bien sûr, ici une bonne partie de la main-d'œuvre importée pour le démarrage de la raffinerie ne maîtrise pas le français. Il faudrait donc que les textes aient force d'application dans les deux langues[1].

Fernand ne peut s'empêcher de jeter un regard amusé du côté de ses camarades anglophones devenus cramoisis. Il n'en développe pas moins d'excellents rapports avec ces travailleurs des raffineries. Il apprécie chez eux cet esprit de corps bien typique de certains milieux très spécialisés. Il constate que, dans cette industrie, où domine la mentalité anglo-saxonne et plus précisément états-unienne, les rapports hiérarchiques sont peu contraignants. À l'extérieur des bureaux, chacun porte un casque de métal sur lequel figure son prénom. Grands patrons, contremaîtres et salariés s'interpellent familièrement. Et il n'est pas rare qu'ils relatent devant Fernand leurs parties de pêche aux petits poissons des chenaux ou leur dernier tournoi de curling. Claude Ducharme lui raconte qu'un jour qu'il s'affairait à ses éprouvettes, un grand bonhomme s'approche et lui demande, dans un anglais très *british,* de lui décrire son travail. Après plusieurs minutes d'explications détaillées, le technicien s'enquit poliment du *job* de son interlocuteur. Celui-ci répond tout bonnement : « Oh! excusez-moi! J'aurais dû me présenter… Je suis le président de la compagnie[2]. »

Sous le même toit

Comme Fernand a plus de succès à établir de nouvelles unités syndicales dans l'industrie chimique que dans celle de la pétrochimie, il devient moins justifiable de maintenir le siège du syndicat près des raffineries, loin d'autres membres potentiels.

C'est à l'invitation d'André Thibaudeau qu'il déménage ses pénates.

Depuis quelques mois, en effet, son ami a quitté également le CTC pour se joindre à l'Union des employés des services publics (UNESP). Ce syndicat canadien avait été fondé en 1944 par le CCT. Au moment de l'embauche de Thibaudeau comme directeur, surtout implantée au Canada anglais, l'UNESP ne compte qu'environ 400 membres au Québec. Il s'agit d'employéEs de municipalités du nord-ouest québécois, bientôt rejoint par les cols bleus de la Ville de Montréal et les employéEs de sept autres municipalités[3]. En fait, c'est le CTC qui a exigé, au lendemain de sa fondation,

1. Propos reconstitués à partir des souvenirs de Fernand Daoust.
2. *Ibid.*
3. Outre les cols bleus de Montréal, les autres groupes se joignant à l'UNESP sont ceux des municipalités de Pointe-aux-Trembles, d'Outremont, de Verdun, de Saint-Jérôme

que les employéEs des municipalités membres de locaux chartrés du CCT et de locaux fédéraux du CMTC choisissent entre l'Union nationale des employés publics (UNEP)[1] et l'UNESP. Une forte majorité des syndiqués choisissent l'UNESP, si bien que, du jour au lendemain, le syndicat passe de 400 à 5 600 membres. C'est d'ailleurs Fernand qui préside la tenue du vote d'adhésion des cols bleus de Montréal.

Thibaudeau avait établi les bureaux du syndicat sur la rue Sherbrooke, dans le même immeuble que le Syndicat des travailleurs du bois d'Amérique, dirigé par leur ami commun Jean-Marie Bédard. Les deux compères ont tôt fait de convaincre Fernand d'emménager le siège de son syndicat dans leur immeuble. Au CCT comme au CTC, Fernand entretenait des rapports quotidiens avec des collègues. Dans le paysage désert des raffineries, au-dessus de sa taverne perdue, il se trouvait bien isolé. En retrouvant ses collègues et amis, il renoue avec les échanges de vues quotidiens sur les expériences de travail.

Surtout, il peut reprendre ces discussions longues et passionnées sur l'orientation du mouvement syndical et son engagement politique. Il se rapproche aussi des autres syndicats de l'ex-famille CCT-CIO. Peu de temps après son arrivée dans les bureaux de la rue Sherbrooke, Bédard, Thibaudeau et lui répondent à l'appel des Métallos et s'installent au 6725 de l'avenue Wilderton, près de Van Horne. Les quatre syndicats vont ensuite emménager avec les Travailleurs unis de l'automobile (TUA) au 150, boulevard Crémazie Ouest.

Toutes ces initiatives de regroupement des syndicats ont fait germer l'idée, au sein de la FTQ, de la construction d'un immeuble syndical qui abriterait sous un même toit la majorité des sièges sociaux des affiliés de la centrale.

Fernand directeur

Maurice Vassart passe du SITIPCA aux Travailleurs unis de l'automobile en 1965. Fernand convainc alors Reimer de le remplacer par son jeune ami Claude Ducharme. Reimer accepte aussi qu'il embauche une secrétaire. Son choix se porte sur Jacqueline Lavoie, la secrétaire de Victor Trudeau, dont il apprécie la compétence technique, la maîtrise du français et le dynamisme exceptionnel. Le peu d'admiration qu'il voue à son ancien directeur du CTC lui enlève tout remords à perpétrer un tel maraudage. Après quelques bières, lorsque ses amis Bédard et Thibaudeau le taquinent en lui reprochant

et de Ville Jacques-Cartier (cols bleus et cols blancs) ; s'ajoutent aussi les employés de la Commission des services électriques de Montréal.
1. Fondée en 1955 par le CMTC, l'UNEP ne comptait que 200 membres au Québec, dont les employéEs de Montréal-Nord et de Ville Saint-Michel.

son maraudage déloyal, il affirme de façon grandiloquente : « Une plorine[1] comme lui ne mérite pas une secrétaire de cette qualité. »

Jacqueline en mène large dans un bureau et Fernand lui laisse tout l'espace et les responsabilités qu'elle veut bien occuper. Cette femme à l'esprit vif va devenir pour Fernand la référence absolue en matière de travail de bureau. Un peu injustement, il faut le dire, à l'égard des secrétaires qui collaboreront ultérieurement avec lui, puisque Jacqueline assume des tâches qui débordent largement celles attribuées normalement à une secrétaire.

Cette femme, dont il admire le dynamisme et la compétence, devient rapidement une grande amie du couple Daoust. Très sociable, elle a plusieurs amiEs qu'elle fait connaître à Ghyslaine et à Fernand. Bientôt, cette petite bande se rencontre régulièrement dans des restaurants du centre-ville, parfois chez les Daoust. Dans ce groupe bigarré, il y a aussi les sœurs de Jacqueline, Claire et Lucille – la première est secrétaire, la seconde infirmière –, Claire Robitaille, secrétaire responsable de la comptabilité à la FTQ, Nicole Aubry, réalisatrice de Radio-Canada, et Mario Loschiavo, un permanent du Syndicat international des travailleurs de l'électricité (SITE).

Pendant cette période Fernand est toujours aussi accaparé par son travail et passe peu de temps à la maison. Chaque été pourtant, il emmène quasi rituellement sa famille au bord de la mer, à Ocean City, dans le Maryland. Sauf une année. Josée en garde un souvenir amer :

> Je revois les valises sur le palier, en haut de l'escalier extérieur de l'appartement du boulevard Pie-IX. Ma mère et moi attendons mon père à l'extérieur, prêtes à monter dans la voiture. Quand il arrive enfin, il nous annonce, tout dépité, qu'il faut rentrer tout ça, qu'on ne peut pas partir maintenant. Il a une urgence au travail. Il ne sait pas trop si nous pourrons partir. […] J'ai vécu ça comme une catastrophe. Ma mère était très contrariée[2].

S'opposer à Reimer ?

Entouré d'un embryon de personnel, Fernand est doté du premier titre hiérarchique de sa carrière syndicale : directeur des programmes pour l'est du Canada. Un peu plus tôt, il avait refusé de considérer un poste autrement plus important, celui de Reimer lui-même. Celui-ci avait commis l'impair de soutenir le mauvais candidat à la présidence au congrès nord-américain du SITPCA. Les alliés de Grospiron, le nouvel élu à la direction internationale du

---

1. « Plorine », expression québécoise méprisante qu'aimait utiliser Fernand Daoust en privé pour désigner les gens qu'il jugeait peu compétents ou paresseux. Selon le site web, *La Parlure. Le dictionnaire collaboratif du français parlé* (<www.laparlure. com/>), ce mot signifie « être empoté et peu dégourdi, voire même peu intelligent. À l'origine, une plorine désigne une grosse saucisse en coiffe. L'expression doit probablement être née par analogie, désignant une personne molle et sans échine ».
2. Entrevue avec Josée Daoust.

syndicat, le convainquent de limoger Reimer. Il a alors été invité à démissionner de son poste et rétrogradé au rang de simple permanent. Jugeant les autres
syndicalistes canadiens trop près de ce Reimer, les dirigeants états-uniens ont
cru que Fernand saurait mieux que quiconque se démarquer de l'ancienne
direction.

Fernand a été étonné qu'on lui fasse la proposition, lui fraîchement
arrivé dans ce syndicat. Il écarte vite cette hypothèse, d'abord par loyauté
pour Reimer, mais aussi parce qu'il ne se voyait pas déménager ses pénates
dans l'Ouest canadien, ou même vers la région des Grands Lacs ontariens,
où se concentre la majorité des membres canadiens du syndicat. D'ailleurs,
après un mandat à la présidence internationale, Grospiron, ce lointain des-
cendant d'ancêtres français (à la blague Fernand et ses amiEs le surnom-
maient entre eux *Big'n Round*) rétablit Reimer dans ses fonctions.

Prendre pied à la FTQ

Depuis son arrivée au SITIPCA, en dépit de la taille modeste de ce syndicat au Québec, Fernand est l'un des leaders qui comptent à la FTQ. Ses
fonctions de représentant au CCT puis au CTC, les sessions de formation
qu'il y a animées et sa fonction de secrétaire du Conseil du travail de Montréal avant la fusion lui ont donné une visibilité particulière. Sa facilité d'élocution et son discours ont fait leur marque dans les assemblées publiques.

Même s'il s'investit pleinement dans son syndicat, Fernand ne peut se
satisfaire de cette seule forme d'engagement syndical centrée sur l'action
revendicative dans les entreprises. Depuis ses premiers pas dans le syndicalisme, il a toujours cru que cet engagement devait trouver son prolonge-
ment et son complément dans l'action politique. Il sait que cette dernière
doit être menée dans les instances interprofessionnelles comme les conseils
du travail ou mieux dans la FTQ.

Comme plusieurs de ses amiEs, Fernand a été déçu par la fusion qui a
donné naissance à la FTQ, sans la CTCC. Mais, avec le temps, il constate
que, malgré leur nombre et leur représentativité supérieurs, les syndicats de
métier n'occupent pas toute la place à la FTQ. On l'a vu, au moment de
la création de la centrale en 1957, l'accord de fusion leur donnait trois des
cinq postes au comité exécutif et une majorité (13 sur 20) confortable au
Conseil exécutif. Mais, à partir de 1959, un amendement aux statuts de la
centrale permet de changer ce rapport de force : la représentation au sein du
Conseil exécutif cesse d'être uniquement sectorielle pour assurer une présence régionale adéquate[1]. Cela allait permettre aux militantEs des syndicats

---

1. Cet amendement prévoit que neuf membres du Conseil exécutif représentent les .
   régions, contre six qui représentent des secteurs d'activité. Or, cette représentation
   sectorielle favorise la présence des représentantEs des syndicats de métiers. Par ail-

les plus progressistes, plus présentEs dans les conseils du travail, de se faire déléguer par ces derniers au Conseil exécutif de la FTQ.

Depuis la fusion, Fernand ne milite pas au Conseil du travail de Montréal dirigé par Louis Laberge. Ce n'est donc pas par ce canal qu'il est élu au Conseil exécutif de la FTQ. Il y entre en 1960 à titre de représentant des industries manufacturières. André Thibaudeau devient trésorier de la centrale en 1961 ; il occupe le poste de secrétaire de 1963 à 1966, année où il est alors élu vice-président. Leur ami commun et allié, Jean Gérin-Lajoie[1], est déjà vice-président depuis 1959. Fernand constate que les horizons ne sont pas bouchés à la FTQ. Non seulement la présence des anciens membres de la FUIQ se fait sentir, mais ils ont des alliés parmi les représentantEs des syndicats de métier. Quand vient le temps de défendre des positions progressistes, ils peuvent compter sur des dirigeants comme John Purdie du Syndicat du tabac et, plus tard, sur son successeur René Rondou. Bernard Boulanger, un ancien permanent du CMTC devenu conseiller de l'Union internationale des travailleurs des produits chimiques, le syndicat concurrent de celui de Fernand, partage la plupart du temps ses positions politiques.

Un vœu plus qu'une réalité

En ce début des années 1960, la centrale québécoise est davantage un vœu qu'une réalité. Aucun des dirigeants élus n'y exerce ses fonctions à temps plein. Le président Roger Provost passe de temps à autre au bureau de la FTQ, mais consacre beaucoup plus de temps à ses fonctions de directeur canadien des Ouvriers unis du textile d'Amérique (OUTA). La permanence est assurée par une équipe technique qui se limite à deux conseillers, un secrétaire administratif et deux secrétaires. Yvan A. Legault, le transfuge de la CTCC, est le secrétaire administratif. Les conseillers sont Noël Pérusse, relationniste et rédacteur du journal *Le Monde ouvrier* et Julien Major[2], directeur des « services sociaux ». C'est ce dernier qui met sur pied

---

leurs, les cinq postes au comité exécutif ne leur sont pas acquis. N'importe quelLE déléguéE de n'importe quelle provenance peut s'y porter candidatE. Le rapport de force en faveur des anciens syndicats de la FUIQ bascule en 1965 au sein du Comité exécutif, lorsque Fernand y est élu.

1. Le coordonnateur québécois du district de l'Est (incluant les Maritimes) des Métallos, Pat Burke, a été vice-président de la FTQ de la fondation en 1957 jusqu'en 1959. Ancien mineur dans le Nord-Ouest québécois, il était unilingue anglophone. Il cède alors de bonne grâce son siège au Comité exécutif de la FTQ à son directeur adjoint francophone, Jean Gérin-Lajoie. C'est ce que fait aussi John Purdie, le directeur de l'Union internationale des travailleurs du tabac, lui aussi unilingue anglophone, qui cède sa place à l'exécutif à son adjoint René Rondou en 1963. Sources : entrevues avec Jean Gérin-Lajoie et René Rondou.

2. Il s'agit, dans les faits d'un service d'aide aux accidentéEs du travail. Julien Major en est le responsable jusqu'en 1964, alors qu'il devient directeur du service d'éducation de la Fraternité internationale des travailleurs des pâtes et papier. Il occupe ces fonctions

ce qui devient plus tard le service de santé et sécurité du travail de la FTQ. Robert Lavoie[1], un machiniste de *Canadair*, prend la relève de Major en 1964. Il y a aussi Hélène Antonuk qui gère le secrétariat ; elle est assistée de madame Marc-Aurèle. Bientôt, Gisèle Roth[2] devient la secrétaire du président, alors que Claire Robitaille[3] s'occupe de la comptabilité.

L'équipe est minimale. Comment en serait-il autrement, puisque plusieurs syndicats affiliés au CTC négligent d'affilier leurs membres québécois à la FTQ[4] ? D'ailleurs, Legault et Major consacrent une bonne partie de leurs énergies à quémander le paiement[5] des cotisations aux sections locales négligentes. Pérusse, celui qui écrit plus vite que son ombre, met tout son talent de bluffeur à faire croire à coup de communiqués à l'existence de la centrale.

Fernand devient président du comité d'éducation de la FTQ lors du congrès de 1960. Il y entraîne Jacqueline Lavoie, qui agit à titre de secrétaire. Son ex-collègue Charles Devlin et son ancien patron au CCT, Philippe Vaillancourt, y siègent aussi, de même que son ami Mario Loschiavo du Syndicat international des travailleurs de l'électricité (SITE). Plus tard, Émile Boudreau des Métallos en sera aussi. Comme la gestion de l'éducation syndicale relève du CTC, le comité de la FTQ n'a pas de véritable responsabilité. Il doit se contenter de formuler des souhaits quant aux orientations des cours dispensés par la centrale canadienne au Québec.

Revendications d'autonomie

Peu de temps après l'arrivée de Fernand à la présidence, le comité d'éducation formule les premières revendications d'autonomie de la FTQ en rap-

pendant dix ans. Il devient vice-président du CTC en 1973 et occupe cette fonction jusqu'à sa retraite en 1982. Il est décédé en 2007.

1. Ancien syndicaliste à *Canadair*, Robert Lavoie a eu son heure de gloire en y battant Louis Laberge au poste de permanent élu du syndicat en 1959. Laberge ne lui en a pas tenu rigueur, puisqu'une fois élu président de la FTQ, en remplacement de Roger Provost, il l'appelle à succéder à Julien Major en 1964. Robert Lavoie occupe les fonctions de responsable du service des accidents du travail de la FTQ jusqu'en 1983.
2. Entrée à la FTQ en août 1958, elle quitte en juillet 1981 après avoir été la secrétaire de Roger Provost et de Louis Laberge.
3. Embauchée à la FTQ en mars 1961, elle y assume la responsabilité du service de la comptabilité jusqu'en décembre 1977. Elle représente la FTQ au sein du Conseil du statut de la femme pendant cinq ans. Après son départ de la centrale, elle assume d'abord la direction de la Fédération québécoise du planning familial, puis devient directrice générale de la section québécoise de la Commission canadienne des droits de la personne.
4. Au début de la décennie, 60 % des syndiquéEs québécoisES membres de syndicats affiliés au CTC négligent de s'affilier à la FTQ. Les efforts de recrutement déployés par les dirigeants et les employés permanents de la centrale font grimper cette proportion à près des deux tiers en cinq ans, son « membership » passant de 100 000 à 165 000.
5. Entrevue réalisée avec Ivan A. Legault.

port avec le CTC. En effet, dans le rapport du comité soumis au congrès de 1961, on soutient que la FTQ « devrait coordonner et promouvoir, sur le plan provincial, toutes les activités dans le domaine de l'éducation[1] ».

Au congrès du CTC suivant, en 1962, à Vancouver, une résolution émanant du Québec demande que le comité d'éducation de la centrale canadienne soit divisé en deux sections, l'une francophone, l'autre anglophone.

Les amiEs de Fernand, Jean Gérin-Lajoie et André Thibaudeau défendent cette position. Ce dernier affirme : « Actuellement nous sommes noyés […], c'est une copie exacte du programme anglais. Nous tenons à ce que l'éducation se fasse de façon autonome afin de dire notre mot sur les programmes, et ceci totalement[2]. »

Gérin-Lajoie rappelle que, dans les faits, les activités d'éducation syndicale en français et en anglais se déroulent déjà de façon séparée, et que les activités du CTC du côté francophone font figure de parent pauvre. Il affirme même :

La Fédération des travailleurs du Québec [est] dans la position d'agir comme la centrale nationale des Canadiens français. […] Si le CTC est un organisme qui représente les deux nations […], les membres de langue française et les membres de langue anglaise doivent pouvoir se réunir séparément, chacun dans leur secteur, chacun dans leur réseau d'éducation différent[3].

Fernand n'est pas étonné de voir le président du Conseil du travail de Montréal, Louis Laberge, monter au créneau pour s'y opposer fermement. Toujours à l'affût des manifestations du nationalisme qu'il méprise alors, Laberge affirme que la création d'un comité francophone mènerait à la duplication de toutes les institutions du CTC : « Nous aurions probablement deux Congrès, et pour ma part je n'ai aucun sentiment séparatiste[4]. »

Fernand constate une fois de plus la distance idéologique qui le sépare du président du CTM. Laberge, malgré son esprit combatif, lui apparaît insensible aux problèmes d'identité nationale.

Comme à l'époque du CMTC et du CCT, les conseils du travail relèvent de la centrale canadienne, et non de la fédération provinciale. C'est aussi le CTC qui a la responsabilité du recrutement, pouvant toujours émettre des chartes à l'intention de syndicats locaux non intégrés dans une structure canadienne ou nord-américaine. La revendication du comité d'éducation en ce début des années 1960 revêt donc un caractère historique. Elle est au cœur de la lutte de la FTQ qui réclame désormais plus d'autonomie et de ressources de la part du CTC.

1. Rapport du comité d'éducation remis au IVᵉ Congrès de la FTQ, 1961.
2. Rapport des délibérations du IVᵉ congrès du CTC, Vancouver, 9-13 avril 1962.
3. *Ibid.*
4. *Ibid.*

À ce même congrès de 1962, des résolutions demandent le bilinguisme intégral au sein des instances du CTC. Même si les propositions québécoises ne sont pas adoptées à Vancouver, les tendances autonomistes prévalent de plus en plus au sein de la FTQ. L'année suivante, insatisfaite des positions officielles du CTC sur les services canadiens de santé, la FTQ soumet son propre mémoire à la Commission Hall[1], afin de défendre la compétence exclusive du Québec en cette matière. En congrès, la FTQ demande ensuite que le gouvernement fédéral remette intégralement au Québec toute contribution financière au système de santé, de même que le contrôle des régimes publics de retraite.

La langue de travail

À la FTQ, un certain dégel des positions traditionnelles s'amorce. Sa direction, jusque-là réfractaire aux débats constitutionnels, doit tout de même se positionner par rapport à des courants de plus en plus radicaux. Elle condamne les idées séparatistes, car contraires aux intérêts des travailleurs et des travailleuses, mais ne peut nier la réalité de l'oppression nationale que subissent les salariéEs. Elle croit pouvoir la combattre grâce à l'action politique dans le grand parti social-démocrate à la veille de naître, le NPD. Elle réclame aussi le bilinguisme dans les institutions fédérales et la prépondérance du français au Québec.

Sous la pression de ses syndicats implantés dans des milieux de travail propriété de compagnies multinationales, la FTQ fait un pas de plus quant à la langue de travail. Dès février 1961, le Conseil exécutif de la FTQ réclame du gouvernement qu'il amende la Loi des relations ouvrières de manière à faire du français la langue officielle des conventions collectives. Elle encourage aussi ses sections locales affiliées à exiger que leurs négociations soient menées dans la langue de la majorité. Pour Fernand, ce dégel est encourageant. La FTQ cesse d'agir comme si le problème n'existait pas.

Mais c'est encore bien timide. Fernand craint qu'il ne s'agisse là que d'un vœu pieux. En congrès, en 1962, il demande plus de fermeté de la part de la direction de la centrale :

> La Fédération devrait faire pression auprès du gouvernement pour obtenir une loi obligeant les compagnies établies dans la province de Québec à négocier dans la langue parlée par la majorité des employés. Les ouvriers canadiens-français sont victimes d'une situation injuste. On leur impose une langue qui n'est pas la leur. [...] Ce sont des relents du colonialisme économique. [...] Il est temps que les Canadiens français redeviennent les maîtres dans la maison de leurs pères[2].

1. *La Commission royale d'enquête sur les services de santé*, présidée par Emmet M. Hall, a été créée le 20 juin 1961.
2. *Le Devoir*, 26 novembre 1962.

Chapitre 15

Incarner le NPD au Québec? (1961-1963)

L A CRÉATION prochaine d'un nouveau parti social-démocrate relié organiquement au mouvement syndical redonne espoir aux militantEs
politiséEs québécoisES. Dès le départ, il est prévu que ce NPD en gestation aura un équivalent québécois. Depuis dix ans, Fernand est de ceux qui
réclament la construction d'un parti de gauche québécois, qui prendrait
en compte les aspirations spécifiques des travailleuses et des travailleurs du
Québec. Mais tant de déceptions se sont accumulées en cours de route.
Il a misé sur le *Manifeste au peuple du Québec* rédigé à la suite du congrès
de la FUIQ tenu à Champigny en 1954. Au congrès suivant, à Joliette,
ce manifeste allait être amputé de sa partie concernant la fondation d'un
parti ouvrier. Ne proposant plus la création d'un parti, le manifeste était
désarmé. Première déception.

Par la suite, Fernand et ses compagnons avaient continué à discuter de
la nécessité de créer un parti, d'abord au sein de la minuscule Ligue d'action socialiste, puis au Rassemblement, mais sans jamais voir leur rêve aboutir. Deuxième déception. Enfin, la décision du congrès du CTC en 1958 de
créer un nouveau parti socialiste canadien les avait convaincus qu'ils arri-
vaient au bout de leurs peines. Cependant, pas tout de suite puisqu'on va
mettre trois ans avant de tenir le congrès de fondation du NPD.

Le Québec en attente

Pendant ce temps, au Québec, on attend avec impatience le feu vert
pour mettre au monde l'aile québécoise du parti. Au congrès de la FTQ,
en décembre 1958, après l'engagement du CTC, il n'y a plus que six dissidents sur 450 déléguéEs à s'opposer à la fondation du nouveau parti. On
adopte une résolution dans laquelle on réclame que ce parti serve « aussi

d'instrument de lutte des travailleurs québécois contre le régime Duplessis » et qu'il prenne en « compte des problèmes particuliers à la province de Québec, ainsi que des légitimes revendications de la population de notre province sur des sujets tels que l'éducation, la politique fiscale et autres[1] ».

Au printemps suivant, en mai 1959, Fernand participe à une réunion de 125 représentantEs de la FTQ. On y affirme « l'urgence de continuer l'action politique et d'accélérer l'éducation politique[2] » dans tous les syndicats affiliés. C'est dans le cadre de cette accélération qu'un comité du nouveau parti est créé dans la centrale. Ce comité est placé « sous la responsabilité du Comité d'éducation et d'action politique[3] », instance qui, à partir de l'automne 1960, est présidée par Fernand.

Curieusement, pendant cette période, il n'y a pas de véritable déchirement entre les nationalistes et les fédéralistes. En préparant la naissance du NPD et de son pendant québécois, les militantEs consacrent toutes leurs énergies à la formulation de revendications à l'intention du nouveau parti pancanadien. On se réunit longuement en comités et sous-comités. Il n'y a pratiquement pas de querelles.

Lors de son congrès de novembre 1960, la FTQ, par « un vote quasi unanime », décide de « participer activement à la fondation du nouveau parti politique, à Ottawa, en août prochain[4] ». La FTQ prévoit l'envoi d'une délégation représentative à ce congrès de fondation du nouveau parti. Convaincu depuis longtemps de la nécessité de l'action politique, Fernand Daoust insiste, lors des débats, sur le rôle crucial de la délégation québécoise :

> Le nouveau parti connaîtra des succès à l'échelle nationale s'il prend des attitudes justes sur les réclamations et les aspirations du Canada français. Il est essentiel que les citoyens du Québec fassent connaître leur point de vue à Ottawa, qu'ils affirment notre croyance en la dualité de culture, de langue et montrent aux autres délégations le vrai visage du Canada français du Québec. Il est donc essentiel et primordial que le Canada français, que des représentants de tous les milieux du Québec soient présents à Ottawa, lors de la fondation du nouveau parti[5].

Au cours de ce congrès, plus de 60 % des déléguéEs signent leur carte de membre au NPD[6].

---

1. Résolution du congrès rapportée dans « Le PSD d'accord avec la FTQ pour la formation du Nouveau Parti », *Le Monde ouvrier*, mai 1959.
2. « La FTQ continue d'aller de l'avant en politique », *Le Monde ouvrier*, mai 1959.
3. Lamoureux, *Le NPD et le Québec, op. cit.*, p. 75.
4. Fernand Bourret, « La FTQ sera présente à Ottawa lors de la fondation du nouveau parti politique », *Le Devoir*, 21 novembre 1960, p. 3.
5. *Ibid.*
6. Fait rapporté par Lamoureux, *op. cit.*, p. 76.

La thèse des deux nations

En juin 1961, en prévision du congrès du NPD, la FTQ publie une déclaration sur la Confédération et les droits provinciaux. D'une façon claire et nette, on y affirme :

> Le Canada est formé de deux nations : la nation canadienne-française et la nation canadienne-anglaise. [...] Les Canadiens français considèrent l'État du Québec comme la consécration et l'expression politique de leur fait national. [...] Les sociaux-démocrates reconnaissent traditionnellement le droit des peuples à l'autodétermination. [...] Le Nouveau parti [...] pourra en y apportant les aménagements nécessaires relancer la Confédération[1].

Pour Fernand, ce texte rédigé par son ami Jean-Marie Bédard est rafraîchissant et enthousiasmant. Il ouvre des perspectives. Pour la première fois, la centrale se positionne sur la question nationale de façon cohérente et complète. Le texte de Bédard tranche en tout cas avec les déclarations anti-séparatistes de Provost et les textes de Noël Pérusse dans *Le Monde ouvrier* qui célèbrent le statu quo constitutionnel. Ce qui n'est pas sans ajouter du piquant à l'histoire, Jean-Marie leur avoue, à André Thibaudeau et à lui, que la définition du concept de nation qu'il a insérée dans le texte est empruntée quasi mot à mot à un texte sur la question nationale, dont l'auteur est un certain Joseph Staline! Thibaudeau en est abasourdi :

— T'es pas sérieux, Jean-Marie! Toi, un trotskiste notoire. Je croyais que Staline était la personne que tu méprisais le plus au monde.
— Staline, oui, mais pas sa définition du concept de nation! D'un autre côté, je suis la dernière personne au monde qu'on soupçonnera d'un tel plagiat[2].

Bédard a bien raison puisque personne ne relève cet emprunt au Petit père des peuples. Plus ironique encore, comme le soulignent les auteurs du livre *La FTQ et la question nationale*, Daniel Johnson, le chef de l'Union nationale, n'y voit que du feu en reprenant plus tard à son compte cette définition dans son manifeste *Égalité ou indépendance*[3].

Le Comité provincial du NPD, très lié à la FTQ, va dans le même sens dans un document plus détaillé proposant : 1) le rapatriement de la constitution ; 2) l'intégration dans la Constitution d'une Charte des droits, en remplacement du droit de veto fédéral sur les lois provinciales ; 3) le remplacement du Sénat par un Conseil de la Confédération élu par

---

1. Communiqué de presse de la FTQ, Montréal, 12 juin 1961.
2. Propos reconstitués à partir des souvenirs de Fernand.
3. François Cyr et Rémy Roy, *Éléments d'histoire de la FTQ. La FTQ et la question nationale*, Montréal, Éditions coopératives Albert Saint-Martin, 1981, note 1, p. 93.

les citoyens; 4) le remplacement de la Cour Suprême par un Tribunal constitutionnel dont les membres seraient nommés par le Conseil de la Confédération[1].

Fernand participe, les 17 et 18 juin 1961, à un colloque convoqué par le comité provincial du NPD. Les deux documents y sont présentés et discutés. On s'entend assez bien sur l'essentiel. On convertit donc les principales propositions des deux textes en résolutions à être soumises au congrès du NPD à Ottawa.

Même si, aux yeux de Fernand, il s'agit là de revendications minimales, il doute que les vieux militants anglophones de la CCF et les fédéralistes antinationalistes québécois acceptent de suivre sur cette pente. Il faut tout de même essayer et tout faire pour sortir des culs-de-sac politiques successifs où semble s'embourber la gauche au Québec. Pour lui, comme pour touTEs ses camarades nostalgiques du *Manifeste de Joliette* et de l'expérience avortée du Rassemblement, un nouvel espoir naît. Ce nouveau parti social-démocrate, appuyé par une centrale syndicale forte de plus d'un million de membres, va constituer un mouvement populaire jamais égalé jusque-là. Il ressemblera davantage au Parti travailliste britannique qu'à la CCF. Sur la même base, on va enfin pouvoir construire une organisation politique québécoise de gauche, qui ne sera pas un groupuscule.

Le congrès de fondation

Fernand arrive donc gonflé à bloc au congrès de fondation du NPD au Colisée d'Ottawa le 31 juillet 1961. Tous les grands personnages de la vieille CCF y sont : le major James William Coldwell, Tommy Douglas, Stanley Knowles, David Lewis. À leurs côtés, une panoplie impressionnante de dirigeantEs canadienNEs du mouvement syndical. La délégation du Québec est composée de trois catégories de participantEs : 80 sont déléguéEs par le PSD (la CCF du Québec)[2], 40 par les syndicats de la FTQ et 80 par les Clubs du nouveau parti, des regroupements plus ou moins formels de sympathisantEs socialistes. Si une catégorie est réservée aux syndicats, c'est pour marquer leur engagement formel, mais on trouve des syndicalistes dans les trois catégories de membres. Fernand fait partie de la délégation syndicale. Il y a peu de clivages idéologiques. La délégation québécoise fait bloc pour défendre ses revendications.

Dès le départ, la bataille s'annonce difficile. Le président national de la CCF, David Lewis, a beau rappeler, dans son discours d'ouverture, que

---

1. Mémoire de la Commission du NPD sur « les relations fédérales provinciales », juin 1961.
2. L'aile québécoise de la CCF s'est donné le nom de Parti social démocratique (PSD) à la fin des années 1950 au Québec.

« notre pays est né de l'union de deux grandes nations » et que chacune doit pouvoir librement « employer sa langue et [...] sauvegarder les principes de son organisation sociale[1] », le projet de statuts qu'on doit adopter relève d'un tout autre esprit. Les mots « nation » et « national » y sont employés au singulier en référence à la nation canadienne et aux instances du nouveau parti qui œuvrera sur la scène fédérale. Nulle part, il n'est fait référence aux deux nations fondatrices[2].

La délégation québécoise monte au créneau avec vigueur. Elle tente sans succès de faire amender le texte. Devant le refus catégorique du comité des statuts de le modifier, on tient un caucus d'urgence. Les quelques 200 déléguéEs québécoisEs décident alors d'en faire une question de principe. Pour la délégation, c'est à prendre ou à laisser. Elle revient donc déterminée dans la salle du congrès et fait bloc derrière son porte-parole Michel Chartrand, le président québécois de la CCF. Ce dernier affirme que les Québécois jugent assimilateur le fait de qualifier le nouveau parti de « national » : « La nation canadienne-française est fatiguée de se faire traduire la politique à partir de l'anglais. [...] les Canadiens français constituent une nation en soi. Le phénomène dure depuis trois cents ans et ce n'est pas prêt de s'achever[3]. »

Le combat est très dur. Si quelques déléguéEs anglophones appuient la position des déléguéEs québécoisEs, certainEs y voient un sacrilège. C'est le cas du directeur de la recherche du CTC et membre de la direction de la CCF, Eugène Forsey, pour qui « le Canada est composé de deux groupes ethniques, mais non de deux nations ». Dramatique, il déclare : « Si une telle motion était acceptée, il ne nous resterait plus qu'à renoncer à la nationalité canadienne, voire à nous retirer des Nations unies[4]. »

Fernand connaît bien Forsey, un intellectuel respecté dans le mouvement syndical. D'abord professeur d'économie à l'Université McGill, il a été directeur de la recherche au CCT. Socialiste convaincu, c'est aussi un fédéraliste centralisateur pour qui le nationalisme est une tare qui mène droit au fascisme. Il faut plusieurs heures de persuasion à Lewis, à Douglas et à Jodoin pour le calmer.

Le débat se poursuit. Bientôt, aux yeux de touTEs, la détermination des militantEs québécoisEs à faire reconnaître la thèse des deux nations prend l'allure d'un ultimatum. Les dirigeants de la CCF tout comme les leaders du mouvement syndical mesurent toute l'importance de l'enjeu. Finalement, le comité des statuts accepte de réviser la formulation proposée. Il revient

---

1. Discours d'ouverture de David Lewis au 1er congrès du NPD, le 31 juillet 1961.
2. Pour tout ce qui suit concernant le congrès de fondation du NPD, voir Lamoureux, *Le NPD et le Québec, op. cit.,* p. 109-127.
3. *La Presse,* 1er août 1961.
4. *La Presse,* 3 août 1961.

devant les déléguéEs avec une nouvelle proposition qui intègre l'essentiel des revendications québécoises. C'est une reconnaissance implicite de l'existence des deux nations fondatrices. Les amendements sont acceptés par une forte majorité des déléguéEs.

Fernand, comme tous ses compagnons, vit ce moment comme une victoire historique! Aucun parti politique canadien n'a jusque-là reconnu l'existence de la nation canadienne-française. Les QuébécoisEs peuvent s'inquiéter du fait que, dans ses statuts, le Nouveau Parti démocratique « proclame formellement sa foi dans le fédéralisme, qu'il considère comme le seul système capable d'assurer le développement harmonieux des deux nations qui se sont originellement associées dans la Confédération[1] ». Ils se rassurent en songeant que le concept de « fédéralisme coopératif », dont se réclame le parti, ouvre la porte aux nombreux accommodements dont pourra bénéficier le Québec. On peut aussi lire dans les statuts que « ce système offre tout particulièrement aux Canadiens français des garanties de vie nationale distincte et d'épanouissement de leur culture[2] ». Fernand, comme la plupart de ses compagnons délégués, est convaincu que désormais tout est possible. Il faut aller de l'avant, bâtir une force de gauche au Québec.

Le NPD-Québec autonome?

Dès le 14 septembre 1961, Fernand participe à la première réunion du Conseil provisoire du NPD-Québec dans les bureaux de la FTQ sur le boulevard Saint-Joseph. La FTQ, la CCF et les clubs du NPD y délèguent chacun dix membres. Fernand retrouve Michel Chartrand[3] et une forte délégation de la FTQ comprenant entre autres Roger Provost, Roméo Mathieu, Philippe Vaillancourt, Jacques-Victor Morin, Jean Gérin-Lajoie et Émile Boudreau. Gérard Picard et Pierre Vadeboncoeur de la CSN y sont aussi, cependant ils ne représentent pas leur centrale, qui n'a pas participé officiellement à la fondation du NPD, malgré des résolutions de congrès l'y autorisant. Ils y sont délégués soit par le PSD, soit par les clubs du NPD.

Thérèse Casgrain, Réginald Boisvert et Michael Oliver, vétéranEs de la CCF, sont aussi du nombre. Mathieu copréside l'assemblée avec Gérard Picard. On procède d'abord à l'élection du comité exécutif. Sans contestation, Mathieu devient le premier président du Conseil provisoire, ce qui indique aux yeux de Fernand la prépondérance que les ancienNEs du CCF

---

1. Programme et Constitution du Nouveau Parti démocratique, *Démocratie totale, le fédéralisme coopératif*, p. 17.
2. *Ibid.*
3. Congédié par la CTCC pour avoir participé à l'organisation de la grève de Murdochville avec les Métallos en 1958, Chartrand revient à la CSN en 1968 lorsqu'il est embauché par le Syndicat de la construction de Montréal. Lors de cette réunion, il est délégué par la CCF.

et les nouveaux militantEs du NPD accordent au mouvement syndical et plus particulièrement à la FTQ. Michel Chartrand, quant à lui, est élu vice-président. Les choses vont rondement, on parle même d'un congrès de fondation à court terme.

Fernand se porte volontaire pour participer aux travaux du comité du programme. Jean Gérin-Lajoie est également membre du comité. On y retrouve aussi René Rondou, du syndicat du tabac (FTQ), Pierre Vadeboncoeur (CSN), le sociologue Marcel Rioux[1] et quelques autres. Fernand constate avec satisfaction que ses amis Philippe Vaillancourt, Jacques-Victor Morin et Réginald Boisvert sont membres du comité de la constitution. Ces deux comités se réunissent rapidement et, très vite, posent tous deux le problème de l'autonomie du parti provincial par rapport au parti fédéral.

Dès le 23 octobre, le comité dont fait partie Fernand remet un rapport préliminaire à l'exécutif. Dans le rapport, on souligne « l'ampleur prise ces derniers mois par l'éveil de la conscience nationale chez les Québécois » et l'on recommande fortement au parti d'élaborer une « politique avant-gardiste pouvant répondre aux aspirations populaires[2] ». On affirme aussi que « la libération économique est intimement liée à la question nationale et commande une politique de réforme des structures économiques qui soit plus radicale que celle proposée par le programme fédéral[3] ». En conséquence, selon les signataires du rapport, il faut établir clairement l'autonomie du parti provincial du parti fédéral. Même son de cloche de la part du comité de la constitution, qui remet son rapport en décembre. On y lit : « Les Canadiens français doivent négocier d'une position de force [...], ceci implique le groupement des éléments progressistes du Québec au sein d'un parti provincial libre de toute affiliation fédérale[4]. »

Ces positions bien tranchées des deux comités satisfont pleinement Fernand. Il a le sentiment que ces orientations seront avalisées par le comité provisoire et le congrès qui vient. Or, ce congrès est sans cesse reporté. Le parti en formation piétine, n'arrivant pas à mettre sur pied une véritable organisation, à développer un plan de communication efficace et, surtout, à se brancher sur les questions d'orientation. Il n'y a pas encore de grands affrontements dramatiques, mais on sent bien la mauvaise humeur de plusieurs monter lorsque l'autonomie du parti par rapport au NPD fédéral est évoquée.

1. Marcel Rioux (1919-1992), sociologue, professeur à l'Université Carleton à Ottawa (1958-1961) et à l'Université de Montréal (1961-1984).
2. Monique Perron-Blanchette, *Un essai de socialisme au Québec : le PSQ*, Mémoire de maîtrise, département d'histoire, Université de Montréal, 1978, p. 15. C'est sur ce document que s'appuient les pages qui suivent sur la crise dans le NPD-Québec et la création du PSQ. On se réfère aussi à Lamoureux, *Le NPD et le Québec, op. cit.*
3. Perron-Blanchette, *op. cit.*, p. 15.
4. *Ibid.*, p. 17.

Candidat dans Maisonneuve-Rosemont

Une pause est imposée par la politique canadienne. Le gouvernement conservateur de John Diefenbaker, épuisé par la récession économique, annonce des élections fédérales pour le 18 juin 1962. Le NPD gonfle ses muscles, il peut enfin se lancer à l'assaut du pouvoir. C'est le branle-bas de combat à travers le Canada. Au Québec, les militantEs mettent en veilleuse leurs réflexions autonomistes et se lancent dans la course. Très vite, Fernand décide de plonger. Il est le premier candidat du NPD choisi au Québec. Il brigue les suffrages dans son propre comté, Maisonneuve-Rosemont. Sa candidature est confirmée, le 7 mars, en présence du chef canadien du NPD, Tommy Douglas.

Lors de la soirée de la mise en candidature de Fernand, Douglas annonce les mesures qu'entend prendre le NPD :

> L'économie canadienne est en chute libre depuis 1953 ; le NPD au pouvoir va renverser la vapeur par le développement de nos ressources naturelles [...], le capital privé devra se diversifier dans des industries stratégiques, tandis que les fonds publics seront affectés à la construction d'écoles, de routes, de parcs et d'habitation[1].

En outre, il promet le plein emploi, une hausse appréciable des pensions de vieillesse et un régime canadien d'assurance-santé. Tout au long de la campagne, le thème de la planification économique par l'État, qu'on nomme le dirigisme démocratique, est martelé.

Au cours de la soirée d'investiture, Fernand, qui devient de plus en plus une personnalité publique, se fait rappeler de façon cocasse les réalités de la vie privée. Au début de la soirée, avant d'être appelé à monter sur la tribune, il a pris place dans la salle avec Ghyslaine et Josée, sa fille de cinq ans, assise sur les genoux de sa mère. Peu habituée aux grandes assemblées, elle tient difficilement en place. Curieuse, elle regarde partout et décrit comiquement à ses parents les têtes bizarres qu'elle aperçoit. Lorsqu'on annonce la candidature de Fernand et qu'on l'appelle sur la scène, elle est totalement décontenancée. On lui enlève son papa ! À peine Fernand a-t-il gagné sa place aux côtés de Tommy Douglas, qu'il entend un cri aigu et désespéré : « Papaaaa ! »

Ghyslaine tente de calmer sa fille, qui redouble d'énergie pour crier son désespoir. Ghyslaine est contrainte de l'entraîner hors de la salle, se privant de partager cette heure de gloire avec son « grand Fernand ».

Un comté ouvrier

Fernand n'est pas peu fier de faire la lutte électorale dans ce comté ouvrier. On y trouve l'usine d'*Atlas Asebestos,* dont il a lui-même recruté les

---

1. *The Gazette,* 8 mars 1962.

travailleurs alors qu'il était représentant du CCT et celle de *General Electric*, où il a négocié une convention collective. Le comté a une longue tradition d'action politique ouvrière. C'est aussi dans ce comté qu'en 1906, Alphonse Verville, président du CMTC, a été élu comme premier député du Parti ouvrier. Il allait d'ailleurs représenter cette circonscription à la Chambre des communes jusqu'en 1921.

D'autres syndicalistes se lancent aussi dans la mêlée sous la bannière du NPD : Émile Boudreau est candidat dans Montréal-Dollard et Willie Fortin, du Syndicat des salaisons, dans Montréal Saint-Jacques. Thérèse Casgrain est choisie dans Outremont, tandis que Charles Taylor l'est dans Mont-Royal.

Pour cette campagne, Fernand bénéficie des services de sa secrétaire Jacqueline Lavoie, qui met à profit ses talents d'efficace organisatrice. Un jeune journaliste se présente et lui offre de devenir son attaché de presse, Gil Courtemanche[1]. Il est prêt à travailler bénévolement, mais Fernand lui annonce que, disposant d'une caisse électorale, bien garnie, il pourra le rémunérer. En fait, Courtemanche touchera 15 dollars par semaine[2].

Les armes nucléaires

Au cours de la campagne électorale, les thèmes de la paix et du rejet des armes nucléaires sont très présents. La question se pose de façon brûlante parce que le Canada subit de fortes pressions du voisin états-unien qui voudrait y entreposer des armes atomiques. Diefenbaker avait accepté l'installation de missiles d'interception *Bomarc* à North Bay et à La Macaza, au nord-ouest de Montréal. Le président Kennedy souhaite maintenant équiper ces missiles d'ogives nucléaires. Les libéraux et les conservateurs restent ambigus sur la question. Lors de l'assemblée de mise en candidature d'Émile Boudreau, Fernand rappelle que les libéraux ont rendu publique leur politique d'armement le lendemain d'une rencontre entre Lester B. Pearson et le président Kennedy. Pearson a alors paraphrasé les mots célèbres de Mackenzie King, « pas nécessairement la conscription, mais la conscription

---

1. Gil Courtemanche (1943-2011), journaliste et écrivain, auteur notamment de *Un dimanche à Kigali* et *Je ne veux pas mourir seul*.
2. Archives personnelles de Fernand Daoust, *Rapport financier*, NPD Maisonneuve-Rosemont, 1962. Ce rapport révèle que l'organisation du NPD dans le comté disposait d'un budget de 2 935,06 dollars pour cette campagne. Près de la moitié de cette somme provenait de contributions de sections locales, de représentants permanents et d'instances régionales du SITIPCA ; plusieurs autres syndicats affiliés à la FTQ, dont ceux du caoutchouc, du verre et de la céramique et du textile, notamment celui de *Regent Kitting* à Saint-Jérôme, ont aussi fait des contributions ; on note aussi que Jacqueline Lavoie avait fait cotiser ses sœurs et son cercle d'amiEs, tandis que Jacques Thibaudeau, fidèle au poste, travaillait à la campagne et versait aussi des contributions personnelles.

si nécessaire », en affirmant laconiquement à propos des armes atomiques :
« Nous en aurons si nécessaire, mais pas nécessairement. » Fernand qualifie
cette politique « de funambule et de pitre[1] », indigne dans la bouche d'un
prix Nobel de la Paix[2].

Seul le NPD a une position claire : il réclame le bannissement des armes
nucléaires en temps de paix comme en temps de guerre. Lors des assemblées
électorales, le bouillant Michel Chartrand enfourche ce cheval de bataille
pour lui donner une direction inattendue : « Si un jour, l'un ou l'autre des
vieux partis […] décidait de munir le Canada […] d'armes nucléaires, la
province de Québec devrait alors lui signifier qu'elle ne peut plus demeurer
membre de la Confédération[3]. »

Fernand renchérit et rappelle l'unanimité faite par les QuébécoisES pendant la crise de la conscription en 1942 : « Vingt ans plus tard, nous refe-
rons l'unanimité contre les armes nucléaires[4]. »

Dans ses interventions, Fernand ne manque jamais de souligner que le
NPD est le seul parti politique fédéral à reconnaître des droits égaux aux
deux nations fondatrices du Canada. Pour lui, la Confédération canadienne
consacre « la domination d'un peuple, qui, lors de son adoption, était minoritaire, sur les Canadiens français, qui alors étaient majoritaires[5] ». Il expose
avec fierté la politique du NPD qui veut une Cour suprême binationale
paritaire, qui promet aussi une péréquation permettant aux provinces d'établir leurs propres programmes de sécurité sociale et une planification décentralisée avec compensation aux provinces qui refusent de participer à des
programmes fédéraux.

À l'ombre de Mussolini

PENDANT la campagne électorale, Fernand est plongé de façon inattendue dans un monde pour lui inconnu. Au mois d'avril, il reçoit à son quartier général de campagne la visite du secrétaire de l'Union des travailleurs
italo-canadiens (UTIC), Luigi Perciballi. Celui-ci lui explique que son
mouvement est officiellement apolitique, mais fait campagne pour l'adhésion des travailleurs d'origine italienne aux syndicats internationaux et
canadiens de la FTQ. Il dit que l'UTIC ne peut donner un appui officiel au
NPD, mais qu'à titre de représentant de la FTQ[6], Fernand pourrait prendre

---

1. *La Presse*, 3 mai 1962.
2. Lester B. Pearson a reçu le Prix Nobel de la Paix en 1957 pour avoir suggéré une
   solution pacifique à la crise du canal de Suez au moyen d'une force d'intervention
   (la première) de maintien de la paix des Nations unies en 1956.
3. *Le Devoir*, 14 mai, 1962.
4. *Ibid.*
5. *Ibid.*
6. Fernand est membre du Conseil exécutif de la centrale. Dans les journaux qui

la parole à son assemblée publique à l'occasion de la Fête internationale des travailleurs. Il ajoute avec un sourire complice : « Bien sûr, vous pourrez parler un peu du NPD puisque vous en êtes l'un des candidats[1]. »

C'est avec beaucoup d'enthousiasme que Fernand arrive dans la Petite Italie le dimanche matin, 6 mai. Grand amateur de mets italiens, c'est toujours avec plaisir qu'il se plonge dans l'atmosphère colorée et chaleureuse de ce quartier. L'assemblée doit avoir lieu à la Place Dante, à l'angle de la rue Dante et de l'avenue De Gaspé, en face de l'église Notre-Dame-de-la-Défense. Au fond de la place, Fernand aperçoit une petite estrade surmontée de drapeaux italiens et d'une banderole sur laquelle il lit : « 1er mai d'unité ». Un attroupement modeste et paisible se forme peu à peu devant l'estrade. Perciballi vient à sa rencontre et lui présente le Dr Valentino Milo, un autre dirigeant de l'UTIC, qui le présente à l'auditoire.

Au début de l'assemblée, tout se déroule dans l'ordre. Perciballi et Milo prennent la parole ne manquant pas de signaler au passage que l'UTIC est une organisation apolitique, vouée à la promotion des intérêts des travailleurs italo-canadiens et qu'elle les encourage à réaliser l'unité avec la classe ouvrière de leur pays d'accueil. Pendant leur discours, Fernand remarque que leur voix est de plus en plus couverte par le son d'une musique militaire provenant d'un petit café du côté de la rue Dante.

Lorsqu'on lui cède la parole, la musique s'amplifie et il constate qu'un groupe se forme en rangs serrés en face du café. Fernand a bien préparé son intervention. Faisant allusion à l'hostilité que subissent parfois les travailleurs d'origine étrangère dans les milieux de travail québécois, il affirme que le mouvement syndical est le meilleur rempart contre les différentes manifestations de racisme. Il explique :

> Le racisme naît et grandit dans un contexte économique insupportable où chaque travailleur vit dans la hantise de perdre son emploi. La FTQ poursuit depuis toujours, par l'intermédiaire de son comité permanent sur les droits de l'Homme, la lutte contre l'intolérance et les préjugés raciaux. [...] La solution à ce problème réside dans la planification économique et le plein emploi. C'est ce que revendique le mouvement syndical canadien depuis des années. Les vieux partis ne font rien pour combattre le chômage. C'est pourquoi nous avons décidé de passer à l'action et d'appuyer le Nouveau Parti démocratique[2].

Ces dernières paroles, Fernand doit les hurler pour couvrir la musique et les cris du commando qui s'avance vers la scène. Il ne comprend pas trop ce qui se passe. À la tête de ce groupe, un grand gaillard aux cheveux gris et à la voix

---

rapportent cette assemblée publique, on lui donne à tort le titre de vice-président.
1. Propos reconstitués à partir des souvenirs de Fernand.
2. *Le Devoir*, 14 mai 1962.

tonitruante lance en italien des paroles qui sonnent comme des invectives et des injures. Bientôt, au milieu d'une échauffourée entre manifestants et contre-manifestants, le son du micro de Fernand est coupé. Il comprend que l'un des nouveaux venus a arraché les fils du système de son. Il doit s'interrompre. Apparemment peu surpris de la tournure des événements, Perciballi en colère lui crie : « C'est Gentile Dieni et sa bande de fascistes. Regarde-les, ils bavent comme des chiens! Ils ne peuvent pas supporter les débats démocratiques. Ils ont la nostalgie de Mussolini[1]. »

Tandis que la police, tardivement arrivée, disperse la foule sans effectuer une seule arrestation, Perciballi explique à Fernand que le petit café de la place Dante est géré par Dieni, qui est aussi dirigeant du Mouvement social italien (MSI), une organisation néo-fasciste, qui a ses locaux dans l'arrière-boutique. Aux journalistes qui lui demandent d'expliquer l'intervention violente de son groupe, Gentile Dieni affirme que Perciballi est « un loup déguisé en agneau. Il parle un langage communiste[2] ».

Le lendemain, Fernand a l'impression d'avoir vécu un épisode du *Petit Monde de Don Camillo*. Il n'a jamais su si Perciballi était réellement communiste, mais ce jour-là, il découvre avec stupeur que la Grande Guerre, terminée il y a plus de quinze ans, n'a pas anéanti le fascisme. Peut-on parler encore de l'ombre de Mussolini? Politiquement, bien sûr, mais aussi physiquement, puisque dans cette église Notre-Dame-de-la-Défense, une fresque du Duce[3] orne toujours la nef.

Résultats catastrophiques

Les conservateurs de Diefenbaker restent au pouvoir, mais en formant un gouvernement minoritaire. Les libéraux recueillent presque autant de votes que les conservateurs et tout juste quelques sièges de moins. Les grands espoirs suscités par le NPD, cette nouvelle grande force de gauche, sont déçus. Au Canada, le NPD ne recueille que 13,5 % du suffrage et ne fait élire que 19 députés. Au Québec, la situation est catastrophique : le NPD ne récolte que 4,4 % des votes et tous ses candidatEs sont battuEs. Arrivé troisième, devancé par le député libéral réélu et le candidat conservateur, Fernand est l'un des rares à sauver son dépôt[4]. Il recueille un honorable 16,2 % des suffrages.

---

1. Propos reconstitués à partir des souvenirs de Fernand.
2. *Le Devoir,* 14 mai 1962.
3. Benito Mussolini, surnommé le Duce, apparaît à cheval sur une fresque entouré de militaires. Commandée par la communauté italienne de Montréal, en l'honneur des accords de Latran, signés le 11 février 1929, au peintre et maître-verrier Guido Nincheri dans les années 1930. Pendant la guerre, Nincheri a passé quelques mois en prison pour cet ouvrage, soupçonné d'inspiration fasciste. Voir *Mussolini à Montréal,* < http://grandquebec.com/misteres-du-quebec/mussolini-montreal/ >.
4. Le « dépôt » est la caution que tout candidat doit verser lorsqu'il brigue les suffrages

Toutefois, la grande surprise c'est la poussée des créditistes. Alors qu'ils avaient recueilli moins de 3 % du vote en 1958 et aucun député, ils raflent maintenant 30 sièges. C'est au Québec que leurs gains sont les plus spectaculaires : 25,9 % du suffrage et 26 députés. C'est l'œuvre de Réal Caouette et de son discours populiste à forte teneur nationaliste.

Ces résultats renforcent la détermination de Fernand et ses amis à construire une organisation politique québécoise autonome. Les succès étonnants des créditistes de Réal Caouette font l'objet d'analyses et de réflexions. Fernand sait que Caouette n'a pas converti les QuébécoisES aux théories monétaires farfelues du crédit social. Il a plutôt su exploiter leur frustration à l'égard de ce pouvoir fédéral lointain et étranger. Les socialistes nationalistes québécois ne font donc pas fausse route en mettant au cœur des objectifs de leur parti la défense des droits fondamentaux du Québec face au pouvoir central. Mais eux, contrairement à Caouette, plutôt que de jouer sur les seules frustrations, ils proposent un projet, une vision. Et de la vision, ils en ont à revendre. Depuis le temps qu'ils rêvent ensemble!

La nationalisation de l'électricité

Depuis quelques mois, le ministre québécois des Richesses naturelles, René Lévesque, fait campagne pour la nationalisation de l'électricité. S'ils le croient sincère, les syndicalistes doutent tout de même qu'il réussisse à entraîner son parti dans une telle entreprise. Pour eux, les libéraux sont trop liés au capital pour l'affronter de façon aussi radicale. Leur programme ne prévoit d'ailleurs pas l'étatisation. Tout au plus promet-il que tout développement hydroélectrique futur sera confié à la société d'État, Hydro-Québec.

Cette dernière, créée par le gouvernement Godbout en 1944 lors de la nationalisation de la *Montreal Light, Heat and Power,* n'a d'abord été qu'une compagnie de distribution d'électricité pour la région métropolitaine. Duplessis qui, du temps de son alliance avec l'Action libérale nationale, avait accepté d'inclure la nationalisation de l'électricité dans son programme l'avait oubliée lors de son premier mandat (1937-1939). Après son retour au pouvoir en 1944, il n'a jamais remis en cause la propriété des grandes compagnies privées, dont celle de la plus importante, la *Shawinigan Water and Power*, qui a accaparé le contrôle de la production et de la distribution de l'électricité sur tout le centre du Québec. Duplessis a tout de même permis à la petite Hydro-Québec de construire de nouveaux barrages dans les zones moins rentables. Ainsi, la société d'État s'est développée un peu partout dans les interstices laissés par les compagnies privées. Elle a notamment entrepris le développement des ressources hydroélectriques sur les rivières de la Côte-Nord.

---

lors d'une élection. L'expression « sauver son dépôt » signifie que ce candidat a recueilli suffisamment de votes pour que sa caution lui soit remise.

En 1960, Hydro-Québec produit et distribue à peu près le tiers de l'électricité du Québec. Les réseaux de l'entreprise publique et des compagnies privées ne sont cependant pas intégrés. Chacun a ses lignes de transport, son voltage et ses tarifs. En 1958, alors que Daniel Johnson devient ministre des Ressources hydrauliques, les actifs de la société d'État sont de 615 contre 745 millions de dollars pour les compagnies privées[1]. C'est sous sa direction que les travaux de la rivière Bersimis sont achevés et que sont entrepris ceux de la rivière aux Outardes, de la Manicouagan et de Carillon.

Daniel Johnson tient tête à son maître absolu, qui voulait donner la construction du grand barrage de la Manic à une compagnie états-unienne. Sur les entrefaites, le *Cheuf* meurt. Son successeur Paul Sauvé se rend aux arguments de Johnson pour confier à Hydro-Québec et à ses ingénieurs l'entière responsabilité de cette construction[2].

Maîtres chez nous

Pour René Lévesque, il n'y a plus de place pour le secteur privé dans la production et la distribution d'électricité. Il fait preuve d'une ténacité et d'une force de persuasion exceptionnelles. Il réussit à vaincre ou à neutraliser les principales résistances au sein du parti. À la rentrée de septembre 1962, le gouvernement Lesage annonce la tenue d'élections provinciales dont l'enjeu principal est la nationalisation de l'électricité. Le nouveau slogan de la campagne libérale est beaucoup plus ambitieux que le précédent, qui ne faisait appel qu'au changement[3]. Il invite carrément le peuple du Québec à prendre sa destinée en mains : *Maîtres chez nous!*

Une fois de plus, les militantEs socialistes du Québec, qui n'ont toujours pas de parti provincial, ne peuvent pas plonger dans la mêlée électorale. D'ailleurs, s'ils étaient prêts à le faire, ils seraient bien embêtés, parce que les libéraux ne font porter l'élection que sur la nationalisation de l'électricité, une revendication historique du mouvement syndical. En effet, dès 1898, dans sa plate-forme politique, le CMTC réclamait « la propriété publique de services comme le chemin de fer, les télégraphes, l'aqueduc, l'électricité, etc[4]. » La FTQ a réitéré cette revendication en 1960. Comment s'y opposer aujourd'hui ?

Le Parti libéral dont les syndicalistes de la FTQ se méfient, le qualifiant toujours de vieux parti, semble cependant poursuivre sur sa lancée réformiste.

Un débat a pourtant lieu au sein du comité provisoire du NPD-Québec.

1. *Le Devoir*, le 2 mai 1958.
2. Pierre Godin, *Daniel Johnson, 1964-68. La difficile recherche de l'égalité*, Montréal, Éditions de l'Homme, 1980, p. 102.
3. En 1960, le Parti libéral avait pour slogan électoral *Il faut que ça change!*
4. Voir à ce sujet Rouillard, *Histoire du syndicalisme québécois, op. cit.*, p. 135-136.

Cette organisation, qui n'est pas officiellement fondée, s'interroge sur l'opportunité de présenter des candidatEs contre les libéraux. Qui défend une telle position? Nul autre que le président de la FTQ, Roger Provost, appuyé de son relationniste Noël Pérusse. Bien sûr, ils ne parlent pas d'une campagne en règle, mais d'une participation symbolique. Ils suggèrent notamment de présenter un candidat contre René Lévesque dans le comté de Laurier.

Fernand n'en croit pas ses oreilles. Qu'on ne veuille pas lier son sort aux libéraux, en les appuyant officiellement, passe encore. Mais pourquoi ouvrir les hostilités lors d'une élection qui porte sur une réforme aussi cruciale que celle de la nationalisation de l'électricité? En plus, on propose de s'attaquer directement à l'inspirateur de cette réforme qui, de surcroît, est l'un des rares alliés du mouvement syndical! Provost ne défend pas là une position officielle de la FTQ. C'est donc sans réticence que Fernand s'oppose à la proposition, tout comme André Thibaudeau, Roméo Mathieu et Émile Boudreau. La position du président de la FTQ est rejetée[1].

Finalement, sans recommander de voter libéral, la FTQ invite ses troupes à appuyer la nationalisation de l'électricité. La CSN, qui se dit toujours non-partisane, fait de même. Son président, Jean Marchand, est d'autant plus à l'aise de le faire qu'il est lui-même un proche de Jean Lesage et de la famille libérale. Le 14 novembre 1962, les libéraux remportent cette élection haut la main, augmentant leur pourcentage de votes et leur nombre de sièges[2]. Ils disposent désormais d'un mandat clair pour nationaliser la production et la distribution de l'électricité au Québec.

Dès l'année suivante, Hydro-Québec devient un monopole d'État[3], dont le rôle stratégique dans le développement économique du Québec sera déterminant. Tout comme l'aura été la création, en 1962, de la Société Générale de financement et, en 1965, celle de la Caisse de dépôt et placement, après la mise sur pied de la Régie des rentes du Québec.

Le fédéralisme d'ouverture?

Certaines de ces réformes s'effectuent aussi dans un contexte de transfert de pouvoirs et de ressources du gouvernement fédéral au Québec. Sous Lester B. Pearson, pendant une courte période, on assiste à l'exercice d'un

---

1. Voir la note de bas de page dans Boudreau, *Histoire de la FTQ, op. cit.*, p. 331.
2. Ils accaparent 56,4% du suffrage et arrachent 12 circonscriptions à l'Union nationale, ayant 63 des 95 sièges de l'Assemblée législative.
3. Onze compagnies d'électricité sont nationalisées. Les plus importantes sont la *Shawinigan Water and Power*, sa succursale *Quebec Power*, la *Southern Canada Power*, la *Northern Quebec Power*, la *Gatineau Power* et la *Compagnie de Pouvoir du Bas-Saint-Laurent* contrôlée par la famille Brillant. Voir Carol Jobin, *Les enjeux économiques de la nationalisation de l'électricité (1962-1963)*, Montréal, Éditions coopératives Albert Saint-Martin, 1978.

véritable fédéralisme d'ouverture. Ainsi le Québec acquiert une plus grande autonomie de gestion des programmes à frais partagés, mais surtout il obtient la reconnaissance du principe de l'*opting out*, un droit de retrait des programmes fédéraux avec compensations fiscales. Il se retire ainsi de pas moins de 28 programmes pour lesquels il recevra 218 millions de dollars en compensation. Avec les autres provinces, il arrache aussi une vingtaine de points d'impôt.

Or, tous ces gestes de renforcement de l'autonomie du Québec ont une limite que les fédéralistes ne veulent pas franchir. Au sortir de ses batailles épiques de rapatriement de pouvoirs et de ressources en 1964, Jean Lesage exprime « sa conviction inébranlable que les désirs de tous les Canadiens peuvent être mieux satisfaits à l'intérieur du régime fédératif » et sa détermination résolue à exercer « les droits de sa province non pas pour détruire l'unité canadienne, mais pour la renforcer[1] ».

Pour le père de la Révolution tranquille, c'est la fin des batailles fédérales provinciales. L'année suivante, il va même jusqu'à donner un appui sans nuance à la formule de rapatriement de la Constitution Fulton-Favreau qui aurait eu pour conséquence, si elle avait été mise en œuvre, de verrouiller à tout jamais le statut du Québec au sein de la Confédération. Toute nouvelle répartition des pouvoirs aurait été rendue pratiquement impossible.

L'incapacité de Lesage à mesurer l'évolution et le renforcement accéléré des aspirations autonomistes de ses concitoyenNEs va soulever une vague de fond chez les nationalistes québécoisES de toutes tendances.

Idées neuves, mobilisations et dynamite

Ces réalisations, comme les slogans électoraux qui les coiffent, frappent l'imaginaire des QuébécoisES. Bon nombre entendent un appel plus large que celui de l'appui à des réformes limitées. On lève de plus en plus fièrement la tête. D'ailleurs, depuis un certain temps, les idées neuves débordent des cercles intellectuels marginaux et atteignent de plus larges segments de la population, particulièrement la jeunesse.

Le Rassemblement pour l'indépendance nationale (RIN), qui entraîne de plus en plus de jeunes dans des mobilisations enthousiastes et percutantes, se transforme en parti politique dès mars 1963. Deux mois plus tard, le Front de libération du Québec (FLQ) fait sauter ses premières bombes dans des boîtes aux lettres[2]. Dans les universités, les cafés et les tavernes fréquentés par les étudiantEs, on fait circuler sous le manteau le bulletin *La Cognée*, l'organe officiel du FLQ.

---

1. Pierre Godin, *René Lévesque, héros malgré lui*, Montréal, Boréal, 1997, p. 201.
2. Le service postal qui se nomme alors Poste royale du Canada est considéré comme un symbole de la domination britannique.

Pendant ce temps, les intellectuels de la revue *Cité Libre* semblent se satisfaire du réformisme tranquille des libéraux. Ils croient que le seul grand objectif qui doit réunir tous les progressistes est la consolidation du régime démocratique. « *Démocratie d'abord!* », clame Trudeau, qui affirme qu'il faut donner un appui critique au Parti libéral du Québec ou y adhérer carrément pour y former une aile gauche. En tout cas, il ne croit pas à la nécessité de créer un troisième parti au Québec[1]. La revue s'inscrit aussi en faux contre la ferveur du nouveau nationalisme qui semble se répandre dans toutes les couches de la population. Trudeau et ses amis semblent incapables de voir les caractéristiques fondamentales qui distinguent ce nouveau courant du vieux nationalisme conservateur et passéiste.

À la même époque, les sociologues Marcel Rioux et Jacques Dofny expliquent que la nation québécoise développe une conscience de classe nationale ethnique[2]. Une classe qui se perçoit comme exploitée par une autre : la classe ethnique canadienne-anglaise. Guy Rocher et Pierre Vadeboncoeur les suivent dans ce raisonnement. Pour eux, dans le cas du Québec comme dans celui de plusieurs nations colonisées, il y a une coïncidence entre les intérêts de classe sociale et ceux de la classe ethnique. Fernand endosse sans réticence cette vision des choses. Il a le sentiment de penser ainsi depuis longtemps. Même s'il ne les formulait pas aussi clairement, il se rappelle qu'il avait déjà ces convictions au tout début de son engagement syndical et politique, une douzaine d'années plus tôt.

Comme beaucoup de militantEs du Québec, il est fortement marqué par les luttes de libération qui se développent depuis quelques années en Afrique, en Asie du Sud-Est et en Amérique centrale. Avec Jacques-Victor Morin, il discute des théories sur la décolonisation des Frantz Fanon, Albert Memmi et Jacques Berque. Toutes ces idées militent en faveur de la réhabilitation du nationalisme comme mouvement vital d'affirmation plutôt que comme mouvement de repli et de résistance au changement. Ce qui séduit beaucoup les militantEs progressistes parce que cette vision permet de dépasser le vieil antagonisme entre nationalisme et socialisme.

Si elles sont saluées par plusieurs progressistes, dont Fernand, les réformes libérales ne les satisfont pas pleinement. Elles ne les dissuadent surtout pas de continuer à travailler à la construction d'une organisation politique vraiment socialiste. De leur point de vue, le gouvernement Lesage ne fait que du rattrapage en modernisant l'État du Québec, handicapé par les

---

1. *Cité libre*, vol XI, n° 29, août-septembre 1960 et vol XI, n° 33, janvier 1961.
2. Jacques Dofny et Marcel Rioux, « Les classes sociales au Canada français », *Revue française de sociologie*, vol. 3, n° 3, juillet-septembre 1962, p. 290-300. Voir également, Marcel Rioux, « Conscience ethnique et conscience de classe au Québec », *Recherches sociographiques*, vol. 6, n° 1, janvier-avril-1965, p. 23-32.

retards criants accumulés à l'époque du régime obscurantiste de Duplessis. En même temps, les progressistes sont convaincuEs que les libéraux n'iront pas plus loin, attachés qu'ils sont au capitalisme et au fédéralisme orthodoxe.

Les divergences apparaissent

Au lendemain de l'élection fédérale de juin 1962, les travaux reprennent dans les comités chargés de préparer le congrès de fondation du nouveau parti social-démocrate au Québec. On fixe même au mois de mars suivant la tenue du congrès de fondation. À cette fin, des documents sont présentés au conseil provisoire. Les uns portent sur la position du Québec dans la Confédération, les autres concernent les statuts du nouveau parti. Les divergences apparaissent rapidement. Sur la Confédération, on constate qu'il n'y a unanimité que sur l'insatisfaction à l'égard du régime actuel. Les solutions qui se dessinent dans le parti sont cependant diamétralement opposées : alors que les socialistes anglophones et les francophones fédéralistes se satisfont d'une réforme qui instaurerait le fédéralisme coopératif réclamé par le NPD canadien, les socialistes nationalistes du Québec recherchent plus d'autonomie pour le Québec, plaidant même pour des États associés, un concept qui implique une renégociation complète du pacte confédératif.

Sur la question des statuts du parti, trois options se dessinent : un parti provincial, simple succursale du NPD, un parti socialiste indépendant, qui n'œuvrerait que sur la scène provinciale et maintiendrait des liens fraternels avec le NPD, ou encore un parti totalement indépendant qui interviendrait tant au fédéral qu'au provincial. Les membres du comité exécutif n'arrivent pas à dégager un consensus sur ces orientations pourtant fondamentales. Ils sont enclins à laisser les déléguéEs trancher ces questions lors du congrès de fondation.

Des débats orageux s'annoncent. CertainEs décident de quitter le bateau. En janvier 1963, Roméo Mathieu, qui assumait jusque-là la présidence du Conseil provisoire, dit qu'il entend désormais se consacrer davantage à ses activités syndicales. De fait, il consacre de plus en plus de temps à la direction québécoise de son syndicat. Il est de moins en moins présent dans les débats québécois, y compris au sein de la FTQ. C'est Fernand qui hérite de la présidence du Conseil provisoire.

Fernand mesure de plus en plus les dilemmes cruciaux qui se posent au parti en formation. Il s'engage tout de même à mener l'organisation jusqu'à son congrès de fondation. Dès sa nomination, lors d'une conférence de presse avec Michel Chartrand, il lance un appel à tous les partis politiques du Québec en vue de former un front commun sur la réforme de la Confédération. Les deux syndicalistes, qui sont nationalistes, disent toujours croire au Canada, mais affirment du même souffle que le Québec doit parler d'une seule voix sur la scène fédérale et y discuter d'égal à égal. Les deux hommes sont énergiquement attelés à la construction de ce nouveau parti sur lequel ils fondent beaucoup d'espoirs.

À nouveau candidat NPD

Un nouvel événement extérieur perturbe l'ordre du jour de la jeune organisation en gestation. En octobre 1962, la crise provoquée par l'installation de missiles soviétiques à Cuba conduit au blocus états-unien. Tiraillé, Diefenbaker met du temps à aligner les positions du Canada sur celles de l'OTAN. Les libéraux fédéraux lui reprochent ses tergiversations. Battus aux Communes sur une motion de défiance à l'égard de leur politique nucléaire, les conservateurs annoncent qu'ils tiennent des élections en avril 1963.

Sur la recommandation d'André L'Heureux[1], devenu secrétaire québécois du NPD, on repousse la date du congrès de fondation du Parti socialiste du Québec (PSQ) après les élections fédérales. En termes solennels, le secrétaire affirme, dans un rapport adressé au Conseil provisoire, que « le seul porte-parole du socialisme démocratique requiert d'ici le huit avril 1963 solidarité et unité absolues contre l'immense pouvoir de la réaction[2] ».

Fernand, qui a fait un score honorable quelques mois plus tôt, est à nouveau candidat dans Hochelaga-Maisonneuve. Comme la dernière fois, les thèmes de la planification économique et celui de la politique antinucléaire alimentent les discours et les débats. Il profite d'un temps d'antenne réservé au NPD par Radio-Canada pour rappeler le double discours des Libéraux. Il cite en exemple l'ancien ministre Lionel Chevrier qui, trois ans plus tôt, faisait campagne contre les armes nucléaires et s'en fait maintenant le promoteur. Il ne manque pas non plus une occasion de dénoncer la complaisance des libéraux de Jean Lesage à l'égard de Pearson sur cette question. Cela lui rappelle la complaisance de Godbout à l'égard de Mackenzie King au moment de la conscription.

---

1. André L'Heureux (1931-2003) a été secrétaire général de la Fédération nationale des étudiants des universités canadiennes (FNEUC) de 1957 à 1960 ; il a ensuite été secrétaire administratif du ministre québécois de la Jeunesse, Paul Gérin-Lajoie (1960-1962), avant de devenir secrétaire fédéral adjoint du NPD, prêté en février 1963 au NPD-Québec. Il est élu secrétaire du PSQ à sa fondation, puis devient l'adjoint du secrétaire général de la CSN, Marcel Pepin. À partir de 1967-1968, il est coordonnateur de l'action politique. En 1970, il agit comme secrétaire des colloques régionaux intersyndicaux d'action politique. Il est élu en 1976 vice-président de la CSN (jusqu'en 1980). Il collabore ensuite à des commissions d'enquête sur la mort accidentelle de travailleurs et a été secrétaire de la Commission Beaudry sur le travail.
2. *Rapport du secrétaire du PSQ au conseil provisoire,* 9 février 1963.

Fernand est heureux de pouvoir développer davantage le thème de l'autonomie du Québec. Quelques semaines auparavant, en effet, le chef du NPD, Tommy Douglas, a suggéré de former un Conseil binational paritaire de la Confédération. Il s'agissait là de la réhabilitation d'une proposition des militantEs québécoisES qui n'avait pas été retenue au congrès de fondation du NPD en 1961. Fernand prend la parole lors de l'assemblée d'investiture du candidat du NPD dans le comté de Saint-Jacques, Willie Fortin[1]. Il fait remarquer que ce Conseil binational paritaire vient concrétiser la thèse des deux nations entérinée à la fondation du parti. Pour lui, cette nouvelle formule marque la fin d'une équivoque.

La langue bafouée

Il qualifie la position de Douglas de « geste lucide qui reflète les aspirations profondes des Canadiens français. [...] Il est normal qu'au siècle de la décolonisation, la nation canadienne-française atteigne elle aussi la maturité et entende adhérer au concert des nations souveraines au même titre que la nation anglo-canadienne[2] ». Lui qui vit depuis maintenant treize ans la frustration continuelle de devoir négocier dans la langue du pouvoir. Il affirme :

Il est inadmissible que la langue maternelle de l'une des deux nations, qui est celle du peuple du Québec, soit continuellement bafouée au Québec même dans les relations ouvrières-patronales. Il est inadmissible que le travailleur canadien-français moyen soit forcé de laisser sa langue à la maison le matin pour ne la retrouver qu'en rentrant le soir[3].

La bataille est dure. Fernand est sur toutes les tribunes. Comme la dernière fois, il est aux portes des usines, il sillonne les rues de son quartier, participe aux assemblées des autres candidatEs. Sentant un certain engouement pour ce parti qui se démarque des vieilles machines électorales, ses organisateurs se disent convaincus que cette fois est la bonne.

Or, le soir des élections, le NPD recueille à peu près la même proportion de la faveur populaire qu'en 1962 au Canada[4]. Il fait un gain de quelques maigres points de pourcentage au Québec, sans toutefois y faire élire un seul député. Fernand, cette fois-ci, est défait par le candidat libéral, mais il est deuxième, recueillant 18,6 % des suffrages, soit 0,3 % de plus que son adversaire conservateur. C'est le meilleur score du NPD au Québec.

1. Militant communiste dans les années 1930, Willie Fortin (1914-1989) a été un militant très actif du Syndicat des travailleurs unis des salaisons et denrées alimentaires et du Conseil du travail de Montréal.
2. Communiqué du Nouveau Parti démocratique, 4 mars 1963.
3. *Ibid.*
4. Il passe de 13,5 % à 13,1 % et de 17 à 15 sièges.

Malheureusement, le parti y occupe toujours le quatrième rang, derrière les créditistes. Ces derniers perdent quelques sièges au Québec, mais n'en cumulent pas moins un nombre supérieur à celui du NPD au Canada[1].

Lors de cette élection, les libéraux de Pearson sont portés au pouvoir avec une faible majorité. Comme les conservateurs avant eux, ils prennent la tête d'un gouvernement minoritaire[2]. Ils doivent composer avec l'opposition. Dans ce contexte, le NPD, quoique faible, détient la balance du pouvoir et peut influencer significativement la politique canadienne. En découlent notamment des mesures historiques : le régime canadien d'assurance-maladie, l'indexation des pensions de vieillesse et le supplément de revenu garanti.

Autre fait important, la députation des libéraux est composée à 36 % de QuébécoisES. Pearson va donc aussi devoir tenir compte de cette réalité. Le malaise constitutionnel canadien s'exprimant de plus en plus fortement au Québec, il crée une commission royale d'enquête sur le bilinguisme et le biculturalisme coprésidée par André Laurendeau et Davidson Dunton.

---

1. Les créditistes augmentent légèrement leur pourcentage de votes de 25,9 % à 27,3 % au Québec, mais ne conservent que 20 de leurs 25 sièges ; le NPD augmente un peu son pourcentage, passant de 4,4 % à 7,1 %.
2. Les libéraux ont 129 sièges, alors qu'il leur en faudrait quatre de plus pour former un gouvernement majoritaire.

Aprês l'élection fédérale de 1963, il faut se remettre à la tâche et préparer le congrès de fondation du parti au Québec. Or, Fernand, président du Conseil provisoire, pressent que des divisions et des clivages se dessinent. Déjà, chaque clan fourbit ses armes. En avril, il a reçu une lettre de l'avocat beauceron Robert Cliche, l'une des têtes d'affiche québécoises du NPD. Lui qui aime se décrire comme libéral-socialiste, s'oppose à la fondation d'un parti québécois. Il affirme : « Je crois que nos efforts devraient tendre à une organisation sérieuse du Parti sur le plan strictement fédéral[1]. »

Plus important est le positionnement de la FTQ. Lors de son congrès de 1961, elle a adopté une position qui, tout en reconnaissant la thèse des deux nations et le droit à l'autodétermination, s'oppose farouchement à toute forme de séparatisme. Au congrès de 1962, on donne mandat au comité exécutif « d'aider et de participer à la fondation d'un parti politique populaire vraiment démocratique dans la province de Québec ». Si le flou de la formulation ouvre la porte à un parti provincial indépendant du NPD fédéral, Fernand ne s'illusionne guère. Le président de la FTQ, Roger Provost, tout comme l'influent président du Conseil du travail de Montréal, Louis Laberge, ne défendent pas l'autonomie du parti. Quant à Mathieu, son prédécesseur au poste de président du Conseil provisoire, il semble lui aussi se rallier à l'idée d'un parti provincial subordonné au NPD fédéral. Même son ami de jeunesse, André Thibaudeau, devenu directeur du Syndicat canadien de la fonction publique (SCFP) et trésorier de la FTQ, s'aligne sur leurs positions. L'enveloppant de son bras affectueux, il lui affirme, entre deux bouffées de pipe : « Rêve pas en couleurs, Fernand, la FTQ a eu besoin

---

1. Lettre de Robert Cliche à Fernand Daoust, Saint-Joseph de Beauce, 18 avril 1963, citée dans Perron-Blanchette, *Un essai de socialisme au Québec, op. cit.*

de tout son petit change pour plonger dans l'action politique. Elle va pas maintenant s'embarquer dans une aventure qui l'oppose au CTC et au NPD[1]. »

À la suite des premiers débats qui indiquent une inclinaison nettement nationaliste du Conseil provisoire, la centrale veut rappeler tout le monde à l'ordre. Son directeur des communications, Noël Pérusse, et son secrétaire exécutif, Ivan A. Legault, ont préparé un rapport cinglant qui met les pendules à l'heure. Ce document fait une analyse des avantages et des inconvénients des trois options concernant l'autonomie plus ou moins grande du nouveau parti. Dès les premières lignes, les deux auteurs annoncent leurs couleurs : « Les membres du Conseil provisoire [du NPD] ont-ils le choix entre trois formules en présence? De qui tiennent-ils le mandat de former autre chose qu'un parti provincial dans le cadre de la Confédération[2]? »

Sous leur plume, il est clair que la direction de la FTQ se fait entendre. Pérusse et Legault rappellent que les dix délégués de la CCF, comme les dix délégués des clubs NPD, n'ont aucun mandat pour créer un parti provincial, tandis que les dix délégués de la FTQ sont « liés par les décisions des congrès de la FTQ, où il n'a jamais été question d'un parti indépendant et où l'on a formellement rejeté le séparatisme ». Les deux rédacteurs du rapport assimilent la création d'un parti indépendant à de la complaisance envers les séparatistes. Ils prédisent que de telles orientations vont entraîner la « désaffection de nos membres de langue anglaise, ou juifs, ou néo-canadiens et même canadiens-français antinationalistes et antiséparatistes[3] ».

Un parti séparatiste?

Pérusse a d'ailleurs déjà commencé à révéler à quelle enseigne il loge dans *Le Monde ouvrier,* dont il est le rédacteur. Dans un éditorial, il reproche à certains membres du Conseil provisoire de s'adonner à « d'interminables discussions théoriques sur des questions intéressant peu la population [4]». Dans l'édition suivante du journal, il affirme : « La question d'un parti provincial indépendant ne se pose même pas à l'intérieur de la FTQ, dont les membres se préoccupent uniquement du programme, du recrutement et de l'organisation électorale. » Dans le même texte, il soutient qu'en préconisant un parti séparé, on risque d'engendrer « un monstre, dans lequel les syndiqués ne se reconnaîtraient plus[5] ».

---

1. Propos reconstitués à partir des souvenirs de Fernand.
2. Rapport préparé par Noël Pérusse et Ivan A. Legault de la Fédération des travailleurs du Québec et présenté au Comité des statuts et des structures du Nouveau Parti démocratique du Québec, 1963.
3. *Ibid.*
4. *Le Monde ouvrier,* novembre 1962.
5. *Le Monde ouvrier,* décembre 1962.

Dans une lettre officielle du comité spécial mis sur pied par la FTQ pour
l'adhésion des sections locales au NPD, on met les membres en garde contre
« des individus qui manigancent pour en faire [du NPD] un parti provincial indépendant ou même séparatiste auquel la majorité des travailleurs
du Québec ne voudraient plus adhérer ». Fait à noter, les membres de ce
comité spécial de recrutement sont Roger Provost, Roméo Mathieu et Louis
Laberge[1].

Fernand se range nettement du côté des autonomistes du Conseil provisoire, tant sur la question des « États associés » que sur celle de l'indépendance
du parti par rapport au NPD fédéral. Cependant, il constate que sa propre
centrale syndicale fourbit ses armes contre ces positions. Dans de telles conditions, un congrès de fondation mènerait à coup sûr à la confrontation, voire à
l'éclatement. Il faut gagner du temps, tenter de trouver des terrains d'entente.

Le congrès d'orientation

Devant ce clivage de plus en plus marqué au sein du Conseil provisoire,
on convient de transformer le congrès de fondation du NPD-Québec en
congrès d'orientation. Fernand veut qu'on y débatte à fond les différentes
options avant la fondation officielle. Il espère que, de ces débats, naîtront
des compromis et, qui sait, un consensus permettant de conserver l'appui
de la FTQ à la nouvelle formation politique québécoise. On fixe aux 29 et
30 juin 1963 la tenue du congrès d'orientation.

Au matin du 29 juin, lorsque Fernand s'amène à l'auditorium du
Plateau, il sait que la journée sera longue et difficile. Depuis quelques jours,
de nombreux échos lui indiquent que, de part et d'autre, on aiguise les
couteaux. Il constate que la salle se remplit rapidement. Dès l'ouverture, il
insiste dans son allocution sur la nécessité de bien saisir les enjeux en cause et
de travailler ensemble à façonner « l'unité de tous les socialistes du Québec ».
Il explique à ses camarades qu'ils ont à s'entendre sur trois grandes questions :
1) socialisme et planification ; 2) fédéralisme et État du Québec ; 3) structure,
organisation, stratégie et financement du parti. Pour traiter des trois thèmes,
les déléguéEs doivent se répartir en trois ateliers.

Le travail commence dans l'ordre. Dans la première commission, présidée par Michel Chartrand, les choses se déroulent rondement, sans grand
affrontement. Le document sur la planification économique a été préparé
par des professeurs d'université[2] auxquels s'est joint Jean Gérin-Lajoie, vice-
président de la FTQ. Leur texte prône une intervention systématique de
l'État qui devrait procéder à de nombreuses nationalisations, notamment
dans les secteurs des richesses naturelles, des services publics, de l'énergie,

1. Lettre du comité d'adhésion au NPD aux membres de la FTQ, 4 janvier 1963.
2. Pierre Harvey, Jacques Dofny, Jacques Henripin, Jack Weldon et Jean-Luc Migué.

des transports et des communications. Mais le cœur de leur proposition porte sur la planification économique proprement dite, qui commande la création d'une Haute Autorité du plan sous la responsabilité directe du premier ministre, ainsi qu'une Assemblée du plan, un peu sur le modèle des conseils économiques et sociaux européens. On souhaite jeter ainsi les bases d'une démocratie économique socialiste efficace au Québec.

Cette vision constitue la réponse des socialistes du Québec aux libéraux de Jean Lesage. Ceux-ci, malgré les promesses de leur programme, ne se sont pas engagés véritablement dans la planification économique. Ils se sont contentés de mettre sur pied un Conseil d'orientation économique qui se limite à faire des études, sans jamais s'engager dans une véritable planification, ni dans de profondes réformes économiques. Le président de la CSN, Jean Marchand, très proche de Lesage et des libéraux, siège à ce conseil et semble se satisfaire du rôle symbolique de l'organisme. Fait à remarquer, si les Picard, Chartrand et Vadeboncoeur mettent la main à la pâte dans la construction d'un nouveau parti socialiste québécois, Marchand s'en tient loin. On comprendra plus tard les raisons de cette abstention, lorsqu'il se joindra à Pelletier et à Trudeau pour former le trio[1] que l'on sait…

Les socialistes réunis en congrès d'orientation font donc assez vite l'unanimité sur la planification économique, pièce maîtresse de l'idéologie du NPD. Tout ne se passe pas aussi harmonieusement lorsqu'ils doivent se prononcer sur le fédéralisme canadien et sur le maintien ou non de liens organiques avec le NPD fédéral. Depuis des mois, le Conseil provisoire réfléchit à ces questions. Si l'approche nationaliste a semblé d'abord primer, il est vite apparu que l'unanimité ne pouvait être faite sur ces deux questions. C'est même principalement à cause de cette absence de consensus au sein du Conseil qu'on se retrouve maintenant en congrès d'orientation plutôt qu'en congrès de fondation.

Les États associés

La deuxième commission, qui traite du statut du Québec dans la Confédération, se voit soumettre deux hypothèses. La première reprend en gros la position constitutionnelle du NPD, façonnée en grande partie en réponse aux revendications des déléguéEs du Québec lors de la fondation du parti deux ans plus tôt. C'est le fédéralisme coopératif. La deuxième est beaucoup plus radicale. Le texte, rédigé par Jacques-Yvan Morin[2], Michel Chartrand

---

1. Lorsqu'ils ont annoncé qu'ils ralliaient le Parti libéral du Canada pour aller y défendre leur conception du fédéralisme, Pierre Elliott Trudeau, Gérard Pelletier et Jean Marchand ont été surnommés ironiquement les « trois colombes ».
2. Né en 1931, il fait des études supérieures aux universités McGill, Harvard et Cambridge. Il enseigne le droit à l'Université de Montréal et devient président de l'Asso-

et André L'Heureux, prône la renégociation complète, par les deux nations souveraines, d'un nouveau pacte confédéral entre le Québec et le reste du Canada. C'est la thèse des États associés.

Pour les fédéralistes, il s'agit là d'une position irréconciliable avec le fédéralisme coopératif que défend le NPD fédéral. Ils sont convaincus que son adoption entraînera une rupture du lien avec le parti canadien. De longs débats en atelier se soldent par un vote très serré de 26 à 25 en faveur des États associés.

Sans aller aussi loin que le jeune Rassemblement pour l'indépendance nationale (RIN), qui réclame l'indépendance du Québec, le parti en construction se situe au cœur du nouveau nationalisme. Il ne se borne plus à réclamer la reconnaissance des droits linguistiques ou le respect des compétences provinciales. Il entend exiger, pour le Québec, un réel statut souverain, qui lui permet de négocier d'égal à égal avec le reste du Canada.

Cette thèse va inspirer très directement le Mouvement souveraineté-association (MSA) de René Lévesque. D'ailleurs, dès l'année suivante, en 1964, donc bien avant son départ du Parti libéral du Québec et la création de son mouvement en 1967, Lévesque affirme devant des étudiants du Collège Sainte-Marie à Montréal : « Le seul statut qui convienne au Québec est celui d'un État associé, statut qu'il faudrait négocier avec le reste du Canada sans fusil et sans dynamite autant que possible. […] Si on refuse ce statut au Québec, nous devrons faire la séparation[1]. »

Fernand se reconnaît dans la thèse des États associés, comme il n'aura aucun mal, quelques années plus tard, à appuyer celle de la souveraineté-association. Dans les deux cas, il y a une volonté de dialogue et de négociation qui est affirmée. Fernand approuve cette ouverture. En outre, il apprécie qu'on mette la barre assez haute pour éviter de s'enliser dans un marchandage interminable de pouvoirs tronqués.

Paradoxalement, si cette position politique fondamentale pour le nouveau parti est adoptée de justesse en commission, elle ne provoque pas de grands éclats de voix. C'est que la plupart des ténors des deux camps ne sont pas là : ils ont plutôt choisi d'aller dans une autre commission où l'on débat de la question beaucoup plus sensible des structures du parti. C'est dans cette troisième commission qu'on doit poser la question du degré d'autonomie

---

ciation des professeurs. Spécialiste en droit international et en droit constitutionnel, il dirige l'Institut européen des hautes études internationales et siège au Tribunal international de La Haye. Après avoir présidé les États généraux du Canada français, il adhère au Parti québécois et est élu député en 1973. Il assume alors les fonctions de leader parlementaire de l'opposition. Après la victoire du PQ en 1976, il est nommé successivement ministre de l'Éducation, ministre des Affaires intergouvernementales et ministre de la Culture et du Développement scientifique.

1. *Le Devoir*, 2 juillet 1964. Voir aussi Pierre Godin, *René Lévesque, héros malgré lui*, Montréal, Boréal, 1997, p. 294.

ou d'indépendance de la nouvelle formation politique. Pour la direction canadienne du NPD, comme pour la direction de la FTQ, il s'agit d'un sujet crucial. De toute évidence, les participantEs fourbissent leurs armes avant d'entrer dans la salle.

Lié au NPD ou indépendant

Dans la commission sur les structures du Parti, les congressistes sont appeléEs à débattre de trois options : 1) un parti provincial lié organiquement au NPD et assumant donc l'ensemble de ses orientations ; 2) un parti indépendant définissant ses propres politiques, mais n'œuvrant que sur la scène provinciale et entretenant des liens fraternels avec le NPD, à qui il laisserait le champ libre sur la scène fédérale ; 3) un parti québécois totalement indépendant du NPD et pouvant intervenir aussi bien au fédéral qu'au provincial.

Si la première va de soi pour les fédéralistes et pour les dirigeantEs de la FTQ, à l'opposé, les nationalistes se reconnaissent en bloc dans la troisième. Au même moment, ces derniers sont bien conscients de braquer leurs adversaires. Aussi, dès la présentation de cette option, André L'Heureux tente de l'adoucir en proposant un amendement qui garantirait un lien permanent entre le NPD et le nouveau parti québécois. Émile Boudreau, vieux renard, pressent que ça ne passera pas sous cette forme. Il sort de sa manche un texte qu'il avait déjà préparé pour le Conseil provisoire, mais qu'on n'avait pas retenu.

Le tour de force du texte est d'intégrer des paragraphes d'inspirations contradictoires : l'un reproduit des énoncés antiséparatistes tirés d'une résolution de congrès de la FTQ, tandis qu'un autre reconnaît aux deux nations fondatrices du Canada le droit à l'autodétermination. Il dore ensuite la pilule aux fédéralistes en ajoutant un paragraphe qui reconnaît que la Confédération constitue le cadre propice à l'épanouissement des deux nations, mais affirme du même souffle : « Pourvu que la constitution fut (sic) révisée en un pacte confédéral par lequel l'État du Québec se munirait d'un gouvernement totalement indépendant. »

Il en découle que le nouveau parti doit être totalement indépendant du NPD et doit pouvoir intervenir sur la scène fédérale comme sur la scène provinciale. Boudreau termine son texte en affirmant l'intention de l'éventuel nouveau parti d'établir des liens fraternels avec le futur NPD provincial, tout comme avec le NPD fédéral. Pour cela, il faudra s'entendre sur des principes fondamentaux et sur un programme commun minimal, pilier d'une unité d'action au fédéral.

Les fédéralistes ne se laissent cependant pas duper par cette résolution pour le moins tortueuse. Jean-Robert Ouellette de la CSN, tenant de la thèse orthodoxe, étiquette d'emblée ce texte de « séparatiste ». Il affirme sarcastique :

– On a tort de penser que pour développer le Québec il faut immédiatement détruire le Canada[1].

Émile Boudreau rétorque du tac au tac :

– Non seulement je ne suis pas séparatiste, mais je suis prêt à sauver la Confédération malgré les Canadiens anglais. Il faut nous donner notre certificat d'existence avant d'amorcer la renégociation de la Constitution. Voilà pourquoi je préconise la formation d'un parti québécois libre de tout assujettissement[2].

Le président du NPD fédéral, Michael Oliver, participant à cet atelier, ne cache pas son amertume :

– Certains socialistes nationalistes ont la mémoire courte. Il y a deux ans, avant le congrès de fondation, ils se sont montrés enchantés de ce que le NPD fédéral leur laisse rédiger le texte du programme concernant le fédéralisme coopératif. Comment peuvent-ils le renier aujourd'hui[3] ?

Réginald Boisvert, ancien secrétaire de la CCF, qui en a vu de toutes les couleurs dans ses relations avec les socialistes anglophones, est piqué au vif. Il lui répond :

– Mémoire courte vous-même! Comment pouvez-vous oublier tout le mal que les délégués québécois ont eu à faire biffer des statuts du NPD des termes injurieux à l'égard des Canadiens français[4] ?

Tandis que Michael Oliver affirme que l'adoption d'une telle résolution équivaudrait à faire du Québec un ghetto, d'autres menacent de se retirer du congrès. Finalement, c'est dans un climat d'affrontement radical que le vote est pris. Comme dans l'autre commission, il est très serré : 49 déléguéEs se prononcent pour le parti indépendant, tandis que 47 s'y opposent.

Le compromis Boudreau

Les nationalistes sortent gagnants de ces épreuves, mais de justesse. À l'ajournement de cette première journée, Fernand réunit quelques-uns des membres du Conseil provisoire pour faire le point. Personne n'a la mine vraiment réjouie. Ils ont plutôt la victoire modeste. Tous sont conscients qu'on s'achemine vers une scission. Ils semblent impuissants devant cette situation, qui leur paraît irréversible. Fernand prend la parole :

– Il faut éviter ça. Si l'on sort comme ça d'ici, c'est la débandade. Oublions l'appui de la FTQ et de la plupart des syndicats. Oublions aussi les liens

1. *Le Devoir*, 2 juillet 1963.
2. *Ibid.*
3. *Ibid.*
4. *Ibid.*

fraternels avec le NPD. Pour tout ce beau monde, c'est une rupture, sinon une trahison.

La plupart en conviennent. Si certains font remarquer qu'au moins, à présent, les choses sont claires, Émile Boudreau est amer :

- Ouais, mais on risque de rester tout seuls avec notre clarté ! Fernand a raison, il faut trouver une façon de leur faire avaler la pilule. Dans le fond, vous autres, est-ce que ça vous tente d'aller siéger à Ottawa, pis en chicane avec le NPD ?

Tous conviennent évidemment que la grande priorité, c'est la construction d'un parti socialiste au Québec, qui lutterait pour récupérer la totalité des moyens du développement social et économique du Québec. Pierre Vadeboncoeur concède :

- Même s'il est logique d'occuper toute la place, au niveau fédéral comme au provincial, c'est évidemment d'abord et avant tout les rênes de l'État du Québec que nous voulons prendre.

Boudreau en conclut :

- OK, regardez-moi aller demain matin. J'vais essayer de faire baisser la tension.

Des renforts fédéralistes

À son arrivée dans la salle, le dimanche matin, Fernand a la surprise de constater que la table d'inscription est littéralement assaillie par de nouveaux délégués. « Une trentaine », lui dira Émile plus tard. Il comprend vite que les dirigeants de la FTQ sont allés chercher du renfort fédéraliste. Il faudra faire avec. La salle est bondée et on sent la tension dans l'air.

Fernand ouvre les travaux en donnant la parole au secrétaire de la commission qui a disposé du thème « socialisme et planification ». Le débat de la première commission est fait rapidement, sans affrontement. Les socialistes de tous bords s'entendent sur les orientations proposées. Fernand est encouragé par le déroulement des choses. Il se dit qu'après tout, la confrontation ne sera peut-être pas si violente et que l'esprit de compromis prévaudra probablement. C'est alors qu'il aperçoit dans la salle son ami Pierre Vadeboncoeur finissant de distribuer un texte et s'avançant au micro :

- Question de privilège, monsieur le président !

Fernand, qui n'est pas prévenu, lui accorde la parole un peu machinalement. Vadeboncoeur se lance alors dans un exposé provocateur sur la force que constitue l'essor du nationalisme québécois :

- Nous devons compter sur cette force pour construire un mouvement qui mobilisera les masses. Nous ne saurions nous affilier à un parti pancanadien qui non seulement serait étranger à ces réalités de chez nous, mais les défierait par moments.

Son intervention allume un incendie immédiat. Les orateurs nationalistes et fédéralistes se précipitent au micro et s'invectivent à qui mieux mieux. Fernand a toutes les misères du monde à rétablir l'ordre. Il y parvient après avoir fait remarquer que le texte et les propos de Vadeboncoeur sont hors d'ordre, la question constitutionnelle devant être débattue seulement après la présentation du rapport de la commission responsable de ce thème.

Comme promis, dès l'ouverture du débat sur le rapport de la troisième commission qui traite des structures du parti, Boudreau propose un amendement à sa propre résolution. Il se dit prêt à faire retrancher du texte, approuvé la veille en commission, toute référence à l'intervention du nouveau parti québécois sur la scène fédérale. Le parti sera certes indépendant, mais il restreindra ses activités à la politique provinciale. Perçu par les fédéralistes comme l'un des plus ardents autonomistes, Pierre Vadeboncoeur suit Boudreau au micro. À la surprise des orthodoxes, il appuie l'amendement.

Fernand constate un moment d'hésitation dans la salle. Un instant, il croit que le geste d'apaisement a porté ses fruits. Mais Jean-Robert Ouellette et Roméo Mathieu bondissent pour se prononcer contre l'amendement. Boudreau n'en revient pas et il le leur dit : « C'est un peu fort, monsieur le président. Les deux orateurs qui me précèdent viennent de parler contre un amendement quasiment identique aux positions qu'ils défendaient hier en atelier. »

La polémique et les procès d'intention repartent de plus belle. Fernand tente de calmer le jeu. Il croit qu'on s'achemine vers le schisme qu'il veut éviter. Il constate que, dans un coin de la salle, Roger Provost est en conciliabule avec son trésorier André Thibaudeau et le président du NPD, Michael Oliver. Vont-ils annoncer leur retrait du congrès ou lancer un ultimatum ? Il retient son souffle en voyant Michael Oliver prendre le micro. Celui-ci, dans son anglais châtié, affirme : « Je voterai, quoique je le fais à contrecœur, en faveur de la résolution Boudreau amendée, parce que je la considère comme une acceptable formule de compromis. Cependant, je souhaite qu'on y ajoute clairement que le nouveau parti laissera le champ libre au NPD sur la scène fédérale. »

Il est suivi au micro par André Thibaudeau qui formule un sous-amendement en ce sens. La résolution et ses amendements sont finalement votés par une large majorité de déléguéEs.

Le pire évité ?

Fernand a le sentiment d'avoir évité le pire, mais n'est pas tout à fait rassuré. Il n'y a pas de véritable rupture de dialogue entre ses amis nationalistes et le bloc des fédéralistes, bloc auquel s'est clairement identifiée la direction de la FTQ pendant le congrès. Les congressistes décident de tenir le congrès de fondation de la nouvelle organisation politique québécoise d'ici un an. Fernand ne s'illusionne cependant pas sur la participation des fédéralistes à la construction d'un nouveau parti socialiste québécois indépendant du NPD et défendant une vision différente du Canada.

Déjà, certains expriment ouvertement leur amertume. Gérard Picard, un homme que Fernand respecte, qu'il sait méfiant à l'égard des dérives nationalistes, dit qu'on va mettre au monde un autre parti séparatiste. Michael Oliver, résigné, cherche un espoir de succès à ce compromis en le comparant à un épisode peu glorieux de l'histoire du Québec : le mariage entre les conservateurs fédéraux et l'Union nationale de Maurice Duplessis dans les années 1930!

Avant de mettre fin aux travaux, il faut maintenant élire deux bureaux de direction, puisqu'il y aura deux organisations politiques, soit le Conseil provisoire de la section québécoise du NPD fédéral et celui de la nouvelle organisation qu'on appelle désormais le Parti socialiste du Québec (PSQ). Fernand, qui veut désespérément préserver la fragile unité du mouvement naissant, fait partie des deux. Il est d'ailleurs le seul à le faire. Les mises en candidature illustrent clairement le clivage : du côté du PSQ, où il est confirmé dans ses fonctions de président, se rangent Michel Chartrand[1], Jean-Claude Lebel, Pierre Vadeboncoeur, Jean-Marie Bédard et Émile Boudreau. En face, à la section québécoise du NPD, s'identifient clairement les Roger Provost, Roméo Mathieu, Gérard Picard, Robert Cliche et Jean-Robert Ouellette mais aussi, c'était prévisible, le trésorier de la FTQ, son ami André Thibaudeau.

Le ton de Fernand n'a rien de triomphaliste lorsqu'il déclare après l'élection : « La scission redoutée, même souhaitée par plusieurs, ne s'est pas produite. Je m'engage à trouver dans les plus brefs délais la formule permettant de rallier toutes les tendances. Si je ne réussis pas, je remettrai ma démission[2]. »

Le malaise

Le malaise de Fernand allait trouver rapidement sa confirmation. Quelques semaines après le congrès d'orientation, dans une longue lettre circulaire adressée à tous les membres québécois du NPD, le Conseil provisoire du NPD-Québec affirme que la création du PSQ constitue « une scission entre les forces de gauche, une scission qui repose sur une profonde divergence de vues sur une question fondamentale[3] ».

Fernand éprouve une faible consolation en lisant une lettre des dirigeants locaux du SITBA, qui saluent son élection à titre de président du

---

1. Jusque-là président du Conseil provisoire du NPD-Québec, il devient président du Conseil provisoire du PSQ.
2. *Le Devoir*, Montréal, 2 juillet 1963.
3. Perron-Blanchette, *op.* cit., p. 54.

Conseil provisoire du PSQ. Fernand reconnaît la plume de son ami Jean-Marie Bédard dans cette rhétorique enflammée : « Enfin, nous aurons un parti authentique, né au Québec, qui pourra exprimer intégralement les besoins des masses populaires du Canada français. Sous la bannière de ce parti, nous travaillerons à l'édification de l'État socialiste du Québec. »

Comme toujours, Fernand admire la verve de son ami Jean-Marie. Mais il ne peut s'empêcher de craindre que le parti naissant ne soit condamné à la marginalité. Il est maintenant clair que, contrairement au NPD, le PSQ n'a pas l'appui officiel et organisationnel de la FTQ. Ce serait un moindre mal s'il était enraciné dans les milieux de travail, mais Fernand est bien conscient que ce n'est pas le cas. Depuis deux ans, tous les efforts ont été consacrés à débattre de l'orientation idéologique. Les résultats décevants du NPD lors des deux dernières élections sont la preuve brutale que, même avec l'appui officiel de l'appareil syndical, les « masses populaires du Canada français » ne suivent pas.

Fernand a beau annoncer lui-même, dans une entrevue accordée au journal *Le Devoir*, que le parti en voie d'organisation « allait entreprendre une campagne de recrutement en province[1] », il sait qu'aucune structure de campagne d'adhésion n'existe, ni n'est même en construction. C'est d'ailleurs le lendemain de cette déclaration que le Conseil provisoire du PSQ met cette question à l'ordre du jour pour la première fois depuis sa création[2]. Cette campagne ne sera pas mise en branle avant le congrès de fondation. On se limite à inviter l'ensemble des citoyenNEs à devenir membre fondateur du PSQ et à participer ainsi « à la reconstruction de l'État québécois afin de bâtir un monde meilleur[3] ». Une convocation écrite est aussi envoyée aux syndicats membres de la FTQ, mais Fernand ne s'illusionne pas sur ses effets. Pour lui, les jeux sont faits.

Pourtant, plusieurs militantEs du NPD veulent toujours assurer la survie du compromis. On le voit, en août, au congrès du NPD fédéral à Régina. La délégation québécoise y défend avec succès la reconnaissance de l'autonomie quasi totale des ailes provinciales du parti. Malheureusement, le même congrès adopte une résolution d'appui à la participation du Canada à l'OTAN, muni d'armes nucléaires, ce qui est contraire à la position du PSQ. En effet, dans son *Manifeste*, ce dernier se dit « par-dessus tout opposé à l'entreposage d'armes atomiques au Canada et à leur utilisation par l'armée canadienne ». À la divergence constitutionnelle, qui oppose socialistes nationalistes et fédéralistes, s'ajoute maintenant un nouveau sujet de discorde.

---

1. *Le Devoir*, Montréal, 5 août 1963.
2. Perron-Blanchette, *op. cit.*, p. 60.
3. *Le Peuple*, journal du Parti socialiste du Québec, vol.1, n° 1, septembre 1963.

Positions incompatibles

Une nouvelle fois, la division entre les deux partis est encore soulignée à Montréal par le vice-président canadien du NPD, le Montréalais d'origine David Lewis. Il affirme lors d'un symposium que la formation du PSQ cause un tort immense au peuple du Québec et au NPD. Il soutient même que la collaboration entre les deux partis est inutile. Au même symposium, une autre tête d'affiche du NPD, le professeur Charles Taylor, affirme que les positions constitutionnelles des deux partis les rendent incompatibles[1].

En octobre 1963, une brochure[2] publiée par le *Caucus de la gauche québécoise du Nouveau Parti démocratique* affirme dans son avant-propos que « certains agitateurs pseudo-socialistes trouvent plus opportun de jouer sur la vague du séparatisme et tentent de semer la confusion au sein du mouvement ouvrier ». Nulle part dans cette brochure on ne nomme le PSQ, dont le congrès de fondation doit être tenu le mois suivant. Il est clair que cette publication est destinée à déprécier la nouvelle formation politique. On y trouve en ouverture un court texte intitulé *Opinion d'un dirigeant syndicaliste*, signé par Louis Laberge, lequel n'a pas cru bon de préciser son titre de président du Conseil de travail de Montréal.

L'essentiel de la brochure est un long texte d'Henri Gagnon[3], secrétaire du Comité d'action politique du Conseil du travail de Montréal. Le militant marxiste, bien connu dans le mouvement syndical, y reconnaît le caractère colonial du pouvoir qu'exerce le gouvernement fédéral sur les Canadiens français. Il constate aussi le niveau d'infériorité économique et culturelle dans lequel ces derniers sont maintenus. Mais il soutient que le principal ennemi, qui les maintient et les enfonce dans la soumission, n'est pas le Canada anglais ou le régime fédéral, mais bien le système capitaliste américain qui domine de plus en plus l'économie québécoise et canadienne. Il appelle en conséquence les militants québécois à s'allier à ceux du Canada anglais qui luttent pour l'indépendance canadienne contre le géant étatsuniens. Il dit sa confiance en l'avènement d'un nouveau fédéralisme qui per-

---

1. Perron-Blanchette, *op. cit.,* p. 69-70.
2. Caucus de la gauche québécoise du NPD *Le travailleur face au séparatisme*, 1963.
3. Henri Gagnon (1913-1989), un ouvrier électricien et un militant communiste, organise la Ligue des vétérans sans logis après la guerre, dirige l'Université ouvrière dans les années 1950, participe à l'organisation du NPD au Québec, puis, malgré ses positions fédéralistes, milite au PSQ, dont il est vice-président en 1968. La même année, il est élu président de la Fraternité des ouvriers unis de l'électricité (FIOE) et vice-président du Conseil du travail de Montréal. C'est sous sa présidence que les électriciens rompent les liens avec leur union internationale avant de créer la Fraternité interprovinciale des ouvriers de l'électricité (FIPOE). Il devient souverainiste dans les années 1970, publiant un livre intitulé *La Confédération, y'a rien là,* Montréal, Parti Pris, 1977.

mettrait « une redivision (*sic*) des pouvoirs de taxation en vue de garantir au Québec le droit d'administration de ses propres affaires[1] ».

Enfin, trois semaines avant le congrès de fondation prévu le 15 novembre 1963, le Conseil du travail de Montréal (CTM) met les points sur les « I » en adoptant des résolutions qui, sans même le nommer, sont clairement hostiles au PSQ. En prévision des prochaines élections provinciales, on recommande aux membres du plus grand regroupement de syndicats de la FTQ d'appuyer le Parti libéral du Québec, « qui satisfait amplement à toutes les aspirations politiques, économiques et nationales des travailleurs ».

Quatre jours avant le congrès de fondation, le comité d'éducation et d'action politique de la FTQ précise que le PSQ n'est pas l'émanation du NPD, qu'il résulte d'une scission, qu'il n'a en aucune façon l'appui de la FTQ et que les membres présents au congrès de fondation « ne feront que se représenter eux-mêmes[2] ».

Fondation du PSQ

C'est paradoxalement au siège social de la CSN[3], qui n'appuie pas la création du PSQ, que s'ouvre le congrès de fondation, le 15 novembre 1963. Quelque 150 déléguéEs, observateurs et observatrices prennent place dans la salle décorée de deux grandes banderoles qui réclament : « Le Québec aux Québécois » et « Place aux travailleurs ». Parmi les observateurs, les journalistes notent la présence de représentants des mouvements indépendantistes québécois et de gens de l'ambassade de Cuba[4].

Même s'il n'a pas vraiment le cœur à la fête, Fernand entend mener à bien son mandat en faisant de ce congrès un succès. Rien dans les propos qu'il tient dans son discours d'ouverture ne laisse paraître son état d'esprit. Depuis longtemps, il a développé cette image tranquille du leader en possession de ses moyens qui accomplit ses tâches jusqu'au bout. Il fait donc l'allocution d'un chef de parti provincial :

> Les libéraux nous invitent à être « Maîtres chez nous », mais vous et moi savons bien que c'est le capitalisme qui règne en maître du Québec. Le Parti libéral et l'Union nationale marchent main dans la main avec les capitalistes qui acceptent de garnir les caisses électorales. [...] Il ne faut pas s'illusionner, la tâche sera difficile et nous devrons tous nous armer de force et de courage pour combattre les deux vieux partis et, en même temps, rassurer le peuple québécois, toujours

---

1. *Le travailleur face au séparatisme, op. cit.*
2. Lettre circulaire du Comité d'éducation et d'action politique de la FTQ, 11 novembre 1963.
3. Depuis la fondation de la CTCC en 1921, devenue la CSN en 1960, le siège social de la centrale est installé à Québec. Il est déplacé à Montréal, l'année suivante, en 1964.
4. *Montréal-Matin*, 18 novembre 1963.

quelque peu réticent lorsqu'on lui parle de socialisme. [...] Nous vivrons au cours des deux prochains jours un moment historique important en fondant un parti socialiste nationaliste réellement indépendant de toute autre formation politique pancanadienne[1].

À l'étonnement de plusieurs qui, d'emblée, taxent Fernand Daoust de séparatiste, il ajoute : « Le nationalisme que nous défendons ne doit en aucune façon mener notre parti au subterfuge du séparatisme. »

Il ne s'agit pas là que d'une prudence tactique. Comme la plupart des dirigeants du PSQ, Fernand continue de croire que le Québec peut accéder à une autonomie intégrale en négociant un nouveau pacte confédératif. Comme plusieurs, il reproche au RIN de proposer une indépendance nationale sans un contenu social et économique.

Sans doute est-il insatisfait du peu d'efforts de recrutement déployés par le PSQ en milieu ouvrier, car il termine son discours en mettant les déléguéEs en garde contre les débats trop théoriques :

> Pour devenir vraiment le parti des travailleurs et s'assurer de leur allégeance, le PSQ doit utiliser leur langage pour leur faire partager son idéologie, afin qu'ils endossent son programme. C'est là l'unique façon de rejoindre la masse des travailleurs, but de tout parti socialiste.

Les têtes d'affiche absentes

Le congrès de fondation s'ouvre donc deux ans après la mise en place d'un premier Conseil provisoire. La plupart des têtes d'affiche de l'époque ont quitté le bateau. Les Provost, Casgrain, Oliver, Mathieu et Picard se sont nettement dissociéEs de l'aventure. Restent les éléments les plus nationalistes qui devraient normalement s'entendre comme larrons en foire.

Pourtant, on trouve encore nombre de sujets de controverse. Certes, les délégués entérinent sans problème les grandes lignes des documents sur la crise agricole[2], sur la sécurité sociale, sur l'urbanisme et sur la Charte des droits de l'Homme pour l'État libre du Québec. Un premier débat a lieu lorsqu'on examine le projet de statuts du parti. Émile Boudreau demande de biffer du texte l'article qui interdit l'affiliation des centrales syndicales. Fernand, flairant la controverse, intervient rapidement :

---

1. Toutes les citations de propos tenus au congrès de fondation du PSQ sont tirées du chapitre IV de Perron-Blanchette, *op. cit.*, p. 73 à 89.
2. Les congressistes étudient un document intitulé *La crise agricole québécoise*, préparé par des analystes de l'Union catholique des cultivateurs (UCC), qui va bientôt devenir l'Union des producteurs agricoles (UPA). Même si le PSQ appuie les principales conclusions de ce document, il semble qu'il n'a jamais été question que l'UCC adhère au jeune parti.

Je crois qu'il s'agit d'un faux débat. Il est clair que la FTQ ne s'affiliera pas à notre parti et la CSN a elle-même adopté en congrès une politique d'action politique non partisane[1]. Comme notre parti est constitué de cellules de base, rien n'empêche que certaines de ces cellules soient constituées de syndicats locaux.

Boudreau se rallie de bon gré. L'unanimité ne se fera cependant pas aussi facilement autour de la liberté d'appartenance à une autre formation politique. Un article du projet de statuts précise que « tout membre du PSQ ne peut être membre d'un autre parti politique québécois[2] ».

Éviter le sectarisme
Le nationaliste Jean-Claude Lebel intervient alors pour réclamer l'élimination du mot « québécois » dans cet article. Il a encore frais en mémoire la résolution présentée par Boudreau lors du congrès d'orientation, résolution à laquelle il reprochait de proposer la « fondation d'un groupement mi-nationaliste mi-fédéraliste[3] ». Maintenant que le parti est délesté de ses éléments les plus fédéralistes, il revient à la charge. Selon lui, il faut interdire aux membres du PSQ d'adhérer au NPD canadien, dont le programme et l'idéologie sont incompatibles avec ceux du PSQ :

— Un vrai socialiste du PSQ ne peut pas être en même temps un authentique socialiste NPD! Notre parti doit envahir lui-même la scène fédérale, quitte à offrir son amitié au NPD fédéral.

Pour Fernand, c'en est trop :

— Vous voulez déclarer la guerre au NPD. C'est totalement inconséquent! Le NPD est le seul partenaire canadien valable pour les socialistes québécois.

Fernand craint que le congrès dérape dans le sectarisme. Il sait qu'il n'y aura jamais de liens organiques avec le NPD, mais rien ne sert de lui déclarer la guerre. Le NPD est le moins éloigné des partis fédéraux. Tant qu'on n'aura pas construit au Québec une véritable organisation politique structurée et

---

1. Au Congrès de 1962, en créant le Comité central d'action politique, la CSN accorde en même temps au Bureau confédéral le pouvoir d'appuyer un parti ou de proclamer sa neutralité. Toutefois, au même congrès on repousse une résolution d'appui au NPD proposée par le Conseil central de Montréal. On se prononce plutôt pour le principe de « la planification économique démocratique sous la responsabilité de l'État » et on accorde un appui à « la socialisation et aux nationalisations, notamment dans les services publics et les richesses naturelles », une position dessinée sur mesure pour appuyer les libéraux. Voir *Relations industrielles*, vol 17, n° 4, 1964.
2. Avant-projet, statuts du Parti socialiste du Québec.
3. *Le Devoir*, 2 juillet 1963.

représentative, on n'a pas à mettre l'accent sur ce qui divise. La fermeté de Fernand porte ses fruits. Lebel se rallie en proposant le lendemain une résolution qui ouvre la porte à l'adhésion des membres du PSQ au NPD, tout en leur confiant comme mission d'y défendre les positions fondamentales du PSQ, notamment sur la répartition des pouvoirs entre les deux nations. Lebel invite aussi le PSQ à se redéfinir en tenant compte de la négociation d'une nouvelle entente fédérale.

Cet assouplissement déplaît aux plus radicaux des nationalistes, mais Fernand, appuyé par Chartrand et Vadeboncoeur, appuie de tout son poids la résolution : « Une rupture avec le NPD équivaudrait à du "donquichottisme". C'est de la foutaise pour les forces de gauche du Québec. »

Michel Chartrand, cinglant, s'en prend aux ultranationalistes qu'il traite de séparatistes et à qui il demande de cesser d'injurier le NPD. Vadeboncoeur, lui, rappelle les raisons invoquées au congrès d'orientation pour garder la porte ouverte à des relations fraternelles avec le NPD : « Soyons très prudents. Ne jetons pas la pierre au NPD. Ce serait de la folie furieuse de couper les ponts à ce moment-ci. »

Ces appels au réalisme des principaux fondateurs du PSQ calment finalement le jeu. Jean-Claude Lebel fait néanmoins adopter deux derniers amendements. Le premier demande au NPD de revenir sur sa politique qui prévoit que toute planification origine d'Ottawa; l'autre l'exhorte à reconnaître dans les faits ce qu'il reconnaît en théorie : le droit de la nation canadienne-française à l'autodétermination.

Le refus de la marginalité

Le congrès prend fin dans une relative harmonie. Fernand, qui avait promis de mener l'organisation jusqu'à sa fondation officielle, estime sa tâche accomplie. Au moment des élections, il annonce qu'il n'est pas candidat à la présidence. Trop d'éléments l'agacent. S'il partage avec les militantEs du PSQ l'idéal d'un socialisme québécois, affranchi de toute dépendance à un parti fédéral, s'il est en accord avec la recherche d'une autonomie totale pour le Québec, il ne peut se complaire dans la pureté idéologique. Il sait que le parti n'est jusqu'à maintenant qu'un groupuscule d'intellectuels bien plus préoccupés à se définir qu'à organiser le parti à la base et recruter de nouveaux membres.

D'ailleurs, Fernand doit admettre qu'il a lui-même entraîné bien peu de membres de son propre syndicat dans le parti. À la fin du congrès, pendant que la salle se vide, il réalise bien que la plupart des fondateurs du parti ne proviennent pas de la classe ouvrière. Il doute qu'on puisse construire une véritable organisation populaire sur ces bases. Par loyauté et par amitié pour plusieurs compagnons comme Émile Boudreau, Jean-Marie Bédard et

Jacques-Victor Morin, il accepte une position au comité central du PSQ, mais refuse un poste à l'exécutif. C'est Michel Chartrand qui devient président, tandis que Bédard et Boudreau sont élus aux postes de vice-présidents.

Les mois qui suivent donnent lieu à des querelles internes. Fernand sait que rien n'est réglé. Les plus durs des nationalistes n'ont retraité que temporairement. D'ailleurs, quelques semaines plus tard, ces derniers réclament la tenue d'un congrès pour clarifier la position constitutionnelle du parti. La thèse des États associés ne leur convient évidemment pas. En fait, ils souhaitent amener le parti à se ranger carrément dans le camp indépendantiste.

Les membres modérés de l'exécutif font tout pour éviter un congrès déchirant, préférant tenir une journée de réflexion, ce qui provoque la grogne des radicaux. Ces derniers en ont aussi contre la direction très peu collégiale de leur flamboyant président, Michel Chartrand. Ils vont même jusqu'à le soumettre à un vote de blâme pour avoir ignoré le parti dans la couverture médiatique d'un voyage qu'il a fait à Cuba. La résolution est battue, mais le climat est désormais peu propice au travail constructif dont ce parti, pas encore véritablement né, a un urgent besoin[1].

Est-ce par dépit envers ces querelles paralysantes ou parce qu'il souhaite concentrer davantage d'énergie à son travail syndical, toujours est-il que, dès février 1964, Fernand démissionne du parti. Quelques semaines plus tard, c'est la saignée : le trésorier, un vice-président, le secrétaire et deux directeurs du parti claquent la porte. Ces indépendantistes dénoncent les fédéralistes du parti qui s'entêtent à perpétuer la « compromission sur le plan national[2] ». Des membres du Mouvement de libération populaire (MLP)[3] et de la mouvance de *Parti pris*[4] les suivent, accentuant ainsi la débâcle. Parmi les démissionnaires figure le syndicaliste Jacques-Victor Morin[5] qui, contrairement à Fernand, a maintenant franchi le pas en faveur de l'indépendantisme.

---

1. Perron-Blanchette, *op. cit.* p. 96.
2. *Ibid.,* p. 96-97.
3. Créé en juin 1965, par des militantEs des revues *Parti Pris* et *Révolution québécoise,* le MLP a pour permanent Pierre Vallières, qui adhère au FLQ à la même époque avec Charles Gagnon. Louis Fournier, *FLQ. Histoire d'un mouvement clandestin,* Montréal, Lanctôt Éditeur, 1998, p.112.
4. *Parti pris* est une revue socialiste et indépendantiste publiée à partir d'octobre 1963. Cette publication a une influence certaine non seulement sur les jeunes intellectuelLEs et les étudiantEs, mais aussi sur une nouvelle génération de militantEs engagéEs dans l'action syndicale ou politique. La revue est largement inspirée des grands courants nationalistes et socialistes de la décolonisation.
5. Jacques-Victor Morin, qui a quitté les Ouvriers unis des salaisons en 1962 est alors conseiller syndical chargé de l'éducation et des communications au Syndicat canadien de la fonction publique. Il y reste jusqu'en 1968, alors qu'il est nommé secrétaire général associé pour la Commission canadienne de l'UNESCO, poste qu'il

La suite ressemble à une longue agonie ponctuée de quelques soubresauts qui n'ont rien d'un réel regain. Pendant plusieurs mois, le parti cesse toute activité ; on dit joliment après coup qu'il s'est mis en hibernation. Au début de 1966, Michel Chartrand démissionne, laissant la présidence à Jean-Marie Bédard. Sous sa direction, on tente à nouveau une relance du parti en cherchant à unifier la gauche et à l'enraciner dans « les masses populaires ». Il y a un bref retour des dissidents du MLP et de *Parti Pris* alors qu'on tient un nouveau congrès en mars 1966.

Les déléguéEs profitent de ce congrès pour radicaliser à nouveau le programme et on discute de la possibilité de présenter des candidatEs lors de la prochaine élection provinciale, ce qui déclenche un débat animé pendant lequel l'opposition des réalistes est exprimée par Émile Boudreau et Michel Chartrand, qui jugent cette participation prématurée. Mais les congressistes se rallient plutôt aux arguments d'un Henri Gagnon, qui qualifie l'action politique de « fontaine de Jouvence », sans laquelle on « devient impotent ». Le Parti va présenter cinq candidats et récolter moins de 1 % des suffrages.

L'extrême gauche indépendantiste quitte une nouvelle fois le parti au cours des mois qui suivent et l'organisation, désertée par ses militantEs, s'éteint peu à peu dans le silence. C'est le président Jean-Marie Bédard qui prend la peine de régler personnellement toutes les dettes du parti avant d'en fermer les livres[1].

La tentation souverainiste

Tout au long de cette aventure, Fernand s'interroge sur ses propres convictions et sur les choix à faire. Particulièrement lorsqu'il voit son ami Jacques-Victor Morin quitter le PSQ. Jacques-V, comme on l'appelle, est plus intellectuel que bien d'autres syndicalistes. Il adore débattre pendant des heures de nuances idéologiques qui, à la longue, ennuient Fernand. À cette époque, Morin collabore à la *Revue socialiste* de Raoul Roy où il fait une entrevue avec Jacques Berque, théoricien français de la décolonisation. Berque se montre sympathique au mouvement indépendantiste québécois[2].

Plus tard, Morin publie dans *Parti pris* un texte sur le syndicalisme et la question nationale. Il y critique sévèrement les positions politiques des dirigeants de la FTQ et de la CSN : « Comment voulez-vous que ces gens-là s'émeuvent devant le sort de la nation quand le culte qu'ils vouent à leurs

---

occupe jusqu'en 1986. Il prend sa retraite en 1989, après avoir travaillé à nouveau pendant trois ans à la réorganisation du service d'éducation du SCFP. Voir Denis, *Jacques-Victor Morin, op. cit.*
1. Boudreau, *Histoire de la FTQ, op. cit.*, p. 339.
2. *La Revue socialiste*, n° 7, hiver 1963-1964, p. 1 à 8.

institutions syndicales a préséance sur le bien-être de la masse ouvrière[1]? »
Fernand le trouve dur, mais en songeant à certains collègues, il n'est pas loin
de penser comme lui. Il sait le mouvement syndical encombré de nombreux
syndicalistes d'affaires réfractaires à l'action politique.

Fernand aimerait bien afficher publiquement son adhésion aux idées
plus radicales du nationalisme. Depuis de nombreuses années, même s'il se
dit opposé au séparatisme, son cœur est nettement souverainiste. Pourtant,
il joue de prudence. Ici apparaît un trait essentiel de son caractère, qui ira
en s'accentuant au fil de sa carrière. Sa prudence n'a rien de lâche ou de faible. Elle est commandée par une volonté ferme de ne pas se démarquer du
mouvement syndical. Il n'a jamais été un franc-tireur. Il veut ardemment
contribuer à changer ce mouvement, à le rendre plus combatif, plus avant-
gardiste. Or, il est convaincu que ce n'est pas par la provocation ou en se
marginalisant qu'il y parviendra.

Déjà, il sent que plusieurs collègues lui font grief d'avoir mené le bateau
du PSQ jusqu'à sa fondation. La plupart des dirigeantEs et des militantEs
des syndicats de la FTQ ont quitté le parti après le congrès d'orientation.
Ses amis André Thibaudeau et Jean Gérin-Lajoie, membres du comité exécutif de la FTQ, ont aussi préféré se tenir à l'écart. Fernand est resté et a
assumé la présidence. Il lui faut maintenant reprendre pied dans cette organisation syndicale qui est son premier lieu d'appartenance. La politique
l'intéresse dans la mesure où le mouvement ouvrier y est engagé. En l'absence d'une présence significative de militantEs issuEs de ce mouvement,
Fernand se voit mal continuer à s'investir dans un groupuscule rongé par
les querelles et les divisions.

---

1. *Parti pris*, février 1965, texte reproduit dans Denis, *Jacques-Victor Morin, op. cit.*,
   p. 201-212.

Dans les semaines et les mois qui suivent le congrès de fondation du
PSQ, Fernand concentre ses énergies sur son action proprement syndicale. Sans mettre une croix définitive sur l'action politique, il entend s'investir davantage dans le développement du mouvement syndical et plus
précisément dans la construction de cette centrale en devenir qu'est la FTQ.

Au moment où Fernand prend cette décision, la conjoncture politique
et économique du Québec est favorable à l'essor du syndicalisme. Après les
années de morosité économique qu'a connues le Québec à la fin des années
1950, une reprise réelle et durable est en cours. Elle caractérise une bonne
partie de la décennie. Les réformes de l'éducation et de la santé, la nationalisation de l'électricité et l'Exposition universelle de Montréal (Expo 67)
génèrent une masse de grands travaux publics. La construction d'écoles
et d'hôpitaux, l'érection de grands barrages hydroélectriques sur la rivière
Manicouagan, le développement d'infrastructures routières, la construction
du métro de Montréal et les aménagements du site de Terre des Hommes[1]
font chuter radicalement le taux de chômage[2].

Cet environnement économique est d'autant plus favorable à la syndicalisation que des réformes à la Loi des relations ouvrières en facilitent l'accès[3]. La création de bons emplois conjuguée à l'amélioration de la législation

1. On a baptisé Terre des Hommes le site d'Expo 67 sur l'île Sainte-Hélène et sur la
   nouvelle île de la Ronde. Cette dernière a été créée de toutes pièces avec les résidus
   du creusage du métro.
2. Il chute à 4,7 % en 1966. Voir, Linteau, Durocher, Robert et Ricard, *Histoire du
   Québec contemporain, op. cit.*, p. 395.
3. En septembre 1959, Paul Sauvé, qui a succédé à Duplessis, fait adopter une première
   réforme en décembre, quelques jours avant sa mort. Jean Lesage fait aussi adopter
   d'autres amendements, en 1961, qui renforcent l'exercice réel du droit d'association,

donnent des ailes au syndicalisme québécois. En cinq ans, de 1961 à 1966, le taux de syndicalisation fait un bond de cinq points de pourcentage, passant de 30,5 % à 35,7 %[1].

La CSN maraude

Au début, la CSN semble bénéficier davantage de cette conjoncture favorable. Elle fait maintenant face à des syndicats de métiers et des syndicats industriels réconciliés au sein d'organisations uniques, le CTC et la FTQ. Si elle ne veut pas disparaître, elle n'a d'autres choix que de croître. Sous la direction de Jean Marchand, ami de Jean Lesage et très proche des libéraux, la CSN lance ses troupes dans des campagnes de recrutement dont plusieurs sont, en fait, un maraudage de syndicats de la FTQ. Elle leur ravit les employés de l'aluminerie *Reynolds* à Baie-Comeau, les chauffeurs d'autobus de Montréal et ceux de la *Compagnie de Transport Provincial*, les employées ·de soutien du *Jewish General Hospital* et du *Royal Victoria*, les travailleurs des élévateurs à grains du Port de Montréal et ceux des minoteries *Robin Hood* et *Ogilvie*, les salariées de la salaison *Maple Leaf*, etc[2].

Fernand assiste à cette saignée avec des sentiments partagés. Sauf la Fraternité canadienne des cheminots, devenue conservatrice et sclérosée avec le temps, la plupart des syndicats maraudés par la CSN sont des unions de métiers. La piètre qualité des services et l'état pitoyable de la démocratie syndicale dans ces unions incitent effectivement les membres à changer d'allégeance. Au fil des victoires de la CSN, Fernand constate que le discours de ses têtes d'affiche devient emphatique. Le président Jean Marchand, le secrétaire général Marcel Pepin et même son compagnon d'armes au PSQ, Pierre Vadeboncoeur empruntent des accents de prédicateurs[3] pour parler de l'hémorragie qui vide la FTQ de ses forces vives. Fernand est tantôt amusé, tantôt agacé par leurs intonations grandiloquentes, qui ne sont pas sans lui rappeler les origines catholiques de la centrale.

Fernand, qui a été et demeure un ardent partisan de la fusion avec la CSN, est personnellement blessé le jour où son propre syndicat est la cible des maraudeurs de cette centrale. Avant qu'il n'ait pu réagir, les syndiquées de l'usine de la *Canadian Electrolytic Reduction* à Varennes changent d'allégeance syndicale. Il n'a rien vu venir et prend comme une gifle personnelle cette agression de ses anciens alliés.

---

notamment dans le secteur public. Ces premières réformes viennent corriger les pires effets des lois favorables aux employeurs de Duplessis, dont l'iniquité avait été dramatiquement illustrée par le conflit de Murdochville.
1. Voir, tableau des effectifs syndicaux au Québec, 1961-1985, dans Rouillard, *Histoire du syndicalisme québécois, op. cit.*, p. 289.
2. Boudreau, *Histoire de la FTQ, op. cit.*, p. 295-299.
3. Voir la citation de Vadeboncoeur dans Boudreau, *ibid.*, p. 299.

Fernand partage l'analyse critique de Pierre Vadeboncoeur sur un certain « syndicalisme d'affaires » américain, dépolitisé et compromis avec le grand capital[1]. Cependant, il découvre peu à peu que, dans leur croisade, les chantres de la CSN mettent tous les syndicats internationaux dans le même sac, y compris les plus intègres et les plus combatifs. En même temps, ils ne semblent pas voir la poutre dans leur œil : le syndicalisme de leurs collègues de l'industrie du vêtement ou du bâtiment ne s'apparente-t-il pas à celui des agents d'affaires des unions américaines les plus conservatrices ?

L'unité déficiente

Fernand sait cependant que la CSN a d'autant plus de succès que, dans les rangs de la FTQ, l'unité n'est pas encore très enracinée. Si des luttes communes comme celle de Murdochville ont rapproché quelque peu les frères ennemis, beaucoup d'animosité, de méfiance, voire de mépris réciproque subsiste entre les anciens de la FPTQ et ceux de la FUIQ. La plupart des syndicats mènent leur barque en solitaire, considérant les autres organisations davantage comme des rivaux potentiels que comme les partenaires d'un même mouvement.

À preuve, même si l'unification des centrales aux États-Unis, au Canada et au Québec devait être suivie de la fusion des syndicats œuvrant dans le même secteur d'activités, la plupart des organisations concurrentes existent toujours. Bien sûr, les syndicats canadiens du secteur public que sont l'Union nationale des employés des services publics (UNESP-CCT) et l'Union nationale des employés publics (UNEP-CMTC) ont rapidement fusionné pour former le Syndicat canadien de la fonction publique (SCFP) en 1963. Mais peu de syndicats internationaux les imitent. Dans le secteur d'activités de Fernand, son syndicat, le SITIPCA, continue à concurrencer l'Union internationale des travailleurs des produits chimiques de la famille AFL-CMTC. Il existe toujours deux syndicats dans le secteur de l'alimentation et deux autres dans l'industrie du vêtement. Pire, dans un secteur majeur comme la métallurgie, quatre syndicats internationaux se retrouvent nez à nez lorsque vient le temps de syndiquer des salariéEs : l'Association internationale des machinistes, l'Union internationale des travailleurs du métal en feuilles, les Métallurgistes unis d'Amérique et les Travailleurs unis de l'automobile.

Si les syndicats sont peu encouragés à fusionner, c'est qu'à la création du CTC, on a décrété un gel des juridictions. Cette politique empêche tout syndicat affilié de solliciter l'adhésion des membres d'un autre syndicat affilié. La plupart s'assoient sur cette sécurité pour conserver intacte leur

---

1. Pierre Vadeboncoeur, *Écrits du Canada français*, tome IV, 1964, repris dans *La ligne du risque*, Montréal, HMH, 1977.

vieille structure. Cependant, l'effet pervers de cette règle est qu'aucune organisation de la famille CTC-FTQ ne peut intervenir lorsqu'un syndicat est menacé de maraudage par la CSN. Plusieurs syndicats comme les Métallos piaffent d'impatience de prendre la relève d'organisations plus faibles. Ils en sont empêchés, par exemple, à Baie-Comeau, en 1961, quand la centrale rivale, la CSN, vient arracher les membres de l'Union internationale des travailleurs du métal en feuilles à la compagnie d'aluminium *Reynolds* (aujourd'hui *Alcoa*).

Les deux solitudes

Au cours de cette période, Fernand s'interroge sur son lieu d'ancrage, le SITIPCA. Lors de réunions pancanadiennes du syndicat, les représen-tantEs doivent faire rapport sur la situation syndicale dans leur région. Très fier de l'évolution rapide que connaît le Québec, Fernand enrichit ses pré-sentations orales de mises en contexte social et politique. Tout y passe : la nationalisation de l'électricité, les réformes de l'éducation et de la santé, la création de la Caisse de dépôt et placement, mais aussi la montée du natio-nalisme radical incarné par le RIN et, plus marginalement, par le FLQ. Dans ses interventions, Fernand rappelle les fondements historiques du nationalisme québécois.

Si ses collègues anglophones prêtent une oreille polie à ses exposés, Fernand sent très bien que le directeur de son syndicat, Neil Reimer, en est profondément agacé. Comme chez bien d'autres sociaux-démocrates canadiens, les particularités du Québec et ses aspirations nationales offensent chez lui l'idée qu'il se fait d'un grand Canada démocratique, égalitaire et uni. Même s'il n'a jamais eu de confrontation majeure avec Reimer, Fernand sent bien que le courant ne passe toujours pas entre eux.

Il trouve difficile aussi de nouer des relations autres que professionnel-les avec ses collègues de l'Ouest et de l'Ontario. Pour la première fois de sa vie, il mesure toute la signification de l'expression « les deux solitudes[1] ». Ses quelques tentatives en ce sens sont ignorées ou froidement accueillies, une froideur qui se transforme parfois même en agressivité. Il garde un souvenir amer d'un séminaire de formation à Saint-Louis au Missouri, où le syndicat l'avait délégué avec un autre permanent canadien d'origine tchécoslovaque, Fred Kahanek. Trouvant l'occasion favorable pour fraterniser et se rappro-

---

1. *Two Solitudes,* roman de Hugh Maclennan, paru en 1945 (Toronto, Collins), publié au Québec en français en 1978 (*Deux solitudes*, Montréal, Hurtubise HMH, réédition 1992). Il décrit les difficultés de communication et de compréhension entre les communautés canadienne-française et canadienne-anglaise. L'expression est vite passée dans le langage populaire pour illustrer le peu de rapport entre les deux nations.

cher d'un permanent anglophone habituellement distant, il le questionne sur ses goûts, ses voyages, sur l'Europe où il est né. En quelques phrases mitraillées sèchement, il apprend que son collègue déteste les Français, leur cuisine immangeable, leurs manières empruntées, leur verbiage assourdissant et, surtout, leur collaboration avec les nazis. Comme il assimile les Québécois aux Français, il est difficile de développer avec lui une relation fraternelle.

C'est étonnamment chez des confrères états-uniens que Fernand trouve une oreille plus attentive. Chaque fois qu'une réunion ou un congrès l'amène aux États-Unis, il est à même de le constater. Il est souvent accompagné de Ghyslaine lors de ces voyages. Tous deux sont spontanément invitéEs par des couples rencontrés sur place. Leur chaleur tranche avec la froideur distante des syndicalistes du Canada anglais. Ils découvrent chaque fois avec plaisir, lors de ces réunions, des LouisianaisES qui parlent encore un peu français.

En général, lorsque Fernand parle à ses collègues états-uniens de la situation de son coin de pays et des différences de mentalités entre les Anglos et Francos au Canada, il sent un intérêt amusé chez ses interlocuteurs. Il faut dire que les États-Uniens sont quelque peu snobés par les Canadiens anglais. Ceux-ci s'estiment plus authentiquement syndicalistes et socialistes qu'eux et le leur font bien sentir. Ils ont en effet tendance à considérer leurs confrères des États-Unis comme des « vendeurs de chars » avec leurs casquettes, t-shirts, stylos, cocardes et gadgets divers. Les syndicalistes états-uniens se savent certainement raillés sinon méprisés par leurs vis-à-vis *canadians*. Aussi ne dédaignent-ils pas ces occasions de se payer une pinte de bon sang sur leur dos.

Une vraie centrale syndicale?

Si Fernand éprouve de plus en plus de mal à s'identifier à son syndicat, le SITIPCA, son intérêt pour l'évolution de la FTQ est inversement proportionnel. Les difficultés éprouvées par certains syndicats affiliés à la FTQ, aux prises avec le maraudage de la CSN, n'empêchent pas la jeune centrale d'évoluer sur le plan de ses orientations.

Au sortir de l'aventure du PSQ, Fernand sait qu'à la FTQ, le vent souffle du bon bord. Le PSQ a un peu trop forcé le rythme des changements idéologiques. La direction de la centrale et la plupart de ses syndicats affiliés n'ont pas pu suivre. Pourtant, malgré eux, ils continuent d'avancer. *Le Monde ouvrier* ou le Conseil du travail de Montréal ont beau multiplier les attaques contre le PSQ[1], trois faits survenus au cours de 1963 convainquent

---

1. Le rédacteur de l'organe officiel de la FTQ, Noël Pérusse, est particulièrement virulent quand il s'agit de pourfendre les nationalistes. Le président du Conseil du travail de Montréal, Louis Laberge, lui aussi aime apostropher ceux qu'il nomme les « pelleteux de nuages ».

Fernand que les positions de la centrale ne sont pas immuables. D'abord, à l'été 1963, lors du congrès du NPD à Régina, Roger Provost lui-même a arraché au parti fédéral des concessions sur la question nationale et sur l'autonomie du parti au Québec[1]. Le congrès de la FTQ, tenu quelques jours seulement avant la fondation du PSQ, a refusé de condamner ce dernier mandatant plutôt un comité pour étudier son programme et ses statuts.

Enfin, un autre changement encourageant réside dans le renforcement des revendications de la FTQ par rapport au CTC. Sous la présidence de Fernand, le comité d'éducation de la FTQ avait réclamé pour la première fois en 1961 un plus grand contrôle de la centrale québécoise sur les activités de formation syndicale. C'est maintenant l'exécutif qui semble s'engager plus avant dans cette voie. Quelques semaines avant le congrès de la FTQ, un document intitulé *Notes sur la situation actuelle au Québec des unions internationales et nationales,* est remis au conseil consultatif[2]. La FTQ y exprime à nouveau la nécessité de se doter de moyens et de pouvoirs accrus.

Ce document ne tombe pas du ciel et n'est certainement pas inspiré par le président Provost. En effet, depuis le début de sa carrière syndicale, ce dernier s'est accommodé assez bien du statut plutôt précaire des fédérations provinciales qu'il a présidées (d'abord la FPTQ, puis la FTQ); statutairement, elles ne sont en effet que de simples succursales de la centrale canadienne. Or, dans cette première moitié de la décennie, deux facteurs majeurs le forcent – lui comme l'ensemble des dirigeantEs de syndicats affiliés – à remettre en question ces vieilles structures. Le premier est, on l'a vu, l'essor spectaculaire de la CSN; le second est, sans contredit, la Révolution tranquille et tous les bouleversements qu'elle entraîne. Lui qui a un temps composé avec l'Union nationale n'est pas enthousiasmé par l'arrivée au pouvoir de « l'équipe du tonnerre ».

Pourtant, les changements structurants mis en œuvre par les libéraux devaient un jour ou l'autre être pris en compte et évalués. Dans le comité exécutif, Jean Gérin-Lajoie et André Thibaudeau plaident depuis quelque temps en faveur d'une réflexion approfondie sur le sujet. Gérin-Lajoie convainc l'exécutif de consacrer l'une de ses sessions de travail à un dialogue avec l'avocat et ex-leader de la CCF, Guy-Merrill Desaulniers. Ce dernier est reconnu comme un social-démocrate convaincu. Il est l'avocat de plusieurs syndicats, dont les Métallos, avec qui il a traversé la lutte épique de Murdochville. Devant les dirigeants de la centrale, il fait un long et brillant exposé sur les changements profonds engendrés par la Révolution tranquille.

---

1. Voir Cyr et Roy, *Éléments d'histoire de la FTQ, op. cit.,* p. 80.
2. Instance non décisionnelle mais influente de la FTQ qui regroupe périodiquement tous les permanentEs des syndicats affiliés.

Il plaide en faveur d'une prise de position claire de la FTQ par rapport à cette nouvelle philosophie politique. Faute de quoi la centrale laisserait le champ libre à la CSN, en pleine expansion.

Le transfert de responsabilités

À la suite de cette présentation, les membres du comité exécutif conviennent d'étendre le débat dans les rangs des syndicats. Il faut aussi en tirer une ligne d'action. C'est l'objet des *Notes sur la situation actuelle...* On y trouve une reprise de l'analyse sur la Révolution tranquille, laquelle non seulement constitue un rattrapage sur les retards sociaux et économiques du Québec, mais favorise l'émergence d'un État moderne, véritable acteur de la vie économique. Les auteurs du texte affirment que, dans ce nouveau contexte, les unions affiliées à la FTQ font face à un choix assez simple : « Ou nous mettons sur pied une centrale syndicale qui pourra nous représenter et défendre nos intérêts, ou nous serons absents de ces débats[1]. »

Seule une véritable centrale peut jouer le rôle de partenaire social et défendre pleinement les intérêts des travailleurs et des travailleuses dans le tumulte de ces changements. Mais pour mériter ce nom de centrale, la FTQ doit se voir confier des responsabilités accrues et bénéficier de moyens significatifs. On réclame donc que le CTC rende obligatoire l'affiliation de tous ses affiliés québécois à la FTQ, qu'il lui transfère ses responsabilités en éducation syndicale et en recrutement et qu'il lui remette la part de la cotisation consacrée à ces activités.

Fernand épouse pleinement ces revendications. N'avait-il pas rêvé d'une telle autonomie pour la FUIQ dix ans plus tôt? Il sait que, dans cette ère de transformation profonde que connaît la société québécoise, la FTQ risque d'être marginalisée comme acteur social si elle n'acquiert pas plus de moyens et de pouvoirs. Les lacunes de la FTQ et de ses syndicats sont douloureusement ressenties par les temps qui courent, notamment à l'occasion du maraudage dévastateur de la CSN.

Au lendemain du conseil consultatif où cette question est débattue, Fernand croit qu'un pas décisif a été franchi. Pendant la réunion, très peu de bémols ont été exprimés par les porte-parole des unions de métiers, qui ont surtout insisté pour préserver l'unité et l'intégrité du mouvement syndical canadien. Ils ne s'alarment cependant pas puisque les propositions formulées dans le document sont modérées. Elles appellent à une négociation à l'amiable avec le CTC. On peut y lire : « Loin d'affaiblir le CTC ou sa présence au Québec, les réformes suggérées sont indispensables à son essor et peut-être

---

1. *Notes sur la situation actuelle au Québec des unions internationales et nationales*, document soumis par le Comité exécutif de la FTQ au Conseil consultatif, en octobre 1963.

même à sa survie. » D'ailleurs, se limitant à un transfert de ressources, la satisfaction de ces revendications ne remettrait pas fondamentalement en cause les structures de la centrale canadienne.

Quelques jours plus tard s'ouvre le 8ᵉ congrès de la FTQ (1963). Le projet de réforme décrit par les « *Notes sur la situation actuelle...* » n'est pas remis aux congressistes et plusieurs militantEs s'en offusquent. Or, dès l'ouverture, Fernand est agréablement surpris d'entendre le président annoncer, dans son discours inaugural, que « des ententes ont été conclues avec le CTC ». Elles prévoient que « les services de recrutement et d'éducation seront mis à la disposition du président de la Fédération ». Provost affirme même qu'avec ce nouveau personnel ainsi que celui embauché à la suite d'une hausse de la cotisation, l'équipe de la FTQ pourra plus que doubler et être composée de douze conseillers permanents. Fernand s'attendait à de longues négociations avec le CTC. Il est heureux de constater que le rythme des changements s'est accéléré.

Jean Gérin-Lajoie, à qui il dit sa surprise et sa satisfaction, semble moins enthousiaste :

> Attendons de voir. [...] Roger n'a jamais été chaud pour réclamer ces responsabilités-là au CTC. Il nous est arrivé avec cette nouvelle à la dernière minute. Il nous a dit qu'il avait négocié tout ça hier soir avec Jodoin[1]. D'ailleurs, ce qu'il vient de dire n'est même pas dans le texte écrit de son discours. [...] En tout cas, moi j'ai pas pris de chance : j'ai fait prendre tout ce qu'il a dit en sténo par Léonette[2].

Les Métallos et le SCFP, appuyés par les anciens syndicats affiliés à la FUIQ, dont ceux de Fernand et de Jean-Marie Bédard, sont les principaux défenseurs du statut renforcé de la FTQ. Dès l'ouverture du congrès, les Métallos font circuler une lettre signée par la majorité des permanents. Ils y réclament non seulement le transfert des services du CTC à la FTQ, mais aussi la remise de ressources financières de la centrale canadienne à la centrale québécoise.

Provost peu déterminé

Par la suite, Fernand doit malheureusement constater que les réserves exprimées par Jean Gérin-Lajoie à propos de la détermination de Roger

---

1. Claude Jodoin, le président du Congrès du travail du Canada, présent au congrès de la FTQ.
2. Léonette Smith, sœur de Théo Gagné et secrétaire de Jean Gérin-Lajoie. Ces propos sont reconstitués à partir des souvenirs de Fernand Daoust, d'Émile Boudreau et de Jean Gérin-Lajoie. Voir aussi la note en bas de page dans Boudreau, *Histoire de la FTQ, op. cit.,* p. 348.

Provost sont fondées. Dans les semaines suivant le congrès, l'accord verbal conclu entre les deux présidents à la veille du congrès est peu à peu dilué par l'interprétation de Provost. Il n'y aura pas de transfert réel de responsabilités et de ressources. Dès janvier 1964, le président explique qu'il n'est pas nécessaire que le responsable québécois de l'éducation syndicale du CTC passe à la FTQ. Selon lui, il n'y a « aucun problème dans ce secteur[1] ». Provost ne voit plus l'urgence d'agir et encore moins de livrer un combat majeur sur ce terrain.

Quant à la question du recrutement, il semble que les discussions ont été plus sérieuses. Il faut attendre cependant au mois d'août suivant pour qu'on en reparle concrètement, lors d'une rencontre entre Provost et le secrétaire-trésorier du CTC, Bill Dodge. Il est question de mettre à la disposition de la FTQ sept des neuf permanents québécois du CTC, auxquels s'ajouteraient des recruteurs prêtés par quelques grands syndicats affiliés. La FTQ aurait enfin cette force de frappe lui permettant de résister aux assauts de la CSN et même de passer à l'attaque. Mais le branle-bas de combat ne demeure que verbal : plusieurs mois après l'annonce des fameuses ententes au congrès de 1963, il n'y a toujours aucun ajout de personnel à la FTQ. Finalement, une petite équipe de recruteurs CTC-FTQ est chargée de contrer les attaques de la CSN.

Ce commando, qu'on appelle « l'équipe volante », n'est, selon le jugement même de l'un de ses membres, qu'un « pétard mouillé »[2]. Il n'a pas eu à livrer de bataille mémorable. Il doit même parfois gonfler, sinon inventer des menaces de maraudage pour justifier son existence. Au moment de sa mise sur pied, en effet, l'hémorragie est déjà à peu près arrêtée. La CSN obtient de moins en moins de succès dans ses tentatives de maraudage dans le secteur privé. En 1965, sur les 25 000 travailleurs et travailleuses de syndicats affiliés à la FTQ qu'elle tente de marauder, elle ne recueille l'adhésion que de 520 nouveaux membres[3].

La déception est grande devant la mollesse de Provost. Même ses alliés inconditionnels, comme le bouillant président du Conseil du travail de Montréal, Louis Laberge, trépignent souvent d'impatience devant sa modération ou son indécision. Laberge va jusqu'à s'en ouvrir lors de discussions avec les autres dirigeants de la FTQ, Jean Gérin-Lajoie, André Thibaudeau et René

---

1. Évelyn Dumas-Gagnon, *Le Devoir*, 30 janvier 1964.
2. Entrevue avec Édouard Gagnon. Permanent de l'Union des travailleurs du textile, Gagnon a été « prêté » au CTC par son syndicat pour intégrer cette équipe de recruteurs. Dirigée par Fred Robindaine du Syndicat des pâtes et papiers, l'équipe comprenait aussi Aldo Caluori, de l'Association internationale des machinistes, et Maurice Hébert, conseiller du CTC.
3. Boudreau, *Histoire de la FTQ, op. cit.*, p. 303.

Rondou. Fernand, qui ne fait pas partie du comité exécutif, est parfois invité à des conciliabules au cours desquels tous reconnaissent que leur président ne livre pas tout à fait la marchandise[1]. Ils ne songent pas à contester son poste, mais ils projettent de le rencontrer pour le secouer un peu.

Bien sûr, ils savent que Provost a toujours été et qu'il reste un homme de compromis. Contrairement aux appréhensions exprimées par les amis de Fernand à la veille de la fusion, Provost n'a pas entraîné la nouvelle centrale dans le conservatisme et la réaction. Il se montre plutôt soucieux de rallier toutes les tendances. Son désir le plus cher semble être de faire oublier que cette centrale est issue d'un mariage de raison contracté entre frères ennemis. Il sait que cette union est fragile et semble prêt à tout faire pour qu'elle perdure.

Dans les années 1950, il n'était pas le plus grand adversaire de Duplessis. Il a dû enfourcher le cheval de bataille de la grève de Murdochville. S'il ne souhaitait pas un engagement politique trop direct du mouvement syndical, il n'en a pas moins appuyé la création du NPD et travaillé à la formation d'une aile québécoise. S'il était opposé au courant nationaliste, il a tout de même soutenu les revendications en faveur de la reconnaissance des deux nations et du droit du Québec à l'autodétermination au sein du NPD. Enfin, s'il avait d'abord été réticent vis-à-vis du nouveau gouvernement libéral, il a quand même salué chacune des grandes réformes de la Révolution tranquille.

Habile opportuniste pour certainEs, homme prudent et nuancé pour d'autres, il est à coup sûr plus à l'aise dans ses fonctions par temps calme que pendant les grandes tempêtes. Fernand sait que cet homme élégant dans sa tenue comme dans son élocution n'est pas opposé au changement. Mais, par nature, il n'a aucun attrait pour les ruptures brutales, les luttes radicales ou les affrontements tragiques. S'il est parfois entraîné sur des barricades qu'il aurait aimé éviter, c'est par sa volonté de rester au cœur de l'action et de rassembler le plus large éventail de tendances. Le plus étonnant, c'est qu'une fois au front, il fait face avec aplomb, son discours s'affermit et prend des accents d'authenticité convaincants.

La bataille du Bill 54

En 1964, Roger Provost va une dernière fois devoir livrer un combat qu'il n'avait pas cherché à provoquer. Le gouvernement Lesage avait, dès son élection, annoncé que son grand programme de réformes s'étendrait aussi aux relations du travail. De fait, dès 1961, il annonce des modifications à la Loi des relations ouvrières. La pièce maîtresse à venir est toutefois

---

1. Fournier, *Louis Laberge, op. cit.*, p. 143.

l'adoption d'un véritable *Code du travail*, qui régira l'ensemble des relations patronales-syndicales.

Le Québec sort à peine des années noires du duplessisme. Depuis l'époque d'Adélard Godbout[1], alors que des gains appréciables avaient été faits en matière de reconnaissance syndicale, on n'avait connu que des piétinements et des reculs. Duplessis légiférait à la pièce et, la plupart du temps, de façon répressive. Les syndicats affiliés à la FTQ appelaient depuis longtemps à des réformes en profondeur. Mais, en accord avec la nature prudente de Provost, la centrale ne voulait pas une loi votée dans la précipitation.

Le premier projet de loi modifiant la loi des relations ouvrières, nommé *Bill 54*, est déposé en juin 1963. Il est jugé inacceptable par le mouvement syndical. La FTQ et la CSN en font une critique commune. Si elles applaudissent à l'abrogation des lois scélérates de Duplessis[2], elles n'en dénoncent pas moins une loi qui ne favorise pas l'essor des syndicats et le respect des droits fondamentaux des travailleurs et des travailleuses. Le droit de grève est limité ou interdit et on ne reconnait pas le droit à la syndicalisation dans la fonction publique. La deuxième version du projet de loi est pire. Elle est carrément perçue comme une provocation aussi bien par la CSN que par la FTQ.

Une véritable ébullition s'empare des syndicats. La FTQ, moins centralisée que sa rivale syndicale, n'a pratiquement pas de moyens financiers à sa disposition. Ses positions sont claires et fermes, mais que faire d'autre que des communiqués et des conférences de presse ? Fernand joint sa voix aux autres directeurs de syndicats et enjoint la centrale de mobiliser largement les troupes. À Provost, rencontré par hasard dans un restaurant, il affirme avec ferveur :

— C'est un enjeu majeur cette fois-ci. Faut bouger fort. C'est comme Murdochville. La FTQ peut et doit jouer un rôle crucial. Il faut faire appel à tous les syndicats, les affiliés comme les non-affiliés.
— Je sais, j'ai des téléphones de tout le monde. Laberge dit que même les unions les plus pépères veulent se battre. On réunit l'exécutif demain puis, si tout le monde est décidé, on va faire le nécessaire[3].

Les décisions prises vont au-delà des espérances de Fernand. Cette centrale, qui existe davantage dans ses déclarations que dans ses actions réelles, s'anime et apparaît enfin comme un lieu de ralliement. Provost, ce président trop souvent symbolique, qui ne met les pieds qu'occasionnellement au bureau de la

1. Premier ministre libéral au pouvoir de 1940 à 1944.
2. Les Lois 19 et 20 adoptées en 1953.
3. Propos reconstitués à partir des souvenirs de Fernand.

centrale, est maintenant partout. Fernand participe à la tournée des conseils du travail un peu partout au Québec. Ces organismes régionaux, qui rassemblent les sections locales des syndicats affiliés au CTC, comptent plusieurs syndicats membres qui ne cotisent pas à la FTQ. Malgré cette faiblesse structurelle, Fernand constate avec satisfaction qu'en ces moments de contestation et de mobilisation, c'est à la centrale québécoise que les membres s'identifient.

À mesure que la tournée progresse, les médias lui font écho ; la condamnation du projet de loi libéral se raffermit. Il devient évident après quelques jours que la mobilisation est possible. Fernand a aussi le plaisir d'entendre un Provost redevenu l'orateur enflammé des grands jours. Pour peu, il a l'impression qu'un président ragaillardi est à la tête de la FTQ. Rentré à Montréal, il déchante lorsque son ancien collègue du CCT, Jacques Chaloult, lui apprend qu'il a été chargé d'une mission spéciale par Roger Provost lui-même. Ce dernier, sachant que Chaloult a autrefois été le compagnon d'études de Jean Lesage à Québec, lui demande de le contacter en secret et de lui dire qu'une négociation et un règlement sont toujours possibles. Heureusement, cette tentative échoue, Lesage ne daignant même pas rencontrer son ancien condisciple.

À l'issue du Conseil général tenu en mars, la FTQ convoque à Québec un congrès extraordinaire les 11 et 12 avril 1964. Pour l'occasion, les délégations des syndicats locaux peuvent atteindre cinq fois le nombre normal. Le syndicat de Fernand y est bien représenté, malgré sa petite taille. Plus de 2 000 militantEs de tous les grands et petits syndicats répondent à l'appel. En entrant dans la salle du congrès, au Colisée de Québec, on lit au-dessus de la tribune le slogan : « Il faut détruire le bill 54 avant qu'il nous détruise ! » C'est unanimement que les déléguéEs donnent aux dirigeants de la FTQ le mandat de mettre en branle des moyens d'action jusqu'à la grève générale.

Fernand ne connaît pas de précédent dans le mouvement syndical au Canada. Les grands débrayages de Winnipeg en 1919 n'avaient pas reçu d'appui officiel du CMTC. Les dirigeants de la centrale canadienne disaient cette grève inspirée par les idéologies marxistes et révolutionnaires qu'ils condamnaient. Dans la tradition du syndicalisme canadien, la grève générale est assimilée à un acte de désobéissance civile, ou pire à un geste insurrectionnel. Enthousiaste, Fernand a la conviction qu'un point de non-retour va être franchi, tout au moins quant à la perception de la FTQ, tant à l'interne, par ses propres membres, que dans l'opinion publique québécoise.

Moins émotif, Jean Gérin-Lajoie voit dans ce geste un formidable bluff. Il ne croit pas que, le temps venu, les membres des syndicats du secteur privé vont débrayer en masse[1].

---

1. Témoignage de Jean Gérin-Lajoie en entrevue.

Le gouvernement ébranlé

Cette fronde, venant d'un mouvement perçu par le pouvoir comme habituellement pondéré et pacifique, ébranle pourtant le gouvernement. Contre toute attente, le congrès extraordinaire de la FTQ à peine terminé, Lesage marche sur son orgueil et annonce des amendements majeurs au projet de Code du travail. Quelques versions et amendements plus tard, en juillet 1964, la loi est adoptée. Les grandes revendications syndicales sont satisfaites, y compris le plein droit à la syndicalisation, à la négociation et à la grève pour les employéEs de l'État. La fonction publique, cependant, fait l'objet de dispositions particulières qui sont adoptées seulement en 1965 et consignées dans une législation distincte, la Loi de la fonction publique.

Un petit hic : la loi précise que les syndicats de fonctionnaires n'auront pas le droit de s'affilier à une organisation qui fait de la politique partisane ou participe au financement d'un parti politique. Or, la FTQ comme le CTC et ses affiliés appuient le NPD et demandent à leurs sections locales d'y adhérer et d'y cotiser. Ils sont donc écartés de la course. La seule grande organisation habilitée à affilier les fonctionnaires est celle qui se dit apolitique, la CSN. C'est ce qui fait dire spontanément aux dirigeants de la FTQ que Lesage « a remis à la CSN les fonctionnaires provinciaux sur un plateau d'argent ». La CSN voit ainsi ses effectifs augmentés de 59 % du jour au lendemain[1]. Fernand, qui s'apprêtait à venir épauler le Syndicat canadien de la fonction publique dans une grande campagne de syndicalisation des fonctionnaires provinciaux, est profondément déçu de cette partie de la loi.

L'influence des progressistes

Cette période de concurrence intersyndicale entre la CSN et les syndicats de la FTQ pousse Fernand à certaines remises en question et accélère sa réflexion sur son engagement dans la FTQ. Il est maintenant clair que tout projet de fusion avec la CSN est chose du passé ; les anciens alliés de la FUIQ ne viendront pas grossir les rangs des progressistes à la FTQ, comme en rêvaient Fernand et ses amis. La CSN est désormais une concurrente. Il sait aussi que c'est au sein de la FTQ, cette centrale issue d'un mariage de raison, qu'il devra faire sa vie syndicale. C'est là qu'il doit s'investir.

Ses amis Jean Gérin-Lajoie et André Thibaudeau sont membres du comité exécutif de la FTQ. Ce sont deux dirigeants influents. Le premier, directeur adjoint du plus grand syndicat industriel du Québec, les Métallos, est vice-président de la FTQ depuis 1959[2]. Son ami de jeunesse est à la tête de la section québécoise du Syndicat canadien de la fonction publique

---

1. Boudreau, *Histoire de la FTQ, op. cit.*, p. 319.
2. Jean Gérin-Lajoie est élu directeur du Syndicat des Métallurgistes unis d'Amérique en 1965.

(SCFP). Ce syndicat, surtout présent dans les municipalités, fait aussi des percées dans les secteurs de la santé et dans les commissions scolaires. Sur le point de prendre d'assaut la nouvelle société d'État, Hydro-Québec, le SCFP a le vent dans les voiles. En plus de ses fonctions de directeur de syndicat, Thibaudeau agit comme secrétaire de la FTQ depuis 1962[1].

Quant à Fernand, dirigeant d'un syndicat au *membership* québécois modeste, il est déjà une personnalité en vue du mouvement syndical. Il a été secrétaire du Conseil du travail de Montréal, candidat du NPD à deux reprises et premier président du PSQ. Il fait son entrée au Conseil exécutif de la centrale en 1960, à titre de directeur du secteur des industries manufacturières[2]. Gérin-Lajoie, Thibaudeau et Daoust sont bien identifiés au courant progressiste de l'ancienne FUIQ. Ils veulent faire de la FTQ une centrale syndicale bien enracinée dans la réalité québécoise. Au pessimisme du soir de la fusion a succédé un certain espoir. Comme ses amis, Fernand est maintenant convaincu que, malgré une présence numérique inférieure dans la FTQ, les syndicats les plus progressistes peuvent exercer une influence décisive. Plus que jamais, il a la conviction que la construction d'une FTQ forte passe par la récupération de responsabilités et de ressources du CTC.

À trente-huit ans, Fernand habite, avec de plus en plus d'aisance, le personnage syndical qu'il devient. Son investissement entier dans ce travail est facilité et encouragé par Ghyslaine, sa conjointe, qui le soutient.

Il vit cependant une grande perte lorsque sa mère, Éva Daoust, meurt à l'âge de soixante et onze ans. La couturière, qui avait élevé courageusement ses fils dans des conditions difficiles, vivait maintenant paisiblement avec son frère, Aimé, dans la maison paternelle de l'avenue Des Érables. Elle avait approuvé avec enthousiasme le choix de son fils d'œuvrer pour les « unions », dont elle avait été membre. Elle éprouvait une grande fierté à le voir prendre la parole aux différentes tribunes syndicales et politiques. Elle s'est éteinte discrètement à l'hôpital Sainte-Jeanne D'Arc, à Montréal, le 20 mai 1964.

1. André Thibaudeau a aussi occupé la fonction de trésorier de la centrale en 1961.
2. Le Conseil exécutif (qui devient plus tard le Conseil général) et le Comité exécutif sont les deux instances décisionnelles de la FTQ entre les congrès. Le Comité n'est composé que de cinq membres (six en 1966) : le président, deux vice-présidents, le trésorier et le secrétaire. Le Conseil est une instance élargie, composée des membres du comité exécutif, de six vice-présidents représentant les différents secteurs d'activité et de neuf autres représentants des régions.

Index des noms

Remerciements

Ce livre n'aurait jamais vu le jour...

sans la FTQ qui m'a initialement donné un congé rémunéré pour l'entreprendre;

sans Fernand Daoust, qui a longuement, patiemment et passionnément revécu devant moi son parcours unique, étrangement semblable à celui du Québec qu'il chérit;

sans les parents de Fernand qui m'ont accordé des entrevues : son frère André, sa conjointe Ghyslaine, ses filles Josée et Isabelle, son ami de jeunesse Jacques Thibaudeau, ses camarades syndicalistes, Robert Dean, Jean Gérin-Lajoie, René Rondou, Edmond Galland et les regrettéEs Émile Boudreau, Jacques-Victor Morin, Huguette Plamondon, Julien Major et Ivan A. Legault;

sans Mona-Josée Gagnon, qui m'a motivé à transformer cet éternel brouillon en récit structuré et en a encadré l'achèvement;

sans mes patients et généreux lecteurs-débroussailleurs Dominique Savoie, Louis Fournier, Robert Demers, Élyse Tremblay, Jean-Guy Frenette, André Messier et Pierre Richard;

sans Isabelle Reny, efficace documentaliste de la FTQ;

sans les historienNEs Suzanne Clavette et Marc Comby qui ont épaulé ma recherche;

sans ma douce compagne, Ginette Boursier, dont le soutien moral permanent s'est prolongé dans des centaines d'heures de méticuleuses corrections.

À touTEs, je dis qu'il y a beaucoup de vous dans l'aboutissement de ce livre et beaucoup de moi dans ses imperfections.

Achevé d'imprimer en septembre 2013
par les travailleuses et les travailleurs syndiquéEs
de Marquis Imprimeur,
Montmagny (Québec)